山本五十六

下巻

第九章

一

昭和十六年の初頭、山本がいよいよ私案としての真珠湾強襲の構想を固めたころ、一方で彼の心の隅《すみ》には、いくらかまた、退任隠栖《いんせい》の志がきざし始めていた。

その八月が来ると、彼は司令長官在任満二年になる。明治以降歴代の聯合艦隊司令長官のうち、二年以上この激職に留まった者はほとんどいない。東郷平八郎から吉田善吾まで、早い人は数カ月、最も長い者でも二年三カ月で、あとと交替して行っている。

年が明けて、山本がそろそろ自分の御役御免の日のことを考えるようになったのは、ごく自然の成り行きで、ただ、時節柄その実現が早急にはなかなか難《むず》かしいかも知れないとも、彼は思っていたようである。

昭和十六年一月二十三日彼が徳島県小松島気付で軍艦「高雄《たかお》」の古賀峯一《みねいち》第二艦隊司令長官に出した手紙は、彼の遺《のこ》した書簡の中でも重要なものの一つであるが、その中で、彼は海軍人事の面からの戦争回避策と自分の進退問題とにふれて、次のように述べている。

「(前略)

一、昨年八月か九月三国同盟予示の後離京帰艦の際非常に不安を感じ及川氏に将来の見通《みとほし》如何と問ひたるに或《あるい》は独の為《ため》火中の栗《くり》を拾ふの危険なしとせざるも米国はなかなか起《た》つ間敷《まじく》大抵大丈夫と思ふとの事なりき。殿下も亦《また》かつて『此《か》くなる上はやる処《ところ》までやるもやむを得まじ』との意味の事を申されし様記憶し之《これ》ではとても危険なりと感じ此上は一日も早く米内《よない》氏を起用の外なしと感じ夫《そ》れには先以《まづもつ》て艦隊長官に起用の順序を捷径《しょうけい》と考へ其時《そのとき》及川氏に敢而《あへて》進言せし次第也《なり》。及川氏も其後の小生や貴兄等の考をきき追々危険を感じ来れるにあらずやと思はるる点あり(中略)、どうも次官は策動が過ぎるから早目にかへた方がよからんと思ふが(濠洲公使はどうかねとの事也《なり》き)同時に軍令部ももつとしつかりするの要あり、強化策として一部長に福《ふく》留《どめ》を呉《く》れぬかとの事なりき。

依て小生より、

三国同盟締結以前と違ひ今日に於《おい》ては参戦の危険を確実に防止するには余程の決心を要す一の部長交替位で又次官更迭位では不徹底と思考す。

先づ軍令部に於ては米内氏を総長とするか又は次長に吉田或は古賀を据ゑ(何《いづ》れも無理の人事なるも)福留をして輔佐せしむる事とし次官を井上として上下相呼応する程度の強化にあらざれば効果なかるべし依てかかる難事を敢行して既倒を支《ささ》えむとの大転換ならば艦隊としては忍び難きをも犠牲として人事の移動に敢《あへ》て反対せざるべしと話せし事あり之に対し及川氏は可と

も不可とも言ふ処なかりき。
二、右とは全然関係なく昨年十一月末及川氏より急ぐ事ではないがGF長官の後任は誰がよきか意見きき度《たし》との事なりしに依り之には種々の関係あり充分考慮して答ふべしと即答を避け昨年十二月廿五日頃以書面左記要旨の事を返答せり。
『既に意見を開陳せる通又殿下は御同意なかりしも自分は四月の編成換の際米内大将起用を矢張第一案と信ずかくし置けば十六年中又は十七年には殿下も米内にと言はれはせぬか。併《しか》し其内両米内氏起用の事なしとして考慮すれば常識上嶋田両豊田古賀の四氏を一応数ふべく
豊田は先づ除外して可なりと思考す。
(中略)要するに急遽《きゆうきよ》米内大将起用を第一案とし其の実現困難の場合即《すなは》ち小生の後任の意味にては古賀嶋田両氏の外なし。
尚《なほ》一方当分殿下更迭の事なければ古賀氏次長は乍御苦労《ごくろうながら》最適と信ずる次第也。
小生自身について率直に言へば既に米内氏を極力推薦し居る次第なればIFに残るも退陣するも何等異存なき真情なり併し又同時に重任なればとて怖《おそ》れて之を回避するにもあらず仮令《たとへ》ば古賀氏一年陸上の後GFに転出の如き場合要すれば三年継続も亦敢て辞する次第にてはなし。
而《しか》して国際関係及国内事情より場合に依りては参戦もやむなしとの大勢ならば2F長官及GF参謀長共変更は困る』
(中略)誠に御気の毒ながら吉田挫折《ざせつ》の後上層部に誰を求むべきか米内、古賀、井上等の蹶起《けつき》なくしてはとても六《むつ》かしかるべし夫《それ》でも参戦といふときは真に已《や》むを得ざる場合とあきらめ敢然

起《た》つの外なかるべく候其場合でも一日も遅くし一日でも永く戦備促進に邁進《まいしん》せざるべからずと存居《ぞんじをり》候。
右の如く及川氏は2F長官GF参謀長をかへるには重大なる条件ある事は万々承知の筈《はず》なるも重ねて書面にて進言可致《いたすべく》候　　敬具」

GF、1F、2Fは、それぞれ、「聯合艦隊」「第一艦隊」「第二艦隊」の略語である。「両豊田」は、豊田貞次郎と豊田副武《そえむ》である。「かくし置けば十六年中又は十七年には殿下も米内にと言はれはせぬか」というのは、昭和七年以来九年間軍令部総長の椅子《いす》に坐ったきりの伏見宮が、何とか辞任の気を起して、あとを米内光政にと言い出しはせぬかという意味である。

これは、私信ではあるが、かなり公的な意味を持つ手紙であった。

「福留を呉れぬか」に関しては、人事局長の中原義正がその話を持って艦隊へやって来た時、山本は、

「大臣は参戦すべからずという確固たる意見を持って、これを実現するために省部をかためようという意図なのか、それとも今の陣容では何となく物足りないから福留をよこせという漫然たる意向なのか、どっちなんだ？　その点について君に何かことづけがあったか？」

とズケズケ質問したらしい。

中原は、

「国際情勢については大臣も色々御心配の様子ですが、どの程度堅い御決心か、別に御伝言など

はありませんでした」

と答えた。

それで山本は及川海相宛《あて》の次のような伝言を中原人事局長に托した。

「対米関係が今日の如くなるは昨年秋より分りきつたる事なり。併《しか》し其後真剣なる軍備計画並《ならび》に之が実行上物動方面と照し合せ此際海軍はふみ止《とどま》るを要す。其為に省部に信頼するに足る幕僚を要すとの見地よりの御注文ならば大臣の御意嚮《いこう》は充分尊重すべきものと信ず。併し大勢は早や too late にして結局行く処まで行く公算大なりと言ふ如き事なれば聯合艦隊長官としては最信頼する長官参謀長等は現在の儘《まま》にて極力実力の向上を図り一戦の覚悟をかためざるべからず。今此両官を交代する事はあとの人々の力量等は別として自分の精神上にも動揺なき能《あた》はず、又艦隊将兵の上にも好ましからざる影響は免れ難きにより現状の儘を望む」

古賀になら穏やかに書けばそれで充分意思は疎通するが、及川には生易《なまやさ》しい言い方ではとても分るまいからといった調子である。

そして古賀宛の手紙では、山本は半ば公然と、場合によって洋上三年にわたっても構わないと言っているわけだが、彼個人としての「真情」は、どちらかと言えばやはり、「退陣」の方に傾き始めていたのではないであろうか。

その頃上京した反町《そりまち》栄一に、彼は芝の水交社で、

「僕が海軍に奉職して、今年で三十六年になった。一緒に兵学校に入った二百余人のうち、今現役で残っている者は、塩沢、吉田、嶋田と僕の四人になってしまった。この秋には、僕も後進に道を譲って海軍を退くことになるだろうが、そうしたら、長岡の玉蔵院の僕の生れた家に帰って、父や祖先の書残した書物を読んだり、裏の畑の土いじりや、栗《くり》の木柿《かき》の木の手入をしたり、町の青年たちと仲よしになって暮したいね。よろしく頼むよ」

という意味のことを言っているし、同じく郷里の風呂屋の友達、梛野《なぎの》透には、

「(前略)小生も今年一年海上を死守し、幸に事なければ海軍の御奉公も先づまず用済みに付、悠々《ゆうゆう》故山に清遊時に炉辺に怪腕を揮《ふる》ふの機会も可有之《これあるべく》、夫《そ》れ迄に充分腕を研《みが》き置く様連中に御《お》申聞《まうしきかせ》被下度《くだされたく》、又本年中に万一日米開戦の場合には『流石《さすが》は五十サンダテガニ』と言はるる丈《だ》けの事はして御覧に入れ度《たき》ものと覚悟致居《いたしをり》候、(中略)艦隊は只今《ただいま》所属軍港にて後期出動の準備中にて月末は又茫々《ぼうぼう》たる洋上へ突進可致候」(四月十四日付)

と書き送っている。

少しあと(八月十一日付)の榎本重治《えのもとしげはる》宛、

「貴《き》翰《かん》拝受暑中(といっても今日《十一日》ハ又東京二十度仙台十五度とかいよ〳〵米ハ駄目《だめ》か)御健康慶賀の至ニ候　一昨日吉田善氏艦隊視察ニ来艦半日遊び行けるも軍参などハもう何もわからぬ

と申居候
指切りか投了か困つたものに候　艦隊ハ某日を期限として起ち上る準備ニ着手尤《もつと》も小生ハ夫迄《それまで》ニて解傭《かいよう》となるへきもかきまわして後任共ニ迷惑をかける前轍《ぜんてつ》を踏まぬ様にと物心両方面に精精注意致すつもりに候　年度一通りの作業もここ両三日にておわり世が世ならハ母港に返へしてやり度十万の若人達を擁して豊後《ぶんご》水道の一隅に待機とは一寸《ちよつと》なさけなき世の中とかこち申し居候　本日第一艦隊を被免部下直率に（一字不明）なれば昼寝でもすべえかといふ次第に候」

という手紙もある。

山本にこういう風に書かせたり言わせたりしたものは、一つには、彼が長く見ないその故郷への思慕の情であろうが、もう一つはやはり、聯合艦隊の長官は通常二年までという海軍の不文の慣行であった。

ただ、その秋、二年と少々で艦隊を去るとしても、それがすぐ彼の長岡隠栖《いんせい》につながり得るものかどうか、あとに海軍大臣の椅子が廻って来ることになりはせぬかということが、山本の頭に全く浮ばなかった筈はあるまい。

「上下相呼応する」、「不戦海軍」の強化となれば、軍政系統では、「次官井上」の上には当然「大臣山本」が考えられなくてはならぬが、古賀あての手紙の中でも、彼はこのことには一と言も触れていない。

東京で、堀悌吉《ほりていきち》を中心に、岡田啓介、米内光政、山梨勝之進らがバックになって、山本を中央に戻そうという運動が始められたことがあり、この年の秋、第三次近衛内閣が東条内閣に変ったころ、この運動は或る程度表面化したようであるが、東条内閣の海相になった嶋田繁太郎は、自身の地位を脅やかされるのを嫌ってか、

「今、聯合艦隊の長官には、山本以外に人が無い」

の一点張りで、ついに承知しなかった。

この時も山本は、大臣なり他の中央の要職なりを自ら求めるような言動は、少しも見せていない。触れず求めないのは東洋的清風であるかも知れないが、あとから考えれば、如何《いか》にも惜しいことであった。

武井大助は、昭和十六年秋までにもし山本の中央復帰が実現していたら、十二月の開戦は、少なくとも先へ延ばされ、山本が腰抜けとか親英米とか言われて時を稼《かせ》いでいるうちに、ドイツの頽勢《たいせい》がはっきりして来、日本は世界動乱に処して、おそらくもっと有利な道をたどり得ただろうと言っている。

古賀宛の手紙の中にある「四月の編成換の際」、福留繁は、及川の求め通り、聯合艦隊参謀長から軍令部第一部長に転じた。伏見宮博恭《ひろやす》王は、軍令部総長を辞して静養ということになった。しかし、それ以上、山本の提言した戦争回避の強行人事は行われなかった。

伏見宮のあとには、米内の現役復帰でなく、永野修身《おさみ》の軍令部総長が実現した。

山本が、

「永野さんは、天才でもないのに自分で天才だと思っている人だから、一般には受けるだろ」

と言ったのは、この時のことである。

井上成美《しげよし》は、この前年、沢本頼雄《よりお》の次官着任まで、短期間海軍次官代理を勤めたことがあり、大臣の及川古志郎から、

「おい、宮様が総長辞《や》めたいと言われるんだが、どうしよう」

と相談を持ちかけられて、

「辞めてもらったらいいじゃないですか。大体宮様というのはよほどの事がないかぎり、下の者の持って来る案にノーとは言わないようなしつけを受けておられる。この非常の時にそれではなりません。辞めて頂くのが海軍のためでもあり宮様のためでもあります」

と答え、あとを先任順で永野修身にという話には、

「しかし、永野さん不可《いけ》なかったら、二、三カ月ですぐ首にすることですよ」

と進言している。

伏見宮が退いて、それを惜しんだ人は、海軍にあまりいなかったであろう。

博恭王はもともと、陸軍の下風に立っていた海軍を、山本権兵衛が海軍の海軍として独立させたのを崩すまいとして、谷口尚真《なおみ》のあと、陸軍の閑院《かんいん》参謀総長宮に対応させる意味で置かれた軍令部総長であった。

二人の皇族総長については、次のような話も伝えられている。

さきに書いた「年度作戦計画」を、両総長から毎年三月末に陛下に奏上するのであるが、陸軍の閑院宮は、耄碌《もうろく》していて、特別に参謀本部の作戦部長が介添役でついて入室することになって

いた。それでも宮は紙を二枚一緒にめくって読み上げたりし、天皇から、

「きょうの奏上は、よく分らないところがあったね」

などと言われていた。

対英戦が年度作戦計画の中に入って来た年のこと、文面に、ただ、

「シンゴラ、コタバルに上陸し」

とあるのを、閑院宮はそのまま読んでいて、天皇に、

「ちょっと待て。シンゴラ、コタバルは、シャム領ではないか。それでは、他国の中立を侵すことになりはせぬか？」

と注意された。

それに対し、閑院宮が何かヘマなことを答えたらしく、陛下は珍しく御立腹で、大声を出され、

「故《ゆえ》なくして他国の中立を侵すことはならぬ。その作戦計画は考え直せ」

とお叱《しか》りがあった。

陸軍の作戦部長は、青くなって退出して来、海軍側に耳打ちをしたが、伏見宮は、

「あ、よしよし」

と、一人で次の奏上に入って行くと、適当にごまかして辻褄《つじつま》を合わせてしまったらしく、それでも翌日、再び両総長同道で、

「あれは、実は事前に、外務省を通じて、シャム(泰)国の諒解《りょうかい》を取りつける予定になっております」

と説明し、漸《ようや》く裁可を得たということである。

しかし伏見宮が永野に変って変りばえがしたかというと、それは疑問であろう。「明治百年史叢書《そうしよ》」の一部として最近出版された「杉山メモ」の中には、開戦一ヵ月前の十一月三日、杉山元参謀総長が永野軍令部総長と列立、作戦計画に関して陛下に奏上、御下問奉答の要旨が載っているが、その中に、

「オ上　海軍ノ日次ハ何日カ
永野　八日ト予定シテ居リマス
オ上　八日ハ月曜日デハナイカ
永野　休ミノ翌日ノ疲レタ日ガ良イト思ヒマス」

という一節がある。

あらためて書くにもあたらないが、東京とハワイの間には日附変更線が走っていて、開戦予定日の十二月八日月曜日は、ハワイ時間では七日の日曜日にあたる。永野修身はそれを知らなかったか乃至《ないし》は上っていて勘ちがいをしたのであった。

この話は早速《さつそく》、

「休みの翌日のアメリカの兵隊がぐったりしている日がよいと思いまして、八日の月曜日を選びました」

と言ったという風に部内に伝わり、永野は「ぐったり大将」という綽名《あだな》をつけられた。

もっとも、現在防衛庁戦史室の手で刊行中の「戦史叢書」、「ハワイ作戦」の巻には、開戦直前

の十二月二日、永野が再び「武力発動時機ヲ十二月八日ニ予定シタル主ナル理由」について上奏した内容が記載してあって、これはちゃんとしたものである。

「陸海軍航空第一撃ノ実施ヲ容易ニシ且《カツ》効果アラシメマス為ニハ夜半ヨリ日出《ヒノデ》頃迄月ノアリマスル月齢二十日附近ノ月夜ヲ適当ト致シマス

又海軍機動部隊ノ布哇《ハワイ》空襲ニハ米艦船ノ真珠湾在泊比較的多ク且ソノ休養日タル日曜日ヲ有利ト致シマスノデ布哇方面ノ日曜日ニシテ月齢十九日タル十二月八日ヲ選定シタ次第デ御座イマス

勿論《モチロン》八日ハ東洋ニ於キマシテ月曜日トナリマスガ機動部隊ノ奇襲ニ重点ヲ置キマシタ次第デ御座イマス」

ただし最後の二行ほどは言わでもがなのことで、「勿論」などとあるのは、永野が一と月前の失敗に閉口しきっていた証拠であろう。

日本の陸海軍の作戦の枢機には、こういう暢気《のんき》な人物が坐っていたのであった。

二

これより先、古賀峯一への手紙にもある通り、山本は戦争の危険を考え、艦隊の強化策として、自分が第一艦隊の長官に退り、米内光政を現役に復して聯合艦隊司令長官に来てもらうということを、本気で検討し始めていた。

郷里から「長門《ながと》」を訪ねて来た遠山運平が、アメリカと戦争が起ったら日本海海戦のようにう

まくやる方法は無いものですかと質問するのには、彼は、

「敵が一ッ時に一緒に出て来てくれればええども、中々一ッ時に出て来んで、そうは行かん」

と、長岡弁で答えているが、小熊信一郎には、やはりこのころ、

「今度戦争になったら、もう戦艦なんか持ってのこのこ出て行けるような戦《いくさ》じゃないんで、これからの聯合艦隊長官は、瀬戸内海あたりに頑張《がんば》って、全般をにらんでいなくちゃならんと思うが、俺《おれ》にはそんなまどろっこしい事はとても出来ないから、米内さんに長官に来てもらって、もしかの時は、俺は前線へ出て暴《あば》れるんだ」

と言っている。

昭和十六年の二月、井上成美が航空本部長として、航空戦技を見に「長門」へやって来た時にも、彼は、

「この間豊田が来て、色々しゃべって行ったが、何だ、あれが次官かと思うような世間話ばかりだったよ。井上君、僕はこう考えるんだが、どうだろう?」

と、米内聯合艦隊、山本一艦隊の構想を話した。

これに対し井上は、

「それは少し疑問がありますね。何故《なぜ》といって、それでは現役の海軍大将十何人、全部ロクでなしという刻印を捺《お》すことになりますよ。私が大臣なら、そういう人事はやりません」

と反対した。山本は、

「そうか。そういう考えもあるか」

と、やや不満そうに見えたというが、結局この構想は実らず、山本がひそかに心の隅《すみ》にあたためていたらしい退任の願いもなかなか叶《かな》えられず、彼が聯合艦隊司令長官のまま、開戦の日に向ってじりじり時は刻まれて行くことになるのである。

この年の四月十七日、当時第一高等学校の校長であった安倍能成《よししげ》をはじめ、十二人ばかりの学者グループが、横須賀の軍港、航空隊、入港中の聯合艦隊旗艦「長門」と、一巡、海軍の見学をして歩いたことがあった。

安倍のほか、松下正寿《まさとし》、大河内《おおこうち》一男、当時朝日の論説委員であった関口泰《たい》、経済学の本位田《ほんいでん》祥男《よしお》、行政法の田中二郎、植物学の服部《はっとり》静夫、政治学の矢部《やべ》貞治《ていじ》、元日本放送協会会長の永田清といった人々で、大河内前東大総長あたりが最も若い助教授クラスで、大河内は記念撮影では最後列に写っている。

案内役は海軍省の官房調査課長高木惣吉《そうきち》大佐で、高木の部下の課員と、海軍教授の榎本重治が同行した。

一、二の例外はあるが、大体において、反戦的な、自由主義的な考え方の教授グループで、これは海軍が官房調査課を通して、自由主義知識人と接触を保とうとしていた一つのあらわれである。調査課の諮問機関のようなかたちで、海軍には「思想懇談会」「外交懇談会」「政治懇談会」というような会があり、目的は二重三重に糊塗《こと》してあったが、実際は対米戦争回避、乃至《ないし》戦争の場合の早期講和の方法探求であった。もっとも高木の話によると、初めからそれほどはっきりした目的でブレーンを作ったわけではないらしい。陸軍に較《くら》べて海軍は世帯が小さく、伝統的にも政治力に乏しい。今後陸軍の暴走をチェックして行くには、海軍だけが孤立していたのでは駄目で、海軍プラス国民の広い層の力が必要だから、何とか一般国民との結びつきをもっと強めたいが、それには日本の現状で、大新聞を通すか、財界、知識人のルートを通す以外に方法が無い。

そこで財界の方は池田成彬《なりあきら》、郷《ごう》誠之助の二人を仲介にして意見を聞く催しをやり、知識人の方は各分野三十五、六名の学者たちに時々集まってもらって、意見の交換をし、海軍が何を考え、どんな事に困り、国民からどんな支援を求めているかということを知ってもらうようにしようというのが最初の意図であったようである。

ところが高木が中心になって海軍のブレーン作りの仕事を一応軌道に乗せ終ったころには、戦争が切迫して来、やがて開戦となり、学者たちの意見は「これは何とか早くまとめてしまわなければ日本は大変なことになる」と、大体同じその方向に焦点が向いていた。

西田幾多郎《きたろう》なども、

「日本の文化レベルで欧米の国とほんとに戦争が出来ると思うのかね」

と言っていたそうだが、それで自然、早期講和の方法探求がブレーンの学者グループに期待されることになったのである。「長門」見学に出かけた十二人の知識人も、皆何かのかたちでこれら「懇談会」に関係のある人たちであった。

この日山本長官は不在ということで、事実、一行が「長門」に着いた時、山本は不在であったが、一時間ばかり艦内をまわって後甲板に戻って来ると、

「ちょうど今、長官、陸上からお帰りになりました」

という報告があり、高木は早速挨拶《あいさつ》に出向き、将官ハッチの近くで、案内して来た一同を山本に紹介した。

　すると山本は急に顔を曇らせ、高木に向って、

「何故俺《おれ》の方に、前以て知らせとかんのか。折角の機会だから、粗末なものでも艦《ふね》のおひるを差上げるんだったのに、惜しいことをした」

　と言い、高木大佐から、昼食は横須賀の水交社で鎮守府司令長官の塩沢大将に招待を受けていると聞くと、

「駄目だ。養命酒のとこなんか、駄目だ」

　と、甚《はなは》だ不服そうであったという。

　それで一行は、山本とほんの挨拶をかわしただけで「長門」を下りたが、この時山本五十六の招待を受けられるようにしておいたら、この人々によき憶い出《おもいで》を残し得たであろうにと、高木惣吉は戦後それを非常に残念がって、著書の中に書いている。

　年齢からいうと、安倍能成だけが一同の中で山本より一つ年上、ほかは皆山本より若い人たちであった。物力と勇気だけに魅力を感じる軍人世界では、海軍報道部あたりですら、知識人は臆病なくせにとかく煩《うるさ》い存在として、毛嫌《けぎら》いする傾向があったが、その点「山本という人は、軍服は同じでも役者が全然ちがっていた」とも、高木は書いている。

　もっとも山本が、

「駄目だ。養命酒のとこなんか、駄目だ」

と言ったのは、彼の持ち前の世話好きと淋《さび》しがりで、客が大勢、クラスの塩沢幸一の方へ行ってしまうのが不服だったということもあるかも知れない。

　高木はこの時久々ぶりに山本に会ったわけで、山本は海軍でいわゆる「潮ッ気」がたっぷりしみこみ、赤銅色《しゃくどういろ》に陽《ひ》やけして、健康そうに見えたが、ただ、次官時代と較べるとずいぶん腹が出て肥《ふと》っていたという。

　聯合艦隊司令部には、従兵が約十人いた。

　古い海軍の軍人は従兵のことをボーイと呼び、長官によってはボーイの人選が煩《うるさ》く、鎮守府人事部に特別の交渉をさせる人もあったが、山本はその点構わない方で、

「誰でもええ」

　と言っていた。

　聯合艦隊が佐伯湾《さえきわん》に入り、宮崎神宮参拝の上陸が許された時、宮崎の旅館の女中が、禿頭《はげあたま》の黒島先任参謀を長官と思いこんで応待しているので、渡辺安次があわてて、

「ちがうちがう、こっちだこっちだ」

　と注意したことがあったが、山本はその時も、

「どっちだっていいんだよ」

　と笑っていた。

　時の司令部従兵長は、当時一等兵曹《へいそう》の近江《おうみ》兵治郎という人である。

　近江は、もと「長門」の高角砲分隊員であったが、酒保の経験があったために酒保長に引っぱ

り出され、さらに昭和十五年の五月、「長門」の副長から話があって、従兵長として聯合艦隊司令部へ籍を移されることになり、それ以後十人の従兵を宰領して、昭和十八年に山本が亡くなるまで、足かけ四年間、山本とその幕僚たちの身辺の面倒を見た。

彼は昭和七年の徴兵で、「長門」の高角砲分隊にいれば、縦の物を横にもせずに威張っていられる古参の下士官であったが、司令部へ移ってからは、始終幕僚会合がある、外部からの来客がある、入港すれば芸者がやって来るという風で、昼食、カクテル、夕飯と、レストランの準備に、ボーイ長としてこまねずみの如く走りまわらねばならなくなった。

そのかわり、物資は豊富であった。もっと後の話であるが、戦争がはげしくなって、艦隊にも物が欠乏して来、艦長がこっそり、

「おい、司令部の飲み残しがあったら、三分の一ぐらいでいいが、ウィスキーを廻してくれんか」

と、近江に言いに来るようになってからでも、聯合艦隊司令部の台所には、大抵の品物が揃《そろ》っていた。

艦長あたりからそんな風に言われると、近江はやはり、封を切らない赤い「ジョニー・ウォーカー」の一本くらいは、届けないわけに行かなかったという。

近江兵曹たちは、日ごろ、

「司令部の幕僚に来たら、二カ月で一貫目、三カ月で二貫目は肥《ふと》らせてみせる」

と言っていた。

艦内にはベイカリーもあって、パン、洋菓子、デザートのプディングなどを焼いていたし、各

地で名産の届け物などもあり、甘党の山本は、甘い物に不自由することはなかった。

近衛文麿《このえふみまろ》と会った時、山本は近衛から、政治上のアドヴァイスを求められて、

「政治のことは知りませんが、ただ一言申し上げたいのは、先般部下の将兵を、休暇でそれぞれの家庭へ帰したところ、戻って来ての話に、何処《どこ》でも食物の不足しているのには、一驚を喫しました」

と、生活物資供給の改善方を要望しているが、昭和十六年といえば、日本中の家庭で、もう、食糧不足が毎日の深刻な話題になり始めていたころで、山本もこの物資豊富の聯合艦隊司令部にいては、今さら「一驚を喫する」程度には、感覚がずれていたかとも思われる。

山本が肥ったのはしかし、美食のせいばかりではなかった。

もう一つの原因は、明らかに運動不足であった。

山本はかねてから、

「運動をしなければ健康が保てないようでは、海軍士官の資格なし」

と言っていた。

駆逐艦や潜水艦に長い間乗組まされたら、とても充分な運動など、出来るものではない、運動不足くらいで、身体をこわすことのないよう、平素から鍛練をしておけ、それから、運動不足の状態で健康を保持し、心身柔軟に保つには、気分転換が何よりで、右巻きになっていた頭を、ちょっと左巻きに変えてやることだ——と、これは彼の勝負事好きの一つのエクスキュースでもあって、彼は従兵長の近江兵曹に、出入港時の艦橋でも、

「おい、兵棋図盤どうした？」

と、兵棋図盤というのは将棋盤のことで――、よくそう聞いていたそうである。

しかし、気分転換の将棋ではむろんのこと、逆立ちや体操や、いくら大戦艦のデッキでも、デッキの散歩ぐらいで脂肪のついて来るのは防ぎようもなく、彼が肥って来たのは、必ずしも彼の健康の上々を示すものではなかったようである。

三

山本五十六が駐米武官当時の、初代補佐官であった山本親雄《ちかお》は、昭和十二年から十四年まで、軍令部の一部一課にいて、例の「年度作戦計画」を書く仕事をしていたが、昭和十六年の初夏には、水上機母艦「千歳《ちとせ》」の艦長として、艦隊へ出て来ておった。

六月のある日、宿毛《すくも》湾《わん》の「長門」艦上に、聯合艦隊司令部主催で開かれた対米戦図上演習へ、「千歳」艦長の山本大佐が出席してみると、司令部の対米戦のやり方は、フィリッピン攻略にちっとも航空母艦を使わない。小型練習空母の「鳳翔《ほうしょう》」を一隻さいているくらいのもので、彼が軍令部にいて作戦主任として常に考えていた「先ず全力を挙《あ》げて比島を攻略する」という構想とは、どうも勝手がちがっている。

不審にかつ不安に思った山本親雄は、航空参謀の佐々木彰《あきら》を呼んで、

「君、フィリッピンに新しい空母を一隻も出さないのは、どういうわけかね？　フィリッピン攻略に、最初に失敗したら、非常に危険だと思うが、航空母艦は何処かに、取っときでしまってお

くつもりなのか？」

と質問した。

すると佐々木中佐が、へんな顔をして、

「ちょっと」

と、山本親雄を別室へ誘い、声をひそめて、

「どうも、これはあなただから申し上げるんだが、『赤城』『加賀』以下、航空母艦は実は六隻とも、開戦劈頭《へきとう》ハワイへ向けることになっていて、そのためフィリッピンへまわせないんです」

と言った。

山本「千歳」艦長は、曽《かつ》て夢にも考えたことの無かった話で、これには、非常に驚いてしまった。

「へえ――、それはまた、ずいぶんな冒険だが、誰の発案だ？」

「むろん、山本長官です」

「それで、君たち、賛成したのか？」

「いや。初め、幕僚はほとんど全員反対でしたが、長官がどうしてもやると言われるんで……」

と、佐々木航空参謀は答えた。

山本親雄は、「山本さんらしい大博打《おおばくち》だな」と思ったが、色々話を聞いてみると、フィリッピン方面は、零戦の航続距離が延びて来たので、台湾南部から出す零戦で見込みがつくらしく、いざとなったら空母部隊はすべて真珠湾攻撃に振り向けるよう、目下、第十一航空艦隊参謀長の大

西瀧治郎らに、鋭意研究を進めさせているところだということであった。

そして、山本親雄は、佐々木から、

「但《ただ》し、これは極秘中の極秘ですから」

と念を押されて、複雑な気持で、「千歳」へ帰って行った。

しかし、戦後「呪《のろ》われた阿波丸」を書いた千早正隆《ちはやまさたか》の話によると、昭和十六年の中ごろには、部内にも部外にも、ハワイ奇襲の山本構想を薄々知った者は、かなりの数に上るようになっていた。ただ、海軍では、軍令部と人事局とが、最も口の固いところで、却《かえ》って赤煉瓦《あかれんが》の軍令部の中などに、全く勘づかないでいる人がいたという。

千早は、昭和十五年の暮から十六年の九月まで、高射長として「長門」に乗っていたが、司令部暗号長の高橋義雄大尉が同期で、ある時幕僚室にぶらりと遊びに行くと、

「北太平洋の図面を引いてやがる。ははあと思いました」

ということである。

アメリカ側にも、日本の真珠湾奇襲があり得ることを警告した人は、何人もいた。それは、単に想像に基づいたものではなかったようで、ジョセフ・グルー駐日米国大使は、早く昭和十六年の初めに、

「小官ノ同僚、駐日ペルー公使ノ談ニ依レバ、日本側ヲ含ム多クノ方面ヨリ、日本ハ米国ト事ヲ構フ場合、真珠湾ニ対スル奇襲攻撃ヲ計画中ナリトノコトヲ耳ニセリト。同公使ハ、計画ハ奇想天外ノ如ク見ユルモ、アマリ多クノ方面ヨリ伝ヘラレ来タルヲ以テ、トモカクオ知ラセス

トノコトナリキ」
という機密電報を、国務省あてに打っている。
この電報の日付は、昭和十六年一月二十八日と推定されている。
一方山本が、海軍罫紙《けいし》九枚に、「戦備ニ関スル意見」という一書をしたため、海軍大臣の及川古志郎に送って、その中で初めて公式に、ハワイ攻撃の構想を示したのが、この年の一月七日であった。

「国際関係ノ確固タル見透《ミトホ》シハ何人《ナンピト》ニモ付キ兼ヌル所ナレドモ海軍殊ニ聯合艦隊トシテハ対米英必戦ヲ覚悟シテ戦備ニ訓練ニ将又《ハタマタ》作戦計画ニ真剣ニ邁進《マイシン》スベキ時期ニ入レルハ勿論ナリトス
依テ茲《ココ》ニ小官ノ抱懐シ居ル信念ヲ概述シ敢《アヘ》テ高慮ヲ煩《ワヅラ》ハサント欲ス（客年十一月下旬、一応口頭進言セルトコロト概《オホム》ネ重複ス）」

という書出しで、したがって「初めて」といっても文書のかたちになったのはこれが初めてということになる。前年の十一月横須賀在泊中、山本は海軍省へ出向いて大臣の及川と何度か懇談し、すでにほぼ同じ内容の意見を伝えていた。

この意見書は欄外に「大臣一人限御含ミ迄、誰ニモ示サズ焼却ノコト」と朱書が入っていたが、藤井政務参謀が一通控を保管していて、それが戦後に残った。「戦備」「訓練」「作戦方針」等四項目に分れているが、その第四項で、彼は、「開戦劈頭《ヘキトウ》ニ於テ採ルヘキ作戦計画」を詳しく述べている。

第一、第二航空戦隊の全航空兵力を以て、月明の夜か黎明《れいめい》時に、「全滅ヲ期シ」て、真珠湾の米国艦隊に強襲をかけること。水雷戦隊（駆逐艦部隊）を、やられた味方航空母艦の乗員救助にあたらせること。潜水戦隊には、出来れば真珠湾口で出て来る敵艦を撃沈させて港を閉塞《へいそく》させることと等、かなり悲壮なもので、山本は、

「勝敗ヲ第一日ニ於テ決スルノ覚悟」

と書き、聯合艦隊長官には他の人に来てもらって、自分は、

「航空艦隊司令長官ヲ拝命シテ攻撃部隊ヲ直率セシメラレンコトヲ切望スルモノナリ」

と書いている。

これの中には、

「併《シカ》シナガラ実際問題トシテ日米英開戦ノ場合ヲ考察スルニ全艦隊ヲ以テスル接敵、展開、砲魚雷戦、全軍突撃等ノ華々《ハナバナ》シキ場面ハ戦争ノ全期ヲ通ジ遂ニ実現ノ機会ヲ見ザル場合等モ生ズベク」

という一節もある。

日本海大海戦のようなことが起ると思っていてはいけないということである。

開戦後、真珠湾の成功、マレー沖での「プリンス・オヴ・ウェールズ」「レパルス」の撃沈を見てののち、高松宮は、

「ハワイもマレー海戦も、結局山本長官の言った通りになったネ」

と、軍令部第一部長の福留繁に話されたそうであるが、あとから「戦争ノ全期」を通観すれば、これまた山本の言った通りになったのであった。

この意見書の提出と同時に、彼は書簡箋《しょかんせん》三枚に筆で、真珠湾攻撃計画の概要をしるし、第十一航空艦隊参謀長の大西瀧治郎に渡して検討立案を求めた。

日付を追うてその経緯を見れば、山本の構想が文書になってから三週間目に、少なくとも東京のアメリカ大使館は、真珠湾奇襲計画をかぎつけてしまったということになる。しかし、このグルー大使の警告に対して、アメリカの政府、海軍の首脳は、あまり真剣な興味を示さなかった。「現代史資料」に収められている一九四一年二月一日付スターク作戦部長より太平洋艦隊司令長官宛の、「日本が真珠湾を攻撃する流言について」と題する電報では、スタークは、

「米海軍情報部としては、この流言は信じられないものと考える」

と言っている。このような貴重な情報に対して何故彼らがそんなに冷淡であったかは、こんにちでも依然一つの謎《なぞ》であろう。

山本から内命を受けた大西瀧治郎は、自身としては、この奇抜すぎる作戦に、賛成を致しかねる気持もあったらしいが、ともかく第十一航空艦隊先任参謀の前田孝成《こうせい》にこれを見せ、それから第一航空戦隊参謀の源田実中佐を鹿屋《かのや》に招いて山本からの手紙を示し、研究方を依頼した。

大西の第十一航空艦隊は、鹿屋に基地を置く陸上部隊であり、第一航空戦隊は、「赤城」「加賀」を主軸とする海上部隊で、源田はこの時「加賀」に乗っていた。

源田実は、英国駐在から帰って未だ間もないころであったが、あまり急進的な航空優先論を吐くので、海軍大学時代には「気違い源田」と言われていた人である。

そしてこの源田少佐が、大西のために、したがって山本のために、最初のハワイ攻撃の草案を

書き上げたのであった。

それには奇襲作戦に第一、第二航空戦隊の主力航空母艦を全部投入すること、戦果を確実徹底的にするため往復反復攻撃を行うこと、出発基地は小笠原《おがさわら》の父島《ちちじま》か北海道の厚岸《あっけし》とすることなどの構想が盛られていた。

この源田案を基にした大西レポートが山本に提出されたのが四月初めで、山本はこれに若干手を加え、大西に命じて軍令部に持って行かせたが、内容は未だそれほど詳細具体的なものではなかったようである。

一方聯合艦隊においても、源田、大西のそれと並行して独自のハワイ作戦研究が行われていた。長官と幕僚たちとの雑談の席で、山本から、

「ハワイ空襲と同時にハワイ攻略をやれないだろうか」

という話が出たこともあったという。

それは、米海軍軍人の何分の一かがハワイにいるが、海軍士官の養成には長い年月がかかるから、これを一網打尽に捕虜にしてしまえば、いくらアメリカでも海軍勢力の回復が困難になるだろうというのであった。

聯合艦隊司令部には、四つの予備研究グループが設けられ、先任参謀の黒島亀人大佐が最も熱心に想を練って、司令部としての戦策を作り上げる作業に取りかかった。

黒島は、聯合艦隊の幕僚の中では、最も風変りな人物であった。

想を得て私室にこもったら、舷窓《げんそう》のめくら蓋《ぶた》を閉じ、「長門」には冷房は無いから、素裸で机

に向い、昼とも夜とも知らず、憑《つ》かれたように仕事をする。部屋に香を焚《た》いて、口つきの「朝日」を、火をつけては揉《も》み消し、また火をつけては揉み消し、頭の中にはただ、作戦の構想しか無いらしく見えた。

黒島参謀は、用が出来ると、平気でぶら金で艦内を歩くそうだとか、一度も司令長官と一緒に飯を食ったことが無いそうだとか、書類が山と積み上げてあっても一切見ないそうだとか、色々伝説がひろまっていた。

従兵たちは、彼のことを、「黒島変人参謀」と呼んでいた。日常のことに関しては全く幼稚で、ぼけているように見えるので、「ポケ」とも呼んでいた。

寝衣《ねまき》なども、いくら垢《あか》だらけになっていても、従兵が替えなければ替えないので、彼の身の廻りを見ていたある従兵が、自腹を切って、呉《くれ》で寝衣を三枚買って渡したこともあった。

ある人の批評によれば、

「ハワイ奇襲をふくむ、第一次作戦計画は、数字を踏まえてやったら、とてもああは出来るものではない。あれはみな、黒島のアブノーマルな頭の中から引き出され、強引に書き上げられたものだった」

という。

四月末、黒島亀人は、山本の命をうけて、自分の書き上げた真珠湾攻撃に関する聯合艦隊戦策を説明しに、上京した。

この時軍令部の第一部長は福留繁少将、第一課長が富岡定俊《さだとし》大佐、航空主務参謀が三代《みよ》辰吉中佐であったが、彼らはこぞってこの案に反対した。

その次、八月七日、黒島大佐が水雷参謀の有馬中佐を伴って再びこの問題を協議しに上京した時も、作戦部の強い態度は変らず、黒島と富岡の間には激論が展開された。

富岡定俊によれば、軍令部の作戦部が聯合艦隊をコントロールしてはならぬということは、常にみなで自戒していたというが、陸軍との関係を調整して兵力の割りふりを決めたり、必要な資材兵器の供給をはかったりするのは、中央の役目であり、それに、開戦の場合は、まず一定期間内に、ジャワまで進出して南方の油田地帯を確保する使命を彼らは負わされていて、黒島や或いは山本のように、真珠湾一本槍《いっぽんやり》でものを考えることは出来なかったのである。

そして、彼らが聯合艦隊の案にサインを渋った最大の理由の一つは、作戦があまりに投機的でリスクが大きく、たとい奇襲に成功したとしても、その日のその時刻に果して真珠湾に相手の艦隊がいるかどうかは、全くのあなたまかせではないかという点にあった。

黒島は山本の意向を体してこれに反駁《はんばく》し、ハワイ攻撃のどうしてもやらねばならぬ所以《ゆえん》を力説した。

山本の意向というのは要するに、アメリカと戦争を始めてもとても勝ち目などありはしない、それをしも押してやるというなら、まず劈頭《へきとう》に敵の主力を屠《ほふ》って彼我《ひが》の勢力のバランスを破り、充分のハンディキャップをつける以外に作戦の施しようは無い、「対米作戦を行うためには真珠湾強襲をやらねばならぬし、真珠湾強襲がやれぬなら対米作戦は行えない」というのであった。

さきの「戦備ニ関スル意見」の中には、

「之ガ成功ハ容易ニアラザルベキモ関係将兵上下一体真ニ必死奉公ノ覚悟堅カラバ冀《ネガハ》クバ成功ヲ天祐《テンユウ》ニ期シ得ベシ」

という言葉が見える。

とにかく黒島は、例年十一月乃至《ないし》十二月に行われる海軍大学での図上演習を九月に繰り上げ、その時特別室を設けてこの案を検討してほしいと要望し、一課長の富岡は、それだけは考慮することを約束した。

四

この時より少し前になるが、山本も昭和十六年の七月のある日に、艦隊から出京した。

それは、日本軍の南部仏印進駐が決定し、海軍大臣の及川より、山本と、第二艦隊長官の古賀峯一の二人を東京へ呼んで、事情の説明披露《ひろう》が行われることになったためであった。

場所は、海軍省の裏の海軍大臣官邸で、軍令部総長の永野修身、航空本部長の井上成美らが同席した。

二・二六事件以後、日本が戦争に向って歩を進めた過程の中で、海が不意に深くなるように、戦争への傾斜が段を成して急に深まった場面が幾つか数えられるが、南部仏印進駐は、その大きなステップの一つであった。

山本は最初に、井上航空本部長に向って、

「井上君、航空軍備はどうなんだ？」

と聞いた。

井上は、

「あなたが次官の時から、一つも進んでおりません。そこへこの度《たび》の進駐で、大量の熟練工が召集され、お話にならない状態です」

と答えた。

井上航空本部長は、日米不戦論者としては山本以上に強硬であった。彼はこの年の正月、次期軍備計画案「〇五《マルゴ》計画」に関して軍令部の説明を聞き、「明治の頭で昭和の軍備を行わんとするもの」と感じ、「新軍備計画論」と題する長文の建白書を草して一月三十日付で海軍大臣宛《あて》に提出している。

その中には、

「帝国ハ其《ソ》ノ国力ニ於テ英米ト飽ク迄《マデ》建艦競争ヲ行ハントスレバ遂ニ彼ニ屈服スルノ外ナキハ乍残念《ザンネンナガラ》明瞭《メイリョウ》ナル事実ナレバ致方ナシ」

とか、

「帝国ガ米国ト交戦スル場合其ノ戦争ノ形態ヲ考察スルニ帝国ハ米国ニ敗レザル事ハ軍備ノ形態次第ニ依リ可能ニシテ又是非共然《シカ》アルベキモ又一方日本ガ米国ヲ破リ彼ヲ屈服スルコトハ不可能ナリ　其ノ理由ハ極《キハ》メテ明白簡単ニシテ(中略)米国ノ対日作戦ハ日本ガ米本国ヨリ遠大距離ニ占位シ在ルノ一事アル為米ノ吾ニ対スル作戦ガ吾ノ米本国ニ対スル作戦ノ困難ナルト同様ノ共通点アルモ他ノ情況ハ日ノ米ニ対スルト大イニ趣ヲ異ニシ　(一)日本国全土ノ占領モ可能

㈡首都ノ占領モ可能　㈢作戦軍ノ殲滅《センメツ》モ可能ナリ」

とかきつい言葉が見える。

「新軍備計画論」の要旨は、アメリカと戦争して負けるのがいやなら航空軍備の徹底的拡充をはかりなさい、それなしに現況のままで対米戦に突入したら、帝国陸海軍は全滅し、日本全土がアメリカに占領されるようなことが起りますよというのであって、結果がまさしくその通りになってしまった戦後では、この程度の作文は誰にでも書けようが、当時の空気の中でこれだけはっきりものを言うにはよほどの明察と勇気とが必要であったと思われる。

戦史叢書《そうしょ》「ハワイ作戦」にはこの建白書の概略が載っており、井上の示した考えは軍令部の当事者の用兵思想とはあまりに大きな差違があって、結局誰にも受け入れられなかったと記してある。

そして、開戦四ヵ月前井上成美中将が第四艦隊司令長官として洋上に出されたのは、この建白書がたたって左遷されたのだと言われている。

井上の発言のあと古賀峯一は、

「大体こんな重大なことを、艦隊長官に相談もせずに勝手に決めて、戦争になったからさあやれと言われても、やれるものではありませんよ」

と、大臣に食ってかかった。

古賀はまた、永野に向って、

「政府のこの取りきめに対し、軍令当局はどう考えておられますか？」

と質問した。

永野は、

「まあ、政府がそう決めたんだから、それでいいじゃないか」

と曖昧《あいまい》な返事しかしなかった。

この時といい、三国同盟締結の時といい、煩《うるさ》い連中はなるべく敬遠しておいて、既成の事実がほぼ出来上ってから東京へ呼び、無理矢理因果をふくめてしまうというのが、及川古志郎の手であったように見える。

官邸での食事もすんで解散になったあと、山本はプンプン怒って航空本部長の部屋へ入って来、

「永野さん、駄目だ！」

と言い、

「もう、しょうない。何か、オイ、甘い物無いか」

と、井上にチョコレートを出させ、一と口かじって、

「何だ。これ、あんまり上等じゃないな」

と、おそろしく機嫌《きげん》が悪かったそうである。

二十六日には、仏印の「共同防衛」に関して、日本政府とフランス政府との間に、完全に意見の一致を見たということが発表された。

ヨーロッパでのフランスの弱い立場に乗じて、日本は仏印北部には、すでに一年前に進駐していたが、七月二十九日、ヴィシーで「日仏共同防衛議定書」が正式に調印され、その日のうちに、

日本の陸海軍部隊は仏領インドシナ南部――こんにちの南ヴェトナムの地に進駐を開始した。

日本の南方進出に神経質になっていたアメリカは、手早い反応を見せ、しっぺがえしのように、日本の在米資産の凍結を行い、八月一日には、広範囲な対日輸出禁止措置を取った。

それは、綿と食料品だけを除外し、石油をふくむ一切の物資を、今後日本向けに積み出させないというものであった。

そして、アメリカから石油が来なくなったら、我が国は四ヵ月以内に、南方の資源を求めて立ち上るか、屈伏するかしかあるまいというのは、液体燃料の貯蔵量、生産量、そして消費量から割り出された、当時内緒の、しかしかなり一般的な考え方であった。

海軍は、いや応なしに、戦争の気構えを固めなくてはならなくなって来た。

八月の初め、軍令部一部一課長の富岡定俊は、課員一同に、戦争の準備を始めることを示達した。

航空主務参謀の三代中佐が、

「しかし、対米戦争には、全然自信が持てませんよ」

と言うと、富岡は色をなし、

「何を言うか。戦争は自信があるからやる、自信が無いからやらぬというものじゃない。戦争をやるかやらぬかは、政府の決めることだ。政府がさあ戦争だと言った時に、自信が無いから準備しませんでしたで、われわれの責任が果されると思うか。ベストを尽して戦う用意をしろ」

と言った。

艦隊でも、実戦そのままの激しい訓練が、さらにつづけられていた。そして、ハワイ空襲に関するかぎり、「実戦そのまま」ということが、もう一段細かな具体的なかたちを取りはじめた。

このころ、航空母艦「赤城」は、横須賀にいたが、「赤城」の飛行機隊は、訓練のため鹿児島に進出中であった。そのほんとうの意味は限られた少数の者しか知らなかったが、桜島を前にひかえた鹿児島港の地勢水勢が、パール・ハーバーによく似ていたのである。

その春まで「赤城」の飛行隊長をしていた淵田《ふちだ》美津雄少佐は、第三航空戦隊の参謀に転じて勤務中、八月になって突然、もう一度「赤城」の飛行隊長に戻れという妙な転勤命令を受け取った。

淵田は、間もなく進級の時機で、中佐の飛行隊長というのは前例が無いし、これは何か格下げをされたようで、しかし左遷される覚えはなく、奇妙な気持で、彼が九七艦攻を飛ばせて鹿児島へ赴任してみると、鴨池《かもいけ》の基地に、のちに真珠湾の雷撃隊長になった村田重治《しげはる》大尉が迎えに出ていて、

「淵田さん。源田参謀が言うとったよ。今度は大飛行隊長主義だって。こりゃ、何かあるんですよ、きっと」

と、慰め顔に言った。その「何か」は、間もなく分る時が来た。

ある日淵田は、兵学校同期の源田実から、参謀長草鹿《くさか》龍之介の部屋へ呼ばれ、真珠湾攻撃計画の概要を打ち明けられた。山本司令長官から、

「攻撃隊は、誰に率いて行かせるつもりか？」

と質問を受けた源田が、

「私のクラスの淵田に行かせようと思います」

と答えると、山本が、

「オウ」

と会心の笑みを浮べたという話も告げられた。

淵田美津雄も、初めはこの奇襲作戦には反対をしたというが、不賛成は不賛成としても、これは荒武者淵田の血を沸かせるに足る話ではあったにちがいない。ただ、源田実が昭和四十二年十二月号の雑誌「現代」に発表した開戦秘話によると、目的をあかさずに攻撃隊の訓練をするのが一番むつかしかったという。

真珠湾では停泊中の軍艦を目標にすることになるので、訓練計画の中に停泊艦攻撃を組み入れると、ベテラン揃《ぞろ》いの搭乗員《とうじょういん》たちは、

「俺たちを馬鹿にするない」

とむくれたそうである。

淵田少佐は、自分の所属する「赤城」だけでなく、四月に編成された第一航空艦隊の、全空母の搭乗員を訓練する任務を負わされた。

それから、彼の指揮の下に、鹿児島湾一帯をパール・ハーバーに見立てての、寧日ない飛行訓練が始まった。

雷撃隊は、鴨池を離陸後、鹿児島市の北方に、高度二千メートルで集結し、針路を南にとって、一機ずつ、鹿児島港口に向け四十メートルまで降下せよ、海岸線を過ぎたら、高度をさらに二十

メートルまで下げて魚雷を発射し、右旋回で急上昇する——というのが命令であった。

村田重治は、すべての飛行作業を背面飛行でやって見せることが出来るという、曲芸師のようなパイロットで、彼が先ず模範を示し、すでに練りに練り上げられた第一航空艦隊の操縦員たちが、これにつづき、来る日も来る日も、この危険な魚雷投下訓練が行われるようになった。

鹿児島の甲突川《こうつきがわ》の河口、海に近い塩屋というところに、女郎屋街があった。この塩屋の女郎屋町が想定上のオアフ島ヒッカム飛行場で、湾内のブイがフォード島である。雷撃機は、搭乗員の顔の見える高度まで、女郎屋の上すれすれに下りて来て、海中のブイへ向って突っこんで行く。もう駄目かと思うところで、ヒラリと急上昇する。

廓《くるわ》の女たちは、前の晩自分が敵娼《あいかた》をつとめた男どもが、朝、いいところを見せようと、低空飛行で挨拶《あいさつ》に来るのだと思っていた。彼女らは軒から顔を出して、よく飛行機にハンカチを振っていた。

鹿児島市民の中には、海軍機が毎日々々、桜島めがけて海へ突っこんで行くこの異様な低空訓練を、不審に、珍しいものに見た人もいたし、塩屋の女たちと同様に考えて、

「海軍さァは、こんごろ、たるんじょいやッど」

と、非難の言葉を口にする者もあったということである。

五

そのころ、アメリカ太平洋艦隊の主力は、すでに真珠湾において聯合艦隊以上の出師《すいし》準備をと

とのえ、臨戦態勢に入っていた。その意図の一つは、明らかに日本に対する威迫と見えた。

山本は、

「向うがハワイに大艦隊を持って来て、日本に手がとどくぞと言ってることは、逆に見れば、こちらからも手がとどくことだからな。アメリカは、脅迫のつもりで、嚙《か》みつかれやすいところへ出て来てるんだ。どうも少し安心し過ぎてるようだね」

と言い、戦争の場合、最初にハワイを襲うという考えを、一層固める様子であった。

軍令部にも、麾下《きか》の艦隊にも、強い反対意見があることは承知していて、彼も時には焦立《いらだ》つらしく、

「オイ、あんまりとやかく言うなら、もうやめようじゃないか」

と、戦務参謀の渡辺に洩《も》らすこともあったが、その「やめよう」は聯合艦隊の司令長官を辞《や》めようという意味で、ハワイへ行くのをやめるということではなかった。

軍令部の譲歩で、海軍大学での図上演習だけは、黒島先任参謀の要望通り、九月十一日から十日間にわたって行われることになった。

従兵長の近江兵治郎は、鞄持《かばんも》ちで、山本について上京した。彼は、かねて司令部の副官から、

「下士官兵で知ってるのは、お前だけだぞ。絶対に口外してはならんぞ」

と言われていて、八月の末には休暇をもらい、郷里の秋田に帰省し、墓参りをすませ、病気の母親にも何も言うことは出来ず、ひそかに別れを告げて、出陣の覚悟を定めて戻って来ていた。

十日間の図上演習のうち、九月十六、十七日の二日がハワイ作戦特別図上演習にあてられ、目

黒の海軍大学には一般の図上演習会や研究会と切り離した特別室が設けられた。特別室への出入りは厳重に制限され、選ばれた約三十人の人々のみで、青軍日本赤軍アメリカの二た手に分れ、ハワイ攻防の机上のたたかいが繰返された。

開戦日は十一月十六日で、戦果は主力艦四隻撃沈、一隻大破、空母二隻撃沈、一隻大破、飛行機撃墜百八十機、ほかに巡洋艦六隻を撃沈破と判定された。

一方青軍の被害も大きかった。第一日に航空母艦二隻が沈み二隻が小破、飛行機百二十七機を失うと出ている。

しかし結果の如何《いかん》にかかわらず、依然として聯合艦隊司令部は強腰であり、軍令部は慎重で、実際にハワイへ行く機動艦隊の首脳部は消極的であったという。

会議のあと、黒島大佐は憮然《ぶぜん》とした面持で、源田中佐に、

「軍議は戦わずですよ」

と言った。

ただ、反対論者の中にも面と向って山本に強くはっきりとそれを言い切れる人は少なかったが、第一航空艦隊参謀長の草鹿龍之介と第十一航空艦隊参謀長の大西瀧治郎だけは例外であった。

草鹿は山本を尊敬していたが、

「麻雀《マージャン》とかポーカーとか、あんなものは大きらい。勝負事の時は呼ばれもしないが行きもしない。人はよく山本さんのところへ字を書いてくれと頼みに行っていたが、何だかオベッカ使ってるようで、自分は一度も頼んだことはなかった」

という硬骨漢で、

「真珠湾攻撃は敵のうちふところに飛びこむようなもの。国家の興廃をかける大戦争の第一戦に、そんな投機的作戦は採るべきではない」

と、強い反対意見を持していた。

彼は大西瀧治郎とも度々《たびたび》議論を闘わし、段々大西を自分の考えの方へ引き寄せ、その結果海軍大学での図上演習が終るころには、大西もはっきりした反対意見をいだくようになって来た。

九月末鹿屋基地で開かれた第一航空艦隊、第十一航空艦隊首脳部の打合せ会の席上、大西参謀長は、

「日米戦では武力で相手を屈服させることは不可能である。城下の盟を結ばせハドソン河で観艦式を行うことが出来ない状況で対米戦に突入する以上、当然戦争の早期終結を考えねばならず、それにはある一点で妥協をする必要がある。そのためには、フィリッピンをやっても何処《どこ》をやっても構わないが、ハワイ攻撃のようなアメリカを強く刺戟《しげき》する作戦だけは避けるべきだ」

と所見を述べた。

南雲忠一長官以下、反対はほとんど全員が反対であったが、これほど明確に反対の理由を説明した人はほかに無かった。

元来大西はたいへんなガムシャラな男であった。演習に出た飛行機が雨にあって引返して来ると、

「雨だろうが雪だろうが、とにかく頭を前へ向けて飛んどれ」

と怒り出す。

「あんな人、参謀長じゃなくて乱暴長だ」

と言われていた。

これは英語の「スタッフ・オフィサー」と「タフ・オフィサー」にうまく呼応しているが、この打合せの会合に列席した第一航空艦隊航空乙参謀の吉岡忠一は、ハワイ作戦計画のそもそもの立案者であり名うての「乱暴長」である大西瀧治郎が、この時こういう意見を述べたのを卓見と思い、たいへん感銘を受けたと言っている。

結局両航空艦隊司令長官の連名で、「ハワイ奇襲作戦は思いとどまっていただきたい」という意見具申をすることになり、十月三日草鹿龍之介と大西瀧治郎の二人が山口県室積沖《むろづみおき》の「陸奥《むつ》」に山本を訪れた。聯合艦隊の旗艦はこの時「長門」から一時的に「陸奥」に変っていた。

山本は二人の参謀長が勢いこんでしゃべるのを黙ってしまいまで聞いた上で、

「だけど南方作戦中、東からアメリカの艦隊に本土の空襲をやられたらどうするんだ？　南方の資源地帯さえ手に入れれば、東京大阪が焦土になってもいいと言うのか？　とにかく僕が聯合艦隊の司令長官であるかぎり、ハワイ奇襲はどうしてもやる決心だから、色々無理や困難はあろうが、やるという積極的な考えで準備をすすめてもらいたい」

と言い、

「僕がいくらブリッジやポーカーが好きだからといって、そう投機的投機的と言うなよ」

と、軽くいなすようなことを言った。

話しているうちに大西は少しずつ軟化し、やがて草鹿をなだめる恰好《かっこう》になって来たが、草鹿龍之介はそれでも諾《き》かなかった。

しかし二人が退艦する時、山本は舷門のところまで異例の見送りに出て来、草鹿の肩を叩《たた》いて、

「草鹿君、君の言うことはよく分った。だが真珠湾攻撃は僕の固い信念だ。これからは反対論を唱えずに、僕の信念の実現に努力してくれたまえ。作戦実施のために君の要望することは何でも必ず実現させるようにに努力するから」

と、真情をおもてにあらわして言い、とうとう草鹿も折れて、

「分りました。今後反対論は一切申し上げません。長官のお考えの実現に努めます」

と答えることになった。

伝えられるこの光景は、昔霞《かすみ》ヶ浦《うら》航空隊で若い中尉の三和《みわ》義勇《よしたけ》が、「甲板士官なんて真っ平ごめん」と言いながら、副長の山本の前へ出ると途端にその言いなりになって、「懸命の努力を致します」と誓って帰って来たのと、事の軽重はちがうがよく似ている。

もし真珠湾攻撃抜きで日本が戦争に入ったら、有利な早期講和の道が選べたかどうか、それほど甘いものではなかったかも知れないけれども、「乱暴長」大西瀧治郎や硬骨漢草鹿龍之介の反対意見は、こんにちから見ても一応合理的な冷静な意見であろう。それが「僕の固い信念」という一と言、異例の舷門見送りでもろく崩れてしまったのは、日本的武人の性格とともに山本の人を惹《ひ》きつける不思議な力について考えさせられるものがある。

越えて十月九日からは、「長門」に戻った聯合艦隊旗艦の上で五日間にわたる図上演習が行わ

れた。

麾下の各艦隊が戦備をおえて内海西部に集合して来たので、各級指揮官を集め作戦計画を徹底させるのが目的であって、指揮官たちの中にはこの時初めてハワイ攻撃の構想を聞く者もあった。

山本は、

「異論もあろうが、私が長官であるかぎりハワイ奇襲作戦は必ずやる。やるかぎりは実施部隊の要望する航空母艦兵力の実現には全力をつくす」

と言明し、図上演習が終って黒島首席参謀が上京する時には、

「ハワイ作戦を空母全力を以て実施する決心は少しも変らない。自分は職を賭《と》しても断行するつもりだ」

と軍令部に伝えさせた。

軍令部でも総長の永野修身が、

「山本がそれほどまで自信を持っていうんなら、やらせてみようじゃないか」

と言い、伊藤整一次長、福留繁第一部長以下みなこれにしたがい、以後部内にハワイ行反対を唱える者はほとんどいなくなったのである。

しかし、山本は戦争前夜の闘将として、もはやハワイ空襲の熱だけにうかされていたのかというと、実は彼の心中その逆に近かったことを立証する手紙がある。

それは彼が「ハワイ作戦はどうしてもやる」と五十人を越す各級指揮官に「長門」の上で言明した図上演習中の十月十一日付、堀悌吉にあてて書いたもので、

「(前略)
一、留守宅の件適当に御指導を乞ふ。
二、大勢は既に最悪の場合に陥りたりと認む。山梨さんではないが之《これ》が天なり命《めい》なりとはなさけなき次第なるも今更誰が善いの悪いのと言つた処で始らぬ話也《なり》。
独使至尊憂社稷《しゃしょく》の現状に於ては最後の聖断のみ残され居るも夫《そ》れにしても今後の国内は六《むつ》かしかるべし。
三、個人としての意見と正確に正反対の決意を固め其の方向に一途邁進《まいしん》の外《ほか》なき現在の立場は誠に変なもの也。之も命といふものか。
四、年度初頭より凡失により重大事故頻発《ひんぱつ》にてやりきれず。祈御自愛」

「個人としての意見と正確に正反対の決意を固め」というような言葉は、彼は他の人には決して言わなかった。山本は苦しく、ほんとうに「やりきれ」ない思いであったであろう。ある意味で、一番ハワイに行きたくなかったのは、山本五十六自身であった。

六

これより前、九月十二日、山本は秘《ひ》密裡《みつり》に、東京で首相の近衛文麿ともう一度会見している。
アメリカ合衆国を代表してルーズベルト大統領、日本を代表して近衛首相の二者が、ホノルルで落ち合って、両首脳じきじきの話合いで行詰った日米関係を打開しようという、結局実現しなかった日米ホノルル会談の構想なるものが、当時ある程度熟しかけていて、山本はこれの随員に予定されており、話はその問題が中心になったようであるが、近衛から、

「万一交渉がまとまらなかった場合、海軍の見通しはどうですか？」

と、前と同じ質問を受けて、山本の方も、

「それは、是非私にやれと言われれば、一年や一年半は存分に暴《あば》れて御覧に入れます。しかしその先のことは、全く保証出来ません」

と、前回と同じことを答え、

「もし戦争になったら、私は飛行機にも乗ります、潜水艦にも乗ります、太平洋を縦横に飛びまわって決死の戦《いくさ》をするつもりです。総理もどうか、生やさしく考えられず、死ぬ覚悟で一つ、交渉にあたっていただきたい。そして、たとい会談が決裂することになっても、尻《しり》をまくったりせず、一抹《いちまつ》の余韻を残しておいて下さい。外交にラスト・ウォードは無いと言いますから」

と付け加えた。

海軍省経理局長の武井大助は、昭和十四年ごろ、風見章《あきら》が上海《シャンハイ》で手に入れて来たという英文の、日本の戦力に関する研究書を読んで、驚いて山本に見せたことがあった。

それは、あるロシア系の軍事評論家がニューヨークで出版した「When Japan Goes to War」という本で、日本の軍需工場の所在地、その規模、名称、工員数などまで、詳細を極《きわ》めており、経理局として知らないことがたくさんあり、結論として、日本が対米戦争に立ち上ったら、国力

の持続の限界は一年半、最後の半年は、第一次大戦末期のドイツと似た状況になるだろうと書いてあった。

　山本は武井から、本の要旨の説明を受けて、

「僕の研究と同じだよ。日本は一年半しか持たないよ」

　と言った。

　山本のところには開戦の直前まで雑誌「ライフ」が送られて来ていて、注目すべき記事があると彼は赤線を引いてポイと雑誌を幕僚室に投げこんでいたそうで、近衛に対する返答は、こういう「研究」が根拠になっていたわけであるが、井上成美は、

「あの一言は、失敬ながら山本さんの黒星です」

　と言っている。

「ああいう言い方をすれば、軍事に関して素人《しろうと》で、優柔不断の近衛公が、とにかく一年半は持つと、曖昧《あいまい》な気持になるのは、分り切ったことでした。海軍の見通し如何と聞かれて、何故《なぜ》山本さんは、海軍は対米戦争をやれません、やれば負けます、それで長官の資格が無いと言われるなら、私は辞めますと、そう言い切らなかったか。聯合艦隊四万の部下の手前、戦えないということは、さぞ言いにくかったにちがいないが、その情は捨てて、敢《あ》えてはっきり言うべきでした」と。

　伊藤正徳《まさのり》は、直接山本自身を指してではないが、その著「連合艦隊の最後」の中で、

「海軍は唯《た》だ正直一途に、対米戦争不賛成と言えばよかった。憐《あわ》れむ可《べ》し、一言『ノー』の勇気を欠いて無謀の戦争に引摺《ひきず》られ、百戦功なくして遂に全滅の非運に会う。ああ、大艦隊はも

はや再び還《かえ》らない」

と、例の美文調で慷慨《こうがい》している。

同じく伊藤正徳の本に出ている話で、高木惣吉も詳しく書いているが、明治三十三年北清《ほくしん》事変の時、山県有朋《やまがたありとも》内閣の下で、陸軍が厦門《アモイ》出兵を画策し、先に上奏御裁可を得、台湾から兵力を出航させたあとで、時の海軍大臣山本権兵衛の諒解《りょうかい》を取りつけようとしたことがあった。

山本は真ッ向から反対し、桂《かつら》陸相大山参謀総長との間で、取り消せ、取り消せないともめた末、とうとう彼は、

「海軍は、素姓の怪しい武装員を乗せた船が、海上を彷徨《ほうこう》しているのを認めた場合、海賊船としてこれを撃沈することがある。平素海賊船の取締りを厳《きび》しく命令している以上、大臣としてはこれを咎《とが》める言葉はない。このへんのところは、篤《とく》と御承知の上で行動されたらよかろう」

と言って立ち上ってしまい、驚いた首相と陸相が山本を引きとめ、大山総長は宮中に伺候して、先の允裁《いんさい》取消しを願わざるを得なくなり、問題は一日で解決したという。

同じ山本だが、五十六は其処《そこ》までは言い切らなかった。

彼が何故、「一年や一年半は、存分に暴れて御覧に入れる」というようなことを近衛に言ったのか、井上はそれを部下への思いやりと取っているが、やはり、鍛えに鍛えた力を、一度は実戦で試《ため》してみたいという、軍人特有の心理が、多少とも山本の心の中にも働いたのではないであろうか。そして、長い間、「腰抜け」と罵《のの》しられて来たことへの反撥《はんぱつ》、郷党の人や、女たちに、「さすがは五十サンダテガニ」と思わせてみたいという心理が、働いたのではないであろうか。

もっともそれは、「やれと言うんなら、ずいぶんやって見せてやるがなァ」というようなむしろ山本の一種 childish な面のあらわれで、彼が戦争を望むようになったということではなかったであろう。

先の十月十一日付、堀悌吉宛の手紙の中にも、「現状に於ては最後の聖断のみ残され居るも」という言葉があるが、それから一週間後、第三次近衛内閣が総辞職し、東条内閣が出来て、嶋田繁太郎が海軍大臣に就任すると、山本は嶋田に長い手紙、(十月二十四日付)を書き、

「大局より考慮すれば日米衝突は避けられるものなれば此《これ》を避け、此《こ》の際隠忍自戒臥薪嘗胆《がしんしょうたん》すべきは勿論《もちろん》なるもそれには非常の勇気と力とを要し、今日の事態にまで追込まれたる日本が果して左様に転機し得べきか申すも畏《かしこ》き事ながらただ残されたるは尊き　聖断の一途のみと恐懼《きょうく》する次第に御座候」

と言っている。

山本は、陛下が終戦の時に示されたような非常の決断を、ひそかに期待していたように思われるのである。

豊田貞次郎が、四月の内閣改造で商工大臣になったあと、第二次、第三次近衛内閣から東条内閣へかけて、海軍次官はずっと沢本頼雄が勤めていたが、このころ沢本が、さし迫った時局問題で海軍畑の重臣の助言を求めようと、米内光政、岡田啓介の二人を訪問したことがあった。

当時、日本はこのままではジリ貧になるというジリ貧説が、開戦肯定論として盛んに行われていた。沢本のメモによると、この時米内は、

「ジリ貧といふ問題のみにて万事を決すべきにあらず、他に各種の状況を考うるを要す、特に時について考へざるべからず、欧洲情勢その他の関係もあり、時が解決する問題も多分に存す。過早に戦争に入るは大いに警戒を要す。

陸軍のいふことは全く当てにならず。閣議に列したる期間、幾回か立証せること、しばしば、この感を深くせり。大臣の明言せることも忽《たちま》ち変更せらるる例多し」

との意見を述べた。

高木惣吉の説では、日本陸軍というのはヤマタノオロチみたいなもので、どこが本当の頭かよく分らず、頭を二つや三つ、つぶしてみてもどうにもならなかったということである。

岡田は、

「ジリ貧ジリ貧といふが、ジリ貧はドカ貧に優ること数等だ。陸軍は油は一年しかもたんとかにて、追つては海軍に油をもらひに来る恐れがあり、若い者が戦を急ぐのは無理も無いが、この際戦争に入るのは、慎むを要する。国内問題は決心一つで、どうでもやれる。外国関係にてヘマをやると、国家百年の患《わづら》ひとなる」

と言った。

しかし、この岡田啓介の談話にもうかがえるように、このころには海軍部内でも、ことに少壮の士官たちの間で、もはや開戦に踏切るべき時だという空気は、かなり濃くなって来ていた。

因《ちな》みに、当時日本が平時状態で必要とした石油の量は、年間海軍が二百万トン、陸軍が五十万トン、民需が百万トン、年間合計三百五十万トンで、こんにち私たちが輸入して使っている一億二千万トン（昭和四十三年度）の原油の、三十五分の一の燃料問題が、日米の和戦を決する直接の鍵《かぎ》になったのであった。

富岡定俊は戦後、

「海軍は油で戦争するようなもので、一生懸命になって油を貯《た》めこみ、開戦直前には貯蔵量が五百五十万トンになっていた。これが無ければ戦争は出来ない、いやでも応でもアメリカの言うことを諾《き》くより仕方がなかったのだが、結果的には苦心して貯めたこの五百五十万トンの石油が却《かえ》ってわざわいになったとも言える」

と言っている。

七

十月二十四日付、嶋田繁太郎あての長い手紙の中で、山本はまた次のように書いた。

「大勢に押されて立上らざるを得ずとすれば、艦隊担当者としては到底尋常一様の作戦にては見込み立たず、結局桶狭間《おけはざま》とひよどり越《ごえ》と川中島とを併《あわ》せ行うの已《や》むを得ざる羽目に追込まれる次第に御座候（中略）一部には主将たる小生の性格竝《ならび》に力量などにも相当不安をいだき居る人もあるらしく、此の国家の超非常時に個人の事など考うる余地も無之《これなく》且《か》つ元々小生自身も大艦隊長官として適任とも自任せず(中略)以上は結局小生技倆《ぎりょう》不熟の為《ため》安全蕩々《とうとう》たる正攻的順次作戦に自信なき窮余の策に過ぎざるを以て他に適当の担当者有らば欣然《きんぜん》退却躊躇《ちゅうちょ》せざる心境に御座候」

しかし、山本を「欣然退却」させようという人は、この時機にもういはしなかった。軍令部がハワイ作戦をほぼ聯合艦隊側の要望通り正式に認めたのは、この手紙の書かれた五日前、十月の十九日であった。

ところで、真珠湾攻撃には、爆撃よりも雷撃を主とした方がずっと効果が大きいことは明らかだが、ここに一つ技術的な難問題があって、真珠湾の水深が十二メートルしか無い。

日本海軍の魚雷には、機密保持上「第二空気」と呼称する酸素を推進薬とし、航跡を見えにくくした九四式魚雷などもあり、列国海軍の魚雷より一段進んでいたが、いくら優秀な魚雷でも重さ一噸《トン》もあるものを高速の飛行機から投下すると、深度が安定せず、一旦五十メートルから時には百メートルも沈みこむ。太平洋の真ん中で艦隊決戦に使うならそれでよいが、浅い港の中だと魚雷が海底に突きささって用をなさなくなる。この点を何とか早急に解決する必要があった。

渡辺安次や実松譲《さねまつゆずる》と兵学校同期の愛甲《あいこう》文雄中佐は、二年ほど前からマニラ、シンガポール、香《ホン》港《コン》、ウラジオストック、真珠湾などの水深を調べ、水深十二メートルから二十メートルまでのそれら港湾内でも使える浅海用魚雷の研究指導にたずさわっていたが、十六年の一月、軍令部の三代参謀が愛甲のところへやって来、真珠湾攻撃の計画があることを打明けて、彼の研究している浅海魚雷の有効率を百パーセントに上げるようにという要望をした。愛甲中佐はこの時航空本部の魚雷主務部員であった。

彼は海軍航空廠《こうくうしょう》にいる同期の片岡政市とともに、魚雷に水平用ジャイロを増設し、尾部に魚のひれのような雷道安定舵《あんていだ》を取りつけることを考案した。魚雷のどてッ腹にひれをつけるなどというのは従来の常識を破るもので色々反対もあったが、いいか悪いか実験は鹿児島で行われることになり、飛行総隊長の淵田美津雄は、鹿児島湾内の水深十二メートルのところに目印の旗を立て、自分の隊から、技倆上中下の三人のパイロットを選び出し、安定舵を取りつけた魚雷を雷撃機に抱かせて、次々に発射させてみた。

浅深度発射法といって、雷撃機は高度を五メートルまで下げる。雷撃機として使われている海軍の九七式艦上攻撃機には、精密高度計がついているが、普通五メートルきざみの高度調整は必要が無く、目盛りは十メートル単位になっていた。それで、高度五メートルを維持するためには勘にたよる他なく、搭乗員たちは今にもプロペラが海水を叩くかと、何度も思ったという。

結果は、三本のうち二本が、所定通りの深度を保って十二メートルの海中を無事走り抜け、技倆の一番劣る一人の落した魚雷だけが、海底に突っこんで、ブクブク泡を吹き出した。

淵田は、

「昔一ノ谷の戦の時、源氏の大将義経《よしつね》は、ひよどり越の難所に、馬六頭追い落して、そのうち三頭が無事麓《ふもと》に下り立つのを見て、二分の一の成功で、ものどもつづけと、坂落しに平家の屋形《やかた》へ攻め込んだやないか。今、わしら、三分の二、成功した。大丈夫や、これならやれる」

と、部下のパイロットたちに言った。

雷道安定舵を取りつける魚雷の改造工事は、特急作業として長崎の三菱《みつびし》兵器製作所に発注されたが、最初の十本が出来上ったのが十月下旬で、残りの九十本分は機動艦隊の出撃に間に合わず、航空母艦「加賀」と数隻の駆逐艦とを佐世保に待たせて、千島《ちしま》の集結地までの航海中に整備をおえるというぎりぎり一杯の話になった。

この浅海面用の航空魚雷は、先に述べた九四式酸素魚雷とは別で、二〇四キロの炸薬《さくやく》と四二ノットのスピードとを持つ九一式魚雷改二と呼ばれるものである。

魚雷攻撃には極度の近迫発射が要求され、訓練中雷撃機が近寄りすぎて目標艦のデッキにじかに魚雷を投げこむようなこともあったという。

ある日、淵田美津雄中佐は、これまでの鹿児島湾その他での訓練の成果について、

「どうや、長官、満足や言うてるか？」

と、聯合艦隊の佐々木航空参謀に質問した。

佐々木は、

「いや、実は未《ま》だやや不安らしい口吻《くちぶり》がある。この間も、攻撃の間合いが延びすぎる、もっと間をつめるように言っとけと言っておられたよ」

と答えた。

海軍でも、特に飛行科の士官の間には、相手が誰であろうと自分の意見はズケズケ申し立てるという気風が強かったというが、淵田はそれを聞くと、

「そらいかん。司令長官に一抹《いちまつ》の不安が残ってたら、出て行く者《もん》かて気持悪い。よっしゃ、俺、『長門』へ行って、直接長官と話して来る」

と言い、旗艦「長門」へ乗りこんで、山本に面会を求め、

「聞くところによると、攻撃隊について、長官には未だ一抹の不安がおありとのことですが、それではもう一度艦隊命令を出して、演習をやらせて下さい。航空母艦六隻全部使ってやっていただきたい。佐伯湾《さえきわん》をパール・ハーバーと仮定して、こちらは足摺岬《あしずりみさき》あたりから接敵運動を開始し、最後の仕上げに佐伯を叩いて見せます」

と要求した。

出撃を間近に控えた、あわただしい時であったが、山本は、

「よし、やってやろう」

と言い、この最後の特別演習は、十一月三日の夜半すぎに発動され、四日早暁、実戦通り日出三十分前に、母艦群から第一次攻撃隊が発進し水平爆撃隊、降下爆撃隊、雷撃隊、制空隊の四群に分れて佐伯湾に殺到し、定められた行動を採ったあと母艦に帰投、演習は三日間にわたり概《おおむ》ね成功裡に終了した。

あとで淵田が、

「長官、満足してくれましたか？」

と駄目《だめ》を押すと、山本は、

「よろしい、満足した。君ならやれる」

と言って、彼を励ました。

このころには開戦はもはやほとんど避けがたいものとなり、開戦予定日も十二月八日と決っていた。聯合艦隊参謀長の宇垣纒《うがきまとめ》少将が「戦藻録《せんそうろく》」と題して書き残した日誌には、十一月三日明治節を迎えて、

「満艦飾仰ぎに来るか鯵《あぢ》の群」

という俳句とともに、

「陸軍との協定日取も八乃至《ないし》十日と決定の通知に接す。万事オーケー、皆死ね、みな死ね、国の為俺も死ぬ」

と記してある。

永野軍令部総長が陛下に「ぐったり」の奏上をしたのもこの日であった。

聯合艦隊特別訓練二日目の十一月五日には、

「山本聯合艦隊司令長官ニ命令

一、帝国ハ自存自衛ノ為十二月上旬米国、英国及蘭国ニ対シ開戦ヲ予期シ諸般ノ作戦準備ヲ完整スルニ決ス

二、聯合艦隊司令長官ハ所要ノ作戦準備ヲ実施スベシ

三、細項ニ関シテハ軍令部総長ヲシテ指示セシム」

との、永野軍令部総長の奉勅命令「大海令第一号」が出され、それに準拠して山本は同日付で、

「対米英蘭戦争ニ於ケル聯合艦隊ノ作戦ハ別冊ニ依リ之ヲ実施ス」

という厖大《ぼうだい》詳細な「機密聯合艦隊命令作第一号」を発した。

ただし、文書の上では「昭和十六年十一月五日佐伯湾旗艦長門」となっているが、この「聯合艦隊命令作第一号」に最後の修正が加えられて各実施部隊に配布の手続きがとられたのは、十一月八日東京においてであった。

山本は十一月六日、宇垣参謀長以下の幕僚を従えて、打合せのため大分から飛行機で上京し、十一日まで滞在している。

松本鳴弦楼はすでに二六新報を辞《や》めていたが、ある日首相官邸詰めの友人の新聞記者から、

「君、レンゴウカンタイが東京へ来ているネ、君会ったかネ?」

と電話で言われ、驚いて海軍省へ山本をさがしに出かけて行った。

顔見《みし》識りの受付に、

「これが此処《ここ》へ見えてるということですが……」

と拇指《おやゆび》を突き出して小声で言うと、受付もあたりを憚《はばか》りながら、

「ああ、見えてます。ついさっき見えられました」

と小声で答えた。

それで名刺を給仕に持たせてやると、意外にもすぐ会うという返事で、松本賛吉が応接間に通されてわくわくしながら待っていると、間もなく靴音《くつおと》が聞え、

「やあ」

と山本が気軽に入って来た。

「どうしてまた、僕が此処へ来てるということを知ったかネ？」

と山本は言った。

ずいぶん肥《ふと》って陽《ひ》にやけたなと、松本は思ったそうである。

思いがけぬ面会がかなって、聞いてみたいことはいくらでもあった。

少し落着きを取戻したところで、松本はまず、

「ところで閣下、今度の対米一件はどういうことになりますか？」

と切り出したが、

「どうかね？　一体どういうことになりますかな、今度の問題は」

山本は言い、

「そうそう、たびたび手紙をありがとう」

と、質問をはぐらかしてしまった。

去る九月十二日の近衛との会談について水を向けると、

「近衛さんの趣味だな、あれは」

と無造作な返事で、山本長官の沈黙が千鈞《せんきん》の重みがあるというような世辞を松本が言うと、

「いや、今の日本の海軍では、何人《なんぴと》が長官になっても沈黙だね。責任ある者は沈黙するんだ」

と、山本は答えた。

話はそれでも段々核心にふれて来た。

「対米英戦に対する長官としての自信如何《いかん》」という松本の問いに対して、山本は、

「自信アリ、と言っても、なにぶん戦争には相手があるんだからな」

と言い、

「むろん昨年からそれに対する万全な準備はしておいた。それはしておいたのだ。けれども、それはあくまでこちらの心構えの問題で、準備が出来たからといって有頂天になってはならんのだ。相手があるという一事を、あくまで忘れてはならんのだよ」

そう補足し、

「よく分りました。それでは切に閣下の御健闘御自愛を祈ります」

と言う松本に、

「ありがとう」

と一と言答えて立ち上った。

聯合艦隊作戦命令第一号の発令、つづけて第二号「第一開戦配備」の発令、陸軍大学における陸軍との作戦協定調印等上京中の要務を終った山本は、十一月十一日の午後横須賀航空隊から輸送機で岩国経由「長門」へ帰って来た。

そして翌々日の十一月十三日、南遣艦隊を除く各艦隊の司令長官、参謀長、先任参謀らを岩国海軍航空隊に参集させ、作戦命令の説明と打合せとを行い、開戦概定期日は十二月八日であること、機動艦隊主力は千島列島択捉島《エトロフとう》の単冠湾《ヒトカップわん》に集結ののち、十一月下旬同湾を抜錨《ばつびょう》し北方航路をとってハワイに向うべきことなどを示した。

「但《ただ》し」

と山本は付け加えた。

「目下ワシントンで行われている日米交渉が成立した場合は、出動部隊に引揚を命ずるから、その命令を受けた時は、たとい攻撃隊の母艦発進後であっても直ちに反転、帰航してもらいたい」

すると、先ず、機動部隊の司令長官南雲忠一中将が、

「出て行ってから帰って来るんですか？　そりゃァ無理ですよ。士気にも関するし、そんなことは、実際問題としてとても出来ませんよ」

と反対し、二、三の指揮官のこれに同調する者があって、中にはそれではまるで、出かかった小便をとめるようなものだという意見も出た。

これに対し、山本は顔色をあらためて、

「百年兵を養うは、何のためだと思っているか。もしこの命令を受けて、帰って来られないと思う指揮官があるなら、只今から出動を禁止する。即刻辞表を出せ」

と言った。言葉を返す者は、一人もいなかったということである。

またこの日、会議に先だって山本が述べた訓辞が、たいへん感動的なものであったと伝えられている。その内容はこんにち残っていないが、「全軍将兵ハ本職ト生死ヲ共ニセヨ」と彼が言ったのは多分この時のことであろう。

航空本部長から第四艦隊司令長官に変った井上成美中将は、聯合艦隊の作戦会議に顔を出すのはこれが初めてであった。

一同勝栗《かちぐり》とするめで祝杯をあげ、記念撮影をして解散になったあと、井上が岩国航空隊司令の

部屋へ入ってみると、岩国の深川という料亭で開かれる夜の慰労会までの時間を持て扱いかねたように、山本が一人ぽつねんとソファに坐っていた。

「山本さん」

と、井上は声をかけた。

「とんでもないことになりましたね。長谷川（清）さんは、大変なことになるぞ、工業力は十倍だぞと言っておられましたよ。だけど、大臣はどういうんですかね。発《た》つ時、岩国へ行って来ますと言って、大臣にも挨拶《あいさつ》をして来たんですが、嶋田さんと来たら、ニコニコして、ちっとも困ったような様子じゃありませんでしたよ」

井上がそういうと、

「そうだろ。嶋ハンはオメデタイんだ」

と、山本は悲痛な顔をして見せた。

しかし、井上の知るかぎり、山本が戦争反対を匂《にお》わす言葉を口にしたのは、これが最後であった。陛下の胸中はよく分っているとはいえ、すでに「聖断」が下ったのであって、少なくとも公にはこの日以後、山本は一切の反戦論を口に出さなくなったと言われている。

八

その翌日、十一月十四日の午後、郵船北米航路の龍田丸《たつたまる》が横浜に帰って来た。龍田丸には、カリフォルニヤからの日系移民の引揚者七百数十人をふくむ、各地からの邦人引揚者が大勢乗っていたが、その中に、駐英海軍武官の近藤泰一郎少将もいた。

近藤は、山本が次官時代、海軍省先任副官で高松宮着任奉迎の問題で山本に叱《しか》られた人である。横浜へは、松永敬介が迎えに出ていた。松永も、前に書いた通り山本次官の下で副官兼秘書官を勤めた人で、そのあと、やはり英国駐在を命ぜられてロンドンで暮した経験を持っている。松永は中心性網膜炎という眼病をわずらっていて、ロンドンにいる時それが一時悪化したことがあった。山本が心配して、

「かかるなら英国一の医者にかかれ」

と多額の金を送って来てくれたという。

中心性網膜炎が原因ではなかったが、松永は在勤一年ほどで昭和十四年の十月には帰国していた。

それで彼には、近藤泰一郎がどんな考えを抱《いだ》いて帰って来るかは充分想像出来たし、一方、海軍省内の最近の空気もよく分っていた。

松永は近藤に、御前会議もすんで、事はもう大体決ってしまっている、省内の空気はこんな風で、海軍省で任務報告をやる時は、そのつもりでやるようにと、忠告した。

近藤はロンドンにいて、ドイツ空軍の爆撃をずいぶん受けたが、日本で思っているほど英国は参っていない。爆撃だけで英国が音《ね》を上げるとは、到底思えない。英国を屈伏させるには、やはり英本土への上陸作戦が必要だが、ドイツにその力は無いように見える。英国商船のドイツ潜水艦に撃沈されて消耗して行く数字を見ていても、最近はそれが上昇カーブをたどらず、むしろ減

って行く傾向にある。もし英国が間もなく参るという希望的観測を基にして、日本が政策を決定したら、必ず間違いがおこると近藤は考え、度々《たびたび》ロンドンから本省へ電報を打った。しかし同じ海軍武官でも、ベルリンの武官から出ている電報は、全くニュアンスがちがっていた。

海軍省や軍令部の責任者は、少なくとも双方の情報を、同じウエイトで秤《はかり》にかけて判断しなくてはならない筈《はず》だが、彼らはもう、ベルリン電を八十パーセント信用するとすれば、ロンドンからの武官電は二十パーセントしか信じないという風になっていた。

しまいには、東京から近藤のもとへ言づてがあって、あまり同じ調子の電報ばかりよこすなと言って来た。近藤は、考えを同じゅうする陸軍の武官と二人で、憤慨したものであった。

やがて帰朝命令が出て、彼がアメリカまわりで帰国の途につく時、ポルトガルのリスボンで、ニューヨーク行のチャイナ・クリッパー機に乗りつぐのに約一週間の待ち時間があり、近藤は欧洲各地の駐在海軍武官に声をかけて、リスボンに集まってもらい、情報の交換と、世界情勢についての討論を行なった。その時も、ベルリン駐在武官の横井忠雄やローマ駐在の光延《みつのぶ》東洋の言うことは、近藤の考えとはずいぶん調子がちがっていたという。

近藤は松永の話を聞いてがっかりした様子であったが、

「とにかく言うだけのことは言う」

と言った。

だが、「言う」機会すらすぐには与えられなかった。

普通、在外武官が三年近くも勤務して、少将に進級して帰って来れば、築地《つきじ》あたりで一席慰労の宴が開かれ、海軍省では早速《さっそく》その人の帰朝報告を中心に、活潑《かっぱつ》な質疑応答の会が催されるのが慣例であるのに、近藤は一向、何もしてもらえなかった。

クラスの者が、見るに見かねて一と晩すき焼で御馳走《ごちそう》をしてくれたそうである。

四、五日して、やっとお義理のように、大臣室で近藤の任務報告会が開かれることになった。嶋田海軍大臣、沢本次官、永野軍令部総長、伊藤次長以下の前で、近藤は約一時間にわたって、ロンドン爆撃の目撃談や、ロンドンの市民生活の模様、軍事上の問題についても数字を挙《あ》げ、詳しく話し、結論として、英国はなかなか参らない、それを充分含んだ上で帝国海軍としての方針をお樹《た》て願いたいと言ったが、満座シーンとしていて、誰一人質問する者は無かった。

報告会がすんで、近藤が軍令部次長の部屋に入って行くと、伊藤整一中将が、ソファに黙然とかけて、頭をかかえこんでいた。

しばらくして伊藤は、

「君の話、聞いたよ。あの通りかネェ」

と、浮かぬ顔をしてただ一と言、そう言った。

そのころ、ハワイ攻撃に参加する各艦艇は、すでに可燃物、私物、装飾品類の積下ろしや、兵器弾薬、食糧の最後の積込みを終り、陸上基地で訓練にはげんでいた飛行機隊も母艦に収容を終っていた。北を通るので飛行機の補助翼、方向舵《だ》、昇降舵はすべて耐寒グリースに塗り変えられた。

原則として副長以下は、艦隊が何処《どこ》へ向うのか誰も知らなかった。防寒服と防暑服とを一緒に

渡されて、兵隊たちは、

「一体俺たちゃ、北へ行くのか南へ行くのか、どっちなんだ?」

と不審がっていた。

やがて各艦はそれぞれ単艦で、ひそかに単冠湾《ヒトカップわん》に向けて集結を開始した。

出撃の前日十一月十七日、長官坐乗の「長門」は佐伯に廻航され、山本は機動部隊旗艦「赤城」艦上での南雲長官以下の壮行の会に列した。

宇垣纏の「戦藻録」には、

「飛行甲板にて、山本長官挨拶を述べらる。切々、主将の言、肺腑《はいふ》を衝《つ》く。将士の面上、一種の凄味《すごみ》あるも、一般に落付《おちつき》あり」

と記してある。

祝杯をあげる時、山本はぶっきら棒に、

「征途を祝し、成功を祈る」

と言っただけであったが、その顔つきは悲痛に、むしろ沈鬱《ちんうつ》に見えたという。

「赤城」が佐伯湾を出たのは十一月十八日の朝九時であった。

全艦船は、出港と同時に、完全な無線封鎖を実施した。情報や命令の受領は、東京第一放送通信系だけに頼《たよ》ることとし、「赤城」もこれ以後、聯合艦隊司令部や陸上との、自分の方からの接触を一切断《た》った。

十九日昼過ぎ、針路北五十度東で、東京のはるか南を通過し、それより三日後の二十二日の朝、

「赤城」は単冠湾に入った。

南千島の国後島《クナシリとう》のすぐとなりの、細長い島が択捉島《エトロフとう》で、島のちょうどまん中、南側のところにあるのが、単冠湾である。

湾から西に見える山は単冠山で、単冠山は裾《すそ》まで真白に雪をかぶっていた。「赤城」より先に到着していた艦もあり、あとから入って来て定めの地点に投錨《とうびょう》する艦もあったが、浅海面魚雷をたくさん積み一日おくれで入港して来た「加賀」を最後に、機動部隊の主力が全部揃《そろ》った。

択捉島の小さな漁村では、その前に、外部との一切の交通、通信連絡が断ち切られていた。「赤城」の飛行長であった増田正吾は、湾内水黒く、折々雪まじりの寒雨が降り来《きた》って、蕎麦屋《そばや》の二階にひそかに集まる赤穂《あこう》浪士のような気持がしたと、日記の中に書きのこしている。

第十章

一

河合千代子は、そのころなかなか手に入りにくくなっていた寝台券がやっと取れたので、山本とのかねての約束で、二十五日の晩十時十分東京駅発の下関行急行に乗って山本に会いに宮島へ向った。

宮島口の駅に背広姿の山本が迎えに出ていて、二人は連絡船で厳島《いつくしま》へ渡り岩惣《いわそう》に投宿した。岩惣は、紅葉谷公園《もみじだにこうえん》の渓谷にそうて点々と離れ座敷のある風雅な古い旅館で、二人はせせらぎに掛けた赤い小橋の上手の小ぢんまりした一室に入り、其処《そこ》でひそかな一夜を過した。女連れではあるし時機が時機で、山本は宿帳に現職本名を書かなかったらしい。

新潟県の温泉場などには、

「長岡市坂之上町二丁目
山本長陵　五十二歳　船乗業」

というような宿帳が残っているそうだから、或いはそういう書き方をしたかも知れない。「長陵」は山本が詩など作る時にちょいちょい使った長岡の土地にちなんだ号である。

それで初めのうち、岩惣ではこの客に何も格別の注意は払わなかった。

しばらくして主人の岩村平助は紅葉谷を散歩している山本を見かけたが、顔かたちが、別府の旅館「なるみ」の主《あるじ》で以前岩惣の板前を長くつとめた高岸という男によく似ている。おまけに道案内の女中が、高岸の娘のゆき子であった。高岸は戦後亡《な》くなって、このゆき子が今別府「なるみ」の当主であるが、彼女はそのころ旅館業の見習い兼手伝いとして岩惣に預けられていた。てっきり高岸親娘《おやこ》が歩いているのだと思いこんだ岩村平助は、

「やあ、よう来ましたのう。久しぶりじゃからゆっくりして行きなさいよ」

と声をかけてから、はッと気がつき、

「おい、俺《おれ》はたいへんなしくじりをした。ありゃ高岸じゃあない。海軍の山本五十六大将じゃ」

と赤くなって帳場へ帰って来た。

女将《おかみ》の静栄もようやく気がついたが、こういう時に聯合艦隊の司令長官がお忍びで厳島へ来ていることに異様な感じを受け、店に三十年近くいる古番頭と二人、

「これはきっと何かあるよ。極秘にしときましょうね」

と言い合った。

部屋へ挨拶《あいさつ》に行ってみると、山本は千代子と差し向いで黙々と花を引いていたそうである。

ちょうどこの日（十一月二十六日）の朝、南雲忠一の機動艦隊は、錨《いかり》を捲《ま》いて集結地の択捉島を出て行った。

静かに波を切り始めた艦首に、錨鎖洗《びょうさあら》いの放水を浴びながら、単冠湾《ヒトカツプわん》底の泥をつけた錨が揚って来るのを、各艦の将兵は、或いはこれが見収めの日本の土の色かも知れないと、感慨を以て眺《なが》めていた。

機動部隊の編制は、空襲部隊が第一航空戦隊「赤城」、「加賀」、第二航空戦隊「蒼龍《そうりゅう》」、「飛龍」、第五航空戦隊「瑞鶴《ずいかく》」、「翔鶴《しょうかく》」の六隻の航空母艦、警戒隊が第一水雷戦隊の軽巡「阿武隈《あぶくま》」に率いられる第十七駆逐隊の「谷風」、「浦風」、「濱風《はまかぜ》」、「磯風《いそかぜ》」、第十八駆逐隊の「不知火《しらぬい》」、「霞《かすみ》」、「霰《あられ》」、「陽炎《かげろう》」、「秋雲《あきぐも》」の九隻の駆逐艦、支援部隊が第三戦隊の「比叡《ひえい》」、「霧島」二隻の戦艦と、第八戦隊「利根《とね》」、「筑摩《ちくま》」二隻の重巡洋艦、補給部隊として第一補給隊の極東丸、健洋丸、國洋丸、神國丸、第二補給隊の東邦丸、東榮丸、日本丸の七隻の特務艦、そのほか哨戒隊《しょうかいたい》の第二潜水

隊「伊十九」、「伊二十一」、「伊二十三」の三隻の潜水艦が加わり、総勢三十一杯で第一警戒航行序列のいわゆる輪型陣を形成し、その先頭と後尾とはやがてほぼ名古屋から大阪までの距離にひろがった。

機動部隊の総指揮官は、南雲忠一中将で、旗艦は「赤城」であった。

ハワイに向うこの機動艦隊が、単冠出港後六日目、東経百八十度の日附変更線を通過した十二月一日、東京では午後二時から、宮中東一の間で東条内閣の全閣僚、原枢密院議長、永野軍令部総長、杉山参謀総長らが出席して、最後の御前会議が開かれた。

東条英機が議事進行を司り、総理大臣としての所信を述べ、永野修身が陸海軍の作戦部を代表して作戦上の説明を行い、原枢密院議長から数項目の質問があって、政府と統帥部とがそれに答え、こうして日本の、米英蘭三国に対する開戦が正式に決定した。席上、天皇からは全く御発言が無かったと伝えられている。

この日山本は、海軍大臣の召電で、瀬戸内海柱島《はしらじま》泊地の旗艦「長門」から岩国経由列車で東京へ向った。

翌二日、彼は打合せのため海軍省へ出向き、用事をすませたあと、武井経理局長の部屋へ顔を出した。

武井大助は、山本が「負けるに決った戦争する奴《やつ》があるもんか」と言うのは前に何度となく聞いているし、自身としても似よりの考えであるし、

「一体、山本さん、どうするつもりですか?」

と聞くと、

「鍵《かぎ》をしめろ」

と山本は言い、局長室の鍵を閉じさせて、

「僕は、あれだけ戦争に反対して、本来なら海軍辞《や》めるべきなんだが、どうしても辞めるわけに行かなかった。こうなったら、一つの手は、とにかく南洋に潜水艦をうんとばらまいて、相手に蜂《はち》にたかられているような思いをさせることだ。蜂にブンブンやられたら、牛でも馬でも、参りはしないが閉口するだろう。アメリカは、例の通り世論の変り易《やす》い国だから、こんな熊ン蜂みたいなものと、戦ってもしようがないという気持を、早く相手に起させるよりほかは無い」

そう言った。

この熊ン蜂理論はしかし、あとから見れば明らかに、日本の潜水艦戦力に関する山本の過大評価であった。

山本はさらに、

「それから結果を見たら、君は驚くかも知れないが、初めに、こちらも半分ぐらいやられる覚悟で、思い切ったことをやってみるより仕方が無いんだ」

と、真珠湾奇襲を匂《にお》わすようなことも言った。

この日、聯合艦隊の各部隊には、午後五時三十分、山本の名前で、

「新高山《ニイタカヤマ》ノボレ　一二〇八」

という電報が発せられた。

これが、「X日を十二月八日午前零時と定め、開戦」の意味であることは、周知の通りであるが、一般に誤って解されているように、この短文そのものが暗号で、「ニ、イ、タ、カ、ヤ、マ、ノ、ボ、レ」とモールス符号が打たれたわけではない。

機密保持を二重にするためと、電文を簡略化するために、艦隊では各作戦毎の隠語書が作られるのが例で、「新高山ノボレ」は、開戦に関する隠語書の中の一つの隠語で、謂《い》わば電信略号の如きものであった。

各艦隊への通信に使われていたのは、主として五桁《けた》の数字の乱数暗号である。

これからのち、山本の戦死にいたるまで、暗号の問題は、かなり大きな蔭の問題になって来るので、書き添えておけば、「D暗号」「呂《ロ》暗号」「波《ハ》暗号」など海軍の乱数暗号は、五十音順に約五万語から十万語の語彙《ごい》を収録した発信用暗号書と、同じだけの言葉を0000から9999まで数順に並べ直した受信用暗号書と、使用規定と乱数表の四冊から成っていた。

乱数表というのは、全く無意味で無作為な五桁の数字を、何万と収めたものである。

発信用暗号書をひいて、「ニ」の欄に「新高山」という地名を見出し、それに対応する暗号符字が、仮に40404であったとすると、暗号員は使用規定にしたがって、乱数表の一定の頁《ページ》のある行の、ある五桁の乱数を選び、それが仮に56789であったとすれば、40404に56789を加えて、――但し、実際の算術のように繰上げはしないので、96183という答を得る。この96183が、実際に暗号として打電される「新高山」である。

「ノボレ」も「一二〇八」も、同様の操作で暗号化される。

「新高山ノボレ」をふくむ、あらゆる命令や情報は、海軍省構内にある東京通信隊の第一放送系の電波にのせられて、出先の艦隊に届けられていた。

無線通信のやり方は、普通、一局がコール・サインで相手の局を呼び、その出現応答を待って通信を開始し、相手が了解の符号を送って来て終了するのであるが、放送系というのは、ラジオの放送と同じく、中央局の一方的な電波の出しっぱなしの方式である。

どのように高度の暗号を使っていても、電波を出せば、無線方位測定によって、その艦の所在地点は突きとめられる。コール・サインに関しても、これを隠す色々な方法が採られていたけれども、相手に悟られている可能性は大きかった。たとい、呼出符号が相手に分っておらず、暗号が解かれておらず、ただ電波がとらえられて、発信艦船の位置が分明になっただけでも、その電波をオッシログラフにかければ、無線機の癖があって、「長門」の電波と「赤城」の電波とでは、かたちがちがう。

要するに、一と言口をきいたら、機動部隊の意図は曝露《ばくろ》されるわけで、南雲艦隊の各艦船は、無線機のキイを封印し、或いは取りはずし、耳だけ聞える唖《おし》になって、ハワイに向いつつあったのである。頼りにするのは、東京通信隊の第一放送のみで、これはずいぶん不安なことであった。

万一の聞き逃《のが》し、受信不能を防ぐために、東京通信隊は、キロサイクルで、一万台、八千台、四千台と、三つの有効到達距離のちがう短波と、潜水艦が露頂潜航状態で受信し得る超長波と、四つの波を使って、同じ暗号電報を送信していた。

十二月二日の夜、機動部隊は、作戦緊急信の指定のある、東京からの短い数字電報を受信した。

暗号士が、それを翻訳して文章に直し、受信用紙に、「新高山ノボレ 一二〇八」と書きこんで、暗号長に届けに行き、暗号長はそれを通信参謀に届けた。そして、南雲長官以下、賽《さい》がついに予定通り投げられたことを知った。

「赤城」の増田飛行長の残した日記には、この日の欄に、

「すべては決定した。右もなく、左もなく、悲しみもなく、また喜びもなし」

と記してある。

二

機動部隊がこの電報を了解したころ、山本は、三十間堀の梅野島へ、こっそり千代子を訪《たず》ねて行った。

千代子の梅龍は留守で、抱《かか》えの妓《こ》が、

「山下さんのお邸《やしき》へいってらっしゃいます。堀さんが御一緒なのよ」

と告げた。

その夜、高輪《たかなわ》の山下亀三郎の家では、木戸幸一、原嘉道、堀悌吉らが招かれ、新橋の八重千代と梅龍とが侍《はべ》り、山澄という道具屋が入って、茶会席の集まりが催されていた。堀悌吉は、前日の十二月一日、浦賀船渠《ドック》の社長に就任したところで、これは多分、その祝いの会であったと思われる。

山本は、山下の邸へ電話をかけて千代子を呼び出し、極秘で東京へ出て来ていること、堀に、

今夜中に会いたいと伝えてくれということを言った。

梅龍から耳打ちをされた堀は、その晩八時ごろ、山本の指定した中村家《や》へやって来た。山本は畳の上に横になっていたが、その面上に落胆の蔭はおおうべくもなかったと、堀は語っている。

「どうした」

と、堀悌吉は声をかけた。

「とうとう決ったよ。あちらは、二十六日に飛んだそうだ」

と、山本は答えた。

「あちら」というのは、陸軍の最高指揮官寺内寿一大将のことであった。

「岡田さんなんか、ずいぶん言ったそうだがネ」

と、山本はまた言った。

「効果は無く、万事休すか?」

「うん。万事休すだ。もっとも、もし交渉がまとまったら、出動部隊をすぐ引返すだけの手は打ってあるが、どうもね」

「それで、拝謁はいつだ?」

「あすだ。あさっての朝、飛行機で発《た》つ」

「よし。送って行こう」

「出発は、大臣官邸からだからね」

堀は三本指の山本をよく、

「オイ、鳥《とり》」

と呼んでいた。

「オイ、鳥。起きろ。商売々々」

と、寝ている山本を叩《たた》き起しては麻雀《マージャン》をした仲であったが、二人とも昔のようにふざけ合う気にはなれず、そのあと長い間、黙し勝ちに向い合っていた。

翌十二月三日、山本は参内して、天皇陛下に拝謁し、

「朕《チン》ココニ出師《スイシ》ヲ命スルニ方《アタ》リ卿《ケイ》ニ委《イ》スルニ聯合艦隊統率ノ任ヲ以テス。惟《オモ》フニ聯合艦隊ノ責務ハ極《キハ》メテ重大ニシテ、事ノ成敗ハ真ニ国家興廃ノカカル所ナリ」云々《ウンヌン》
という勅語を賜わった。

そのあとで、山本が全艦隊に出した電報によると、彼は、

「謹《ツツシ》ミテ大命ヲ奉ジ、聯合艦隊ノ将兵一同、粉骨砕身誓ツテ出師ノ目的ヲ貫徹シ、聖旨ニ応《コタ》ヘ奉ル旨」

奉答したとなっている。

戦を好まなかった君主と、戦の非を最もよく知っていた臣下とが、儀式としてこういう言葉のやりとりをしている胸中は、互いに複雑なものがあったであろう。

この奉答文は、宇垣参謀長の起案したもので、前の日経理局長室に武井大助を訪《たず》ねた時、山本は、

「どう思う?」

と、その草案を武井に見せている。武井が一読して、

「私なら、こうは申しませんね」

と言うと、山本は、

「うん。俺《おれ》も、こうは言えないよ」

と言ったという。武井の想像では、一応型通りのものを読み上げたあとで、山本は陛下に、もう少し自分のほんとうの気持のこもったことも申し述べたのではないかということである。

その晩、山本は何ヵ月ぶりかで、突然、青山南町の自宅へ帰った。

妻の礼子も、四人の子供たちも、家にいて、驚いて彼の帰宅を迎えた。礼子は、よく肥《ふと》った立派な体格にも似ず病気勝ちで、この日も床に臥《ふ》せっていたが、すぐ起き出して来た。

家族は、珍しく六人揃《そろ》って夕食を共にし、その夜山本は、これも珍しく、妻のもとで泊った。

四日の朝は、九時から、海軍大臣官邸で、秘《ひそ》かに山本の壮行の会が開かれた。御差遣《ごさけん》の侍従武官鮫島具重《さめじまともしげ》中将、高松宮殿下、伏見元帥宮御使細谷大佐、大臣、軍令部総長、省部関係者のほか、近親者代表として、堀悌吉が列席した。

堀は、あらかじめ次官の沢本頼雄の了解を得てやって来たのであるが、海軍には、一旦予備役に編入された者には、かなり閉鎖的でつめたいところがあり、中には、堀をみとめて、

「堀さん、どうして?」

と異様な顔をする者もあった。

白布の上のグラスに、御下賜の葡萄酒《ぶどうしゅ》がつがれ、

「山本長官の壮途を祝しまして」

と、嶋田繁太郎の音頭で、一同が乾杯した。

飛行機で発つ予定が、都合で午後三時の特急に変更になったので、山本はそのあと、私服に着《き》更《が》えて、一人、梅野島の千代子のところへ出かけて行った。

中村家の敏子は前から山本に頼まれていた画仙紙を買いに鳩居堂《きゅうきょどう》へ行き、「呉《くれ》局気付軍艦長門山本五十六様」と送り先を書いて、その帰り梅野島へ寄ってみると、思いがけず当の山本が千代子と差し向いで、おそ昼の茶漬《ちゃづけ》を食っていた。山本の買って与えた薔薇《ばら》の花が、花瓶《かびん》いっぱいにさしてあった。

其処へ鳩居堂の使いが追いかけて来、郵便局でこんな漠然《ばくぜん》とした宛先《あてさき》じゃあ受付けられないと言ったという。敏子は、

「それじゃちょうどよかったわ」

と画仙紙の包みを渡し、しばらくして、女中にタクシーを拾わせて山本と一緒に外へ出た。山本は、顔が目立たないように、マスクをし、片手に紫の縮緬《ちりめん》の風呂敷包みを、大事そうにかかえていた。敏子が持とうとすると、彼は、

「いや」

と言って、それを離さなかった。風呂敷の中には、勅語か御沙汰書《ごさたしょ》のような物が入っているらしく思われた。

そして山本は敏子と別れ、円タクで銀座から東京駅へ向った。

駅頭の見送り制限がきびしくなっていて、堀悌吉は一と足先に横浜駅へまわり、駅長事務室に頼みこんで、特に入場券を売ってもらい、プラットフォームに出て、山本の乗った列車が入って来るのを待った。

下関行の特急「富士」が、定刻通り、三時二十六分、横浜のフォームに着くと、展望車のデッキに、山本が立っていた。

一分の停車時間の間に、堀と山本とは短く言葉を交《か》わした。発車のベルは列車が着くとすぐ鳴り始め、堀が山本の手を握って、

「じゃ、元気で」

と言うと、山本は、

「ありがとう。――俺は、もう帰れんだろうな」

と答え、動き始めた列車のデッキから、

「千代子さん、どうかお大事に」

と言った。

この「千代子さん」は、病中の堀夫人のことである。

二年四カ月前、聯合艦隊司令長官に補せられて赴任する時に較《くら》べてまことに淋《さび》しい出立であった。

堀悌吉にとっては、これが、生涯の友であった山本五十六の見おさめになった。

「富士」には偶然、長岡の風呂屋の友達、椰野《なぎの》透の弟の厳《いっき》が乗っていた。椰野厳は、陸軍の軍医

で、北支方面軍の軍医部長として北京《ペキン》へ赴任するところであった。列車が浜松を過ぎたころ、山本は棚野の寝台車へやって来、普段の調子で、長岡のことなど一時間あまり、世間話をしてから、

「それでは、明朝早いのでこれで失礼します」

と言って、自分の寝台の方へ帰って行った。棚野はその時、真珠湾のことも、開戦のことも知らず、北京へ着いてニュースを聞いて初めて、「ハハア」と思ったという。

「富士」の宮島口到着が、翌朝六時九分。柱島錨地《びょうち》にもよりの山陽線の駅は岩国だが、「富士」は岩国にとまらない。山本が宮島口で下りて岩国経由で「長門」へ帰ったか、広島から呉まわりで帰ったかは分らないけれども、宇垣纏の「戦藻録」には、

「十二月五日　金曜日　晴
午前八時半長官帰艦セラル」

とある。

山本から、陛下に拝謁した折の模様を聞かされて、宇垣参謀長は、

「上《カミ》、陛下ニ於《オ》カセラレテモ、開戦已《ヤ》ムナキヲ御確認ニナリテヨリ、極メテ、明朗ニアラセラレ、本月一日ノ、最終御前会議ニ於テハ、直ニ決定御裁可アラセラレタリト漏レ承ハル。賢君ノ下、弱卒無シ」

と日記にしるした。

しかし天皇がそんなに「明朗ニアラセラレ」たかどうかは少し疑問である。防衛庁戦史室著の「ハワイ作戦」には、この最後の御前会議の前日夕刻、永野軍令部総長と嶋田海軍大臣に俄《にわ》かな

お召しがあって、

「いよいよ矢を放つことになるね。矢を放つとなれば長期戦になると思うが、予定通りやるか？」

と海軍の所信を質《ただ》され、さらに、

「ドイツが戦争をやめるとどうなるか？」

と、聞かれたということが出ており、陛下がなお深い憂慮を抱《いだ》いておられた様子がうかがえる。

嶋田海相はそれに対して、

「人も物もすべて準備は出来ております。大命降下をお待ちしております。（中略）今度の戦争は石にかじりついても勝たねばならぬと考えております」

と答え、

「ドイツをあまり頼《たよ》りにしておりません。ドイツが手を引いてもどうにかやって行けると思います」

と説明をした。

「聖断を明日に控えて、陛下に御心配をかけてはまことに恐懼《きょうく》に堪《た》えないのでこのように奉答した」

と嶋田繁太郎は言っているそうだが、ドイツを頼りにしないくらいなら三国同盟なぞ結ばなければよかったのであり、いい加減なことを言って天皇の心配をはぐらかしてしまうのは「恐懼に堪え」なくないのかということになる。山本が、クラスメイトでありながら嶋田のことを「巧言令色」と罵《ののし》る所以《ゆえん》であろう。

「賢君ノ下、弱卒無シ」

と書いた宇垣の感覚も、

「残されたるは尊き　聖断の一途のみ」

と言い、ワシントンでの交渉が成立した場合はたとい攻撃隊の母艦発進後であっても引返して来いと言って、戦争回避の望みを最後まで捨て切れずにいた山本の感覚とはかなりのずれがあった。


昭和十六年二月六日附堀悌吉あての書簡の中には、山本が宇垣の聯合艦隊参謀長に不賛成を唱えている箇所がある。


「一月中旬頃の話、四月横須賀入港後古賀と近藤、福留と宇垣（福留一部長、アト伊藤整一アト宇垣）嶋田と豊田（嶋田横須賀アト豊田貞アト清水）交代の内相談及川よりあり」

と、例の人事異動の問題をしるした欄外に、

「宇垣の参謀長は当方同意せず」

という一行が見える。

この手紙は「五峯録」の中におさめられている。


山本が人事に関するこういう構想をあちこちに訴えたのは、中央を強化して何とか戦争突入を避けたいと考えたからであるが、聯合艦隊参謀長から軍令部第一部長に転出させた福留繁についても、山本の友人たちの間には、

「どうも木乃伊《ミイラ》とりが木乃伊になってしまったらしい」

との声があったそうである。

状況はいよいよどたん場まで来てしまい、信頼すべき部下にも自分のものの考え方をとことんまで理解してくれている者は少なく、山本はさぞ淋しかったろうと思われる。

東京から「長門」に帰ったその日のうちに、彼は千代子にあてて手紙を書いた。

「此《こ》の度《たび》はたつた三日でしかもいろいろ忙しかつたのでゆつくり出来ず、それに一晩も泊れなかつたのは残念ですが、堪忍して下さい。それでも、毎日寸時宛《づつ》でも会へてよかつたと思ひます。出発の時は、折角心静かに落着いた気分で立ちたいと思つたのに、一緒に尾張町まで行くことも出来ず残念でした。（中略）薔薇《ばら》の花はもう咲ききりましたか。その一ひらが散る頃は嗟《あ》呼《あ》。

どうかお大事に、みんなに宜敷《よろしく》。写真を早く送つてね。左様なら」

後半の数行などは、ずいぶん中学生の恋文のような文章であるが、山本はこの女人に、なりふり構わぬ自分の淋しみをむき出しにしたかったのであろう。

三

千島出港以来、針路を九十七度にとり、ほぼ真東に進んで来た南雲艦隊は、このころにはすでに、西経百六十五度、北緯四十三度附近で百四十五度に転針して、海図の上ではちょうど坂落しのかたちに、北からハワイへ迫りつつあった。

連日の濃霧で太陽を見ず、乗組員の身体はみな湿気ていたが、十二月五日には、北太平洋の寒い暗い海域を去って、浪《なみ》も静かに、気温は次第に上って来た。

機動部隊の司令部にも、瀬戸内海にいる聯合艦隊司令部にも、東京の軍令部にも、この奇襲作戦に関して、心配の種は山ほど存在したが、その主なものの一つは天候の問題であった。

予定航路である北太平洋の十二月は、過去十年間の統計で、荒天が二十四日、静穏な日が七日となっている。

果して洋上の燃料補給を順調に行うチャンスがあるか否か、軍令部の富岡作戦課長などは、それを五分五分としか、見ていなかった。

しかし幸運なことに、艦隊は偶然、東へ張り出して来るシベリヤの高気圧と一緒に東進することになり、十二月三日まではあまり風浪に悩まされることはなくて、山本は気象状況をにらみながら、

「天佑《てんゆう》高気圧だね」

と言っていた。

十二月六日、任務を果した第二補給隊の東邦丸、東栄丸、日本丸の三隻が、

「御成功ヲ祈ル」

の信号を残して、護衛の駆逐艦「霰」とともに、針路を西に、帰途についた。

心配の第二は、他国の船に行きあうことであった。

洋上補給に難のある北方航路を敢《あ》えて選んだのは、一つには、オアフ島の米軍哨戒機《しょうかいき》が、島の北半分だけ哨戒飛行を実施しておらず、謂《い》わば網の口が開いていたからである。

ハワイ作戦がアメリカ側に洩《も》れたと思われるこの年の初頭、アメリカはオアフの全周警戒を始めたが、何を思ったのか、四、五月頃になって、北半分の警戒を解いてしまった。

よほど穿《うが》った見方をすれば、これは、日本艦隊を招き寄せるためにアメリカが仕掛けた罠《わな》であったということになるが、其処まで考えるのは、或いは行き過ぎかも知れない。

今一つの理由は、この航路が太平洋の一般商船航路に最も遠かったことである。

それでも軍令部は、発見されるチャンスをやはり五分五分と考えていた。

もし発見されたら、奇襲の意図は潰《つい》え、場合によっては、攻撃部隊が守勢に立って、X日より前に、洋上の乱戦が起り得る可能性があった。

その場合に関しての山本の命令は、反撃を許すのを、攻撃を受けた当該部隊だけとし、それにつれて他部隊が自動的に戦闘状態に入ることは認めないという、相当厳格なものであった。

そして、たった一隻だけであるが、南雲艦隊は、十二月六日、第三国の行逢船《こうほうせん》を認めた。

機動部隊の司令部は、異常な緊張で、この商船の行動を見守っていた。

もし何処《どこ》かへ、無電で機動部隊の動向を通報するような徴《きざし》を見せたら、この船はおそらく、二、三分後に海底へ消し去られてしまったにちがいない。

しかし船は、南雲部隊を演習中の艦隊とでも思ったのか、或いは正しくその意図を察知して、恐ろしくて電波が出せなかったのか、やがてそのまま、艦隊の視界から遠ざかって行った。

心配の第三は、X日の八日に、果してアメリカ艦隊の主力が、真珠湾に在泊していてくれるか、ということであった。

土曜から日曜にかけては、アメリカの艦隊は入港して休養を採るのが慣例になっているというだけが頼りで、これは全くのあなたまかせの問題であり、この作戦が投機的と批判されて来た一番の原因も其処《そこ》にあった。アメリカ艦隊に関する情報は、是非とも必要なもので、ホノルルの日本総領事館からの諜者《ちょうしゃ》報が、日々、東京経由で南雲艦隊に届けられていた。

ホノルルにいた日本のスパイの中心人物は、森村正という外務書記生である。

森村は、本名を吉川猛夫といい、兵学校六十一期の海軍少尉で、病を得て海軍をやめ、郷里の松山でぶらぶら暮しているうちに、東京へ呼び出され、軍令部第三部（情報担当）の嘱託となり、この年の三月に、森村正と名前を変えて、郵船新田丸《にったまる》で、外務書記生としてハワイの総領事館へ「赴任」した人であった。

吉川の諜者活動については、彼自身の詳しい手記が公刊されているが、彼は、フィリッピン人の失業者をよそおって、将校集会所の皿洗いをやったり、日本人芸妓《げいぎ》と島の遊覧飛行をして、上空から真珠湾をのぞいたり、砂糖黍畑《さとうきびばたけ》にひそんだりして、苦心を重ね、その送って来る情報は、湾内における米艦の碇泊《ていはく》位置、碇泊方法にいたるまで、極《きわ》めて正確なものであった。

東通第一放送系にかけられて来るこの森村情報のほか、機動艦隊の司令部は、ホノルルの民間放送も、常時直接傍受していた。

夕食後の広告放送の中などに、よく、

「Lost german police dog, with name Mayer――」
とか、
「Chinese rug almost new――」
とかいう、何でもない、新聞の三行広告のようなものが混じっていた。

この、メイヤーという名の迷い犬や、新品同様の中古支《し》那《な》絨緞《じゆうたん》は、みな、真珠湾に在る航空母艦や戦艦を意味しており、これは、ホノルル総領事の喜《き》多《た》長雄《ながお》が、人を介し、料金を払って、放送させているものであった。

十二月七日、第一補給隊の極東丸、健洋丸、國洋丸、神國丸は、往路における任務を果して分離した。

脚のおそいタンカーに歩調を合わせて航海して来た機動部隊の各艦が速力を上げ、二十四ノット即時待機二十八ノット二十分待機で針路を真南に、「艦内第一哨戒《しょうかい》配備、戦闘配食」となった時、東京経由で、ハワイからの情報がまた入って来た。

それは、
「五日、ネバダ、オクラホマ入港、レキシントン及ビ重巡五隻出港、従ッテ只今《タダイマ》真珠湾在泊ノ艦艇ハ、主力艦八隻、重巡二隻。A地区、戦艦ペンシルバニヤ、アリゾナ、カリフォルニヤ、テネシー」云々《うんぬん》

というもので、これで当日、アメリカ太平洋艦隊の戦艦は、全部湾内に在ることが、ほぼ確実になった。

「即時待機」とか「二十分待機」とかいうのは、命令されたら即座に或《ある》いは二十分以内にそのスピードが出せるよう機関を調整しておくことである。

ただ、「レキシントン」の出港で、航空母艦が一隻も在泊しないこともまた、確実になった。空母攻撃担当の搭乗員《とうじょういん》たちは、地団駄《じだんだ》踏んで口惜《くや》しがったというが、それはともかくとして、何故《なぜ》アメリカの空母は、「レキシントン」「エンタープライズ」の二隻とも、週末の慣行を破ってこの時母港を留守にしたのか、単に偶然のいたずらであったか、疑えばこれも疑える問題である。

しかし、日本の海軍としては、心配していたことは次々に一つずつ解消して行き、事が成ったあと、これは「天佑神助《てんゆうしんじょ》」という言葉で表現された。それがほんとうに「天佑」であったか否かは、二重にも三重にも分析してみる必要がありそうに思われるが、山本の好きな勝負事でいえば、この時日本は、すべてについていていたのであった。

聯合艦隊旗艦からは、

「皇国ノ興廃繫《カカ》リテ此《コノ》征戦ニ在リ。粉骨砕身各員其任ヲ完《マット》ウスベシ」

という長官訓示が、電送されて来た。

これは、秋山真之《さねゆき》が起草し、東郷平八郎の名で出された日本海海戦の時の長官訓示に、一読して、よく似ている。

渡辺戦務参謀の話によると、参謀長の宇垣纏が便所の中で考えたのだそうである。

宇垣は、

「やっぱり、秋山さんの作った言葉しか出ないなあ」

と言っていたということである。

つづいて、機動部隊旗艦のマストに、DGの信号旗が上り、これは三十六年前「三笠《みかさ》」に上ったZ旗と同じ意味で、指揮官南雲中将の訓示は、

「皇国ノ興廃此一戦ニ在リ。各員一層奮励努力セヨ」

と、日本海の時のまったくそのままであった。

南雲忠一は山形県米沢《よねざわ》の出身で、兵学校は山本より四年下の三十六期、もともとは水雷屋で、航空畑の経験は浅かった。第一航空艦隊司令長官として、ハワイ攻撃の機動部隊の総指揮を取るのは、ややその器量にあまるところがあったように思われる。

彼がかつて軍令部の課長の時、軍令部令改正の問題で、軍務局の井上成美と衝突し、

「井上の馬鹿！　貴様なんか、短刀で脇腹《わきばら》をざくっとやれば、それっきりだぞ」

と井上を脅迫した話は前に書いたが、沢本頼雄に向っても、彼は、

「貴様の顔は諸例則に見える」

と罵《ののし》ったことがあった。

この豪傑風は、しかし、一種のはったりで、ほんとうは南雲は性格的に弱い人であった。

彼が第一航空艦隊司令長官に補せられたのは、この年の四月で、それから八ヵ月後に、非常の大任を帯びてハワイ攻撃に出動することになり、積る心配事のために、彼は夜眠ることが出来ず、深夜度々《たびたび》部下を私室へ呼びつけ、些細《ささい》な悩みを訴えては相談をした。神経衰弱の徴候があったようである。

渕田美津雄もその被害を被《こうむ》った一人で、夜半、伝令に、

「総隊長、司令長官がお呼びです」

と起されて、彼が「赤城」の薄暗い長官室に入って行き、

「何ですか？」

と聞くと、南雲は、うしろの駆逐艦からアメリカの潜水艦の追蹤《ついしょう》を受けている気配があると言って来ている、どうしたものだろうと、心配に堪《た》えぬ様子であった。

寝入りばなを叩《たた》き起された渕田は、不機嫌《ふきげん》で、

「それならそれで、然《しか》るべき処置を取らせたらええやないか。参謀長に相談するんならともかく、飛行隊長呼びつけて、そんなこと聞くアホな長官があるか。駿馬《しゅんめ》も老いては駑馬《どば》かいな」

と、あとで悪口を言った。

参謀長の草鹿龍之介は、その著「聯合艦隊」の中で、南雲が、

「参謀長、君はどう思うかね。僕はエライことを引き受けてしまった。僕がもう少し気を強くして、きっぱり断わればよかったと思うが、一体出るには出たがうまく行くかしら」

と言ったと書いている。

彼の鼻が高くなり、意気当るべからざるものがあるようになったのはもっと後のことで、この時の南雲中将は、「虎《とら》の尾を踏む心地して」、渋々恐る恐るの出陣であったと言われる所以《ゆえん》であろう。

だが七日の晩には、南雲以下機動艦隊の将兵みな、大事を前にしての一種の落ち着きを取り戻した。

四

参謀連は航海中私室を使わず、「赤城」の艦橋下の搭乗員待機室に仮設ベッドを置きカーテンをひいて寝泊りしていた。その晩、参謀の其処《そこ》にいることを知らずに入って来た下士官搭乗員が、

「出陣の時は下帯《したおび》を新しいのにするというけど、俺はナ、あしたきたない褌《ふんどし》をしめて行くつもりだ。敵の弾が臭いちゅうてよけよるじゃろう」

としゃべっているのを聞き、航海参謀の雀部利三郎中佐が吹き出したという話が「ハワイ作戦」に出ている。

これは、ハワイへ向う艦隊だけでなく、あらゆる艦船部隊においてそういう空気であった。

横須賀海軍航空隊から、台湾の第十一航空艦隊司令部へ臨時に出向いていた角田求士《つのだひとし》は、現在防衛庁戦史室の戦史編纂官《へんさんかん》で、戦史叢書《そうしょ》「ハワイ作戦」の執筆者であるが、昔、山本が「赤城」の艦長時代「赤城」に乗っていたことがあり、

「入学試験でも、オリンピックの試合でも、同じことでしょう。立ち上りの前は、一体これでほんとうに戦争が出来るのか、こうなったらどうする、あれはどう始末すると、南雲さんではないが、実際神経衰弱になりそうでしたが、前日には、もうジタバタしても仕方がないと、落ち着きました。その点、山本さんという人は、よほど神経が太かったらしく、終始、興奮したり苛立《いらだ》っ

たりする様子は無かったということです」

と言っている。

天候は曇りがちで、北東の風が強く、高速南下中の艦隊が、断雲の間から洩《も》れて来る月光を浴び、空母群は十五度の傾斜で大きく揺れていた。燃料満載、過荷重の飛行機は、飛行甲板がかしぐ度《たび》に、つぶれそうにタイヤを歪《ゆが》めていた。

ある艦爆の抱いた爆弾には、白墨で、「対米戦第一弾」となぐり書きがしてあった。

東京からの最後の情報電報には、

「五日夕刻、ユタ及ビ水上機母艦入港。六日ノ在泊艦ハ戦艦九、軽巡三、水上機母艦三、駆逐艦十七。入渠《ニユウキヨ》中ノモノ軽巡四、駆逐艦二。重巡及ビ空母ハ全部出動シアリ。艦隊ニ異常ノ空気ヲ認メズ。本七日一三三〇乃至《ナイシ》一四〇〇頃、オアフ島在留民ト電話連絡セルニ、平静ニシテ燈火管制ヲナシヲラズ。大海（大本営海軍部）ハ必成ヲ確信ス」

とあった。

これの最後の一行は、戦争突入直前の将兵の心理を考慮して、富岡定俊が書き加えたものである。

その晩源田実は「赤城」の艦橋で、打ち合せに上って来た雷撃隊の村田重治をつかまえ、

「お前、ペンシルバニヤの長官室の真下に魚雷をぶちこまないといかんぞ」

と冗談を言った。

「ペンシルバニヤ」はアメリカ太平洋艦隊の旗艦である。

村田はそれを聞いて、

「ふーん。攻撃は夜明けだから、キンメル大将はもう起きてコーヒーを飲んでるかも知れませんなあ。カップをこのくらい持ち上げたところを、グワーンとやりますか」

と笑っていたと、源田は書いている。

「赤城」の第一次攻撃隊員整列がかかったのは、十二月八日の午前〇時四十分であった。

機動部隊は、東京時間のまま、時差修正を行わずに航海しているので、乗員の日常生活は、午前三時の起床、午前二時の起床という風に次第に狂って来ており、搭乗員たちは、時計の上で深夜の、赤飯、尾頭《おかしら》つき、勝栗《かちぐり》の添えられた朝食をすますと、

「これでもう、思い残すことは無いわな」

と言いながら、上へ上って行った。

「総飛行機発動」の令がかかり、飛行機が一斉にプロペラをまわし始めた時には、ハワイ北方の洋上は、もう朝あけが近かった。

「発艦始メ」が、午前一時三十分。六隻の航空母艦は皆風に立ち、発艦指揮官の振る青燈にしたがって、それぞれの一番機が、輪止めをはずし、甲板にひれ伏す整備員に、強烈な後流と油の匂《にお》いとを叩《たた》きつけて、離艦して行った。

「赤城」の一番機は、第一波制空隊の指揮官板谷茂少佐の零戦で、板谷の零戦ばかりでなく、過荷重発艦のため、操縦員は皆、歯を食いしばり、飛行甲板を出はずれると、一度海へ落ちるかと思うほど沈みこんでから、上昇態勢に移った。

艦に残る者どもは、帽を振り、涙をうかべながらその出発を見送った。

第一波攻撃隊の編制は、淵田中佐の率いる水平爆撃隊が四隊、九七式艦攻五十機。村田重治少佐の雷撃隊が四隊、同じく九七式艦攻四十機。高橋赫一《かくいち》少佐の率いる降下爆撃隊が二隊、九九式艦爆五十四機。板谷少佐の制空隊が六隊、零式艦戦四十五機。合計百八十九機で、そのうち事故や故障で出られなかった六機を除いた百八十三機が、六隻の空母から、十五分で離艦を完了した。総指揮官淵田美津雄の乗機には、尾翼に黄と赤の識別模様がつけてあった。

離艦後三十分、百八十三機がみな編隊燈を消すころ、東の水平線に大きな太陽が昇って来た。全機は、がっしりした編隊を組んで、約二百マイル南の真珠湾へ向って行った。

淵田中佐には、夏以来鹿児島湾でのあのはげしい訓練で、自分にも部下にも、技術上の心配はもう殆《ほとん》ど無かった。

彼の関心事はむしろ、山本五十六からきびしく言われている攻撃開始時刻、――ワシントンで日本の最後通告がアメリカ政府に手交される筈《はず》の時刻から三十分後の三時三十分きっかり、一秒もたがえず第一弾を落してみたいということであった。

真珠湾上空に最初に達したのは、攻撃隊に先立って出された巡洋艦「筑摩」の水上偵察機である。母艦を離れて約一時間半、そろそろオアフの島影が見えるころだがと、淵田が眼をこらしている時、淵田機の電信員水木徳信一等飛行兵曹は、「筑摩」の水偵からの報告を了解した。

それは真珠湾在泊の艦船、その碇泊隊形とともに「風向八〇度、風速一四メーター、雲量七、雲高一七〇〇メーター」などを告げる電報であった。淵田は間もなく雲の切れ間から真下に、白く磯波《いそなみ》の砕ける長い線を認めた。それがオアフ島北端の Kahuku Point であることを確認して彼は針路を右に変えた。

総隊長である彼に課せられた主要な任務の一つは、此処《ここ》で、奇襲か強襲かの決断を下すことで、相手が全く気づいておらず、奇襲が可能なら、先ず雷撃隊が高度十メートルまで舞い下りて、在泊のアメリカ艦隊に魚雷を放つ。もし相手が待ち構えていて、強襲の必要が生じた場合は、高橋赫一少佐の降下爆撃隊が先陣を承って、地上の飛行機や対空砲火を制圧してから、あとの隊が行動に移る。そういう約束になっている。

強襲の場合は、爆煙が湾内の艦隊を包みかくすおそれがあり、雷撃隊や水平爆撃隊の行動が困難になるので、出来ることなら奇襲が望ましかった。

奇襲か強襲かの合図は、淵田指揮官の信号拳銃が放つ信号弾で、奇襲なら信号弾一発、強襲なら信号弾二発と定められていた。

全軍を島の西海岸へ誘導しながら、彼は伝声管で、前席の操縦員松崎三男大尉に、

「松崎大尉。左の真珠湾の上を、よう見張っとれよ。敵の戦闘機があらわれるかも知れんぞ」

と呼びかけた。

真珠湾の上は晴で、軍港にはもやが立ちこめ、静かな日曜日の朝景色であった。

淵田自身も、双眼鏡を手にして三千メートル下の真珠湾を注視していたが、一つ、二つ、三つと、アメリカの戦艦の籠《かご》マストが映って来るだけで、艦隊にも地上にも、格別の警戒の動きは、何も見えなかった。

淵田はニヤリとした。

「よし、奇襲で行く」

と彼は言い、右手に拳銃を取り、高くかざして、信号弾一発、奇襲態勢の展開を下令した。三時九分であった。

各隊は、それまでの通常飛行隊形から、戦闘隊形に展開して、突撃命令を待つ位置へ移るはずであった。

村田少佐の雷撃隊は了解して、高度を下げ始めた。

高橋少佐の降下爆撃隊も了解して、高度を上げ始めた。これは、四千メートルまで上って、急降下する。

ところが、板谷少佐の率いる制空隊だけが、この信号弾を見落した。

制空隊の零式艦戦は、足が早くて、他編隊の速度百二十五ノットに合わせて飛ぶのが苦しいので、警戒のためもあるが、左右にスイープし、前後にまわりこみながらついて来ていた。たまたまこの時、戦闘機群は、高度で五百メートル、水平距離で何千メートルか、離れたところへ行ってしまっていた。

淵田美津雄は、

「何をボヤボヤしてよんねンやろな」

と思ったそうである。

彼は、制空隊の方へ拳銃を向ける心持で、もう一度信号弾一発を放った。

信号弾の黒い煙が空を流れて行き、板谷隊はやっと展開命令を了解した。

その時しかし、降下爆撃隊の高橋赫一少佐は——、淵田の表現によると、

「高橋の奴は、ちょっとお脳が弱いねん」

ということになるが、突如これを、信号弾二発、強襲の合図と誤解してしまった。

われこそ先陣命ぜられたりと思った高橋は、所定の四千メートルまで昇り切らずに、急遽《きゅうきょ》、指揮下の艦爆五十数機を率いて、急降下態勢に入った。

雷撃隊の村田少佐は、少し狼狽《ろうばい》したようであった。降下爆撃隊に邪魔をされないうちにと思ったらしく、これも指揮下の艦上攻撃機群を率いて、急いで低空へ舞い下りて行くのが見えた。

淵田はやむを得ず、予定より五分早く、三時十九分に、後席の電信員を振りかえって、「ト連送」を命じた。

「ト連送」は、「全軍突撃セヨ」の略語で、水木兵曹は、電信機のキイを握り、「ト、ト、ト、ト、ト」と、連打し始めた。

こうして、日本時間の十二月八日午前三時二十五分、高橋少佐の降下爆撃隊がホイラー飛行場に投じた二五〇キロ陸用爆弾の第一発で、一方的なハワイの戦が開始された。

五

柱島泊地の旗艦「長門」では、七日の晩、山本は例の如く渡辺戦務参謀と将棋を楽しんでいた。

山本と渡辺の将棋は、たいてい山本が四番ぐらい立てつづけに勝って終りになるのであるが、時たま渡辺の方が三番も四番も勝抜くことがあり、そういう時は必ず低気圧が近づいている。山

本は天候の変化に敏感なアレルギー体質であったのかも知れない。しかしこの晩は晴で、山本が勝ち、いつもより少し早目に将棋を切り上げると、それから山本も参謀たちも、風呂に入って、一旦《いったん》私室に引上げた。

二、三時間、眠った人もあり、眠れなかった人もあり、夜半すぎには、大部分の幕僚が、三々伍々《ごご》再び作戦室へ集まって来た。

当直参謀は、航空乙参謀の佐々木彰であった。

作戦室の四周の壁には、太平洋全域の大きな地図と、東南アジヤ各海域の海図が貼《は》りめぐらされ、机上にも、大きな地球儀と一緒に海図が拡げられて、小机の上には、作戦命令綴《つづり》や電報綴がきちんと揃《そろ》えてあった。

山本は、奥の大机の前に、折椅子に掛けてじっと眼をつぶっていた。

陸軍のコタバル上陸、ついでフィリッピンのバタン上陸成功の報が入ったあと、長い不安な時間がゆっくり経過した。

電報綴を繰る音や、鉛筆を走らせる音のほか、誰も口をきく者は無く、作戦室の中は不気味な静かさであった。

向いの部屋が無電室で、そこからコードを引いて、作戦室の机の上にラジオの受信機を置き、直接無電が聞けるようにしてあったが、そのうち、先任参謀の黒島亀人が、小声で、

「そろそろ始まるころだが」

と言い、壁の海軍時計を見上げ、それがきっかけになって、部屋の中がちょっとざわめき出し

た時、司令部附通信士が、

「当直参謀、『ト連送』です！」

と叫びながら、駈《か》けこんで来た。

佐々木中佐がそれを受け取って、

「お聞きの通りです。発信時刻三時十九分です」

と、司令長官に報告した。

山本は、大きく眼を見開き、口をへの字に結んで、黙って頷《うなず》いた。

参謀長の宇垣が、通信士に、

「それは、飛行機の電報を直接了解したのか？」

と質問した。

「長門」の無電室は、オアフ島の上空で、水木兵曹が連打した「ト、ト、ト」を、じかに受信していた。

「直接受信したとは、見事だぞ」

と宇垣が言うと、若い通信士は、嬉《うれ》しそうな顔をして、一礼して走り去って行った。

そのあと、攻撃部隊からの、

「ワレ奇襲ニ成功ス」

「ワレ敵戦艦ヲ雷撃、効果甚大」

「ワレ『ヒッカム』飛行場ヲ攻撃、効果甚大」

というような報告が続々入って来、一方、作戦室のラジオにも、直接、アメリカ側の平文電報がたくさん入って来た。

宇垣纏の「戦藻録」によると、それは、

「SOS. ――attacked by Jap bomber here――」とか、「Oahu attacked by Jap dive bombers from carrier――」とか、かなり途切れ途切れのものであったようだが、その中の、「Jap—this (is) the real thing.」というのを聞くと、山本が一瞬ニヤリとしたように見えた。

「戦藻録」には、

「敵側の周章狼狽《ろうばい》振りは全く言語に絶するものがある」と記してあり、ハワイの米軍は狼狽していたにはちがいないが、この平文電報の発信を、相手が狼狽のあまりのものと解するとすれば、それは少し、ちがうことになる。

日本海軍は、どんな危急の場合にも、どんな些《さ》細《さい》なことにも、平文の生電報を出すことを原則として禁止していたが、アメリカ海軍では、緊急の場合、平文発信の自由がかなり大幅に認められていた。

場合によって平文の使用を許したアメリカ軍の暗号が、ついに最後まで日本側に解読不可能で、律義《りちぎ》に一切を暗号化していた日本の作戦電報が、のちに相当部分アメリカに解かれてしまったのは、ずいぶん皮肉なことである。

第一次攻撃隊にちょうど一時間おくれて、真珠湾の上空には、島崎重和少佐の率いる第二波攻撃隊の百七十機が襲いかかっていたが、これも戦果をおさめてやがて引揚げ、広島湾の朝が明けることには、「長門」の作戦室に入って来る電報も、次第に数が少なくなって行った。

どんな角度から検討してみても、この奇襲作戦は大成功と思われ、幕僚一同浮き立つ思いを抑《おさ》えかねている中に、山本一人は、まるで吐息でもつきそうな、深く沈んだ様子に見えたということである。

晴れた、静かな、暖かい日であった。

長官以下、その朝は揃《そろ》って朝食の卓につき、幕僚の間には笑い声も聞え、皆言葉数も自然に多くなっていたが、食事がすんで席を離れる時、山本は、

「政務参謀ちょっと」

と、藤井茂を呼び、

「君はよく分っていると思うが、中央では最後通牒《つうちょう》の手交時機と、攻撃開始時刻の間合いを三十分につめたと言うんだが、外務省の方の手筈は大丈夫だろうねえ？　今までの電報では、攻撃部隊の方は、まちがいなくやっていると思う。しかし、何処《どこ》に手違いがあって、騙《だま》し討ちということになっても、これは大問題だからね。急ぎはしないが、気にとめて、充分調査しておいてくれ給え」

と言った。

藤井は、

「大丈夫と思います。しかし尚《なお》、充分調査いたします」

と答えた。

午前八時には、柱島に残った部隊の、各指揮官、参謀長が「長門」に集まって来、情況説明と戦果の判定が行われた。

それまでの電報を総合してみると、真珠湾在泊の戦艦は、全部やられているように見えた。しかし、一艦の被害を二機が視認してそれぞれ電報を打つと、二隻をやったように見える場合があり、幕僚たちは相談の末、この程度が妥当と思われる数字を出して、山本の判断を求めた。

山本は、

「少し低い目に見とけ」

と言って、幕僚の提出したものに手を加えさせ、判定の約六掛けで、それがその夜八時四十五分の、

「戦艦二隻轟沈《ごうちん》、戦艦四隻大破、大型巡洋艦約四隻大破。以上確実」

という大本営海軍部発表となった。

実際はこの時、アメリカの戦艦は四隻が沈み、三隻が大破し、一隻が中程度の被害を受けて、真珠湾在泊の太平洋艦隊の主力は全滅していた。

それで、十日後の十二月十八日に、大本営は、ハワイ海戦の戦果について追加発表を行なった。この当時の大本営海軍部の発表は、相手側が信を措《お》いた程の正確さを持っていたと言われている。

こんにちのNHK第一放送は、この日の朝、六時の臨時ニュースを皮切りに、

「帝国陸海軍は今八日未明西太平洋において米英軍と戦闘状態に入れり」

という大本営陸海軍部の共同発表を、何度となく繰返していた。

十一時四十五分には、いわゆる「宣戦の大詔」が発せられ、午後一時には、

「帝国海軍は本八日未明ハワイ方面の米国艦隊並に航空兵力に対し決死的大空襲を敢行せり」

以下四項目の、海軍からの最初の戦況発表が行われた。

内幸町《うちさいわいちょう》の放送局でこの日午前中ニュース放送のカバーをしていたのは、昭和二十年八月敗戦の玉音放送を担当して名高くなった現在NHK考査室長の館野《たての》守男である。館野の記憶によれば、この日のニュースでは聯合艦隊司令長官の名前は言っていない。大本営発表の中にも山本の名前は入っていない。しかし山本五十六が聯合艦隊の長官であることは、これまで別に秘密にされていたわけではないので、大多数の日本人が知っていた。帝国海軍の名と山本五十六の存在とが、これほどの重みをもって人々の胸に響いたことはかつて無かったであろう。

国民の極《きわ》めて多くの部分が、異様の緊張と異様の感動とを覚えながら、ラジオのニュースを聞いていた。

文学者の中からも、そういうことから最も遠い立場にあると思われていた徳田秋声、高村光太郎、武者小路《むしゃのこうじ》実篤《さねあつ》、長与《ながよ》善郎《よしろう》、室生《むろう》犀星《さいせい》、伊東静雄、伊藤整のような人々が、当時、必ずしも何ものかの顔色をうかがったとは思えない筆致でその感動を告白している。

もっとも、永井荷風の「断腸亭日乗」を見ると、

「十二月初八。褥中《じょくちゅう》小説浮沈第一回起草。哺下《ほか》土州橋に至る。日米開戦の新聞号外出づ。帰途銀座食堂にて食事中燈火管制となり街頭商店の灯追々消え行きしが電車自動車は灯を消さず。

六本木行の電車に乗るに乗客押合ふが中に金切声を張上げて演説をなす愛国者あり。」

と、荷風は、完全にそっぽを向いていた様子が見え、同じく「断腸亭日乗」の十二月十一日には、

「(前略) 浅草辺の景況いかがならむと午後に往きて見る。六区の人出平日と変りなくオペラ館楽屋の雑談亦《また》平日の如く恐怖感激昂奮《こうふん》の気味更になし。余の如き神経家の眼より見れば浅草の人々は堯舜《ぎょうしゅん》の民の如し (後略)」

とある。

八日の東京放送は、レコード音楽の時間に、ベートーベンの交響曲「運命」を演奏し、荷風のような人には、聞いて耳を洗いたい思いのする言葉であったかも知れないが、「帝国海軍ついに立つ」、「帝国海軍ついに立つ」と、何度となく繰返した。

しかし、このレコードの選曲と、「ついに立つ」という表現とには、日本放送協会の中に、対米戦に踏み切った海軍の苦衷を、かなりよく弁《わきま》えていた人物がいたのではないかという気もされないではない。

六

戦況が大体予定通り動いているのを見て、瀬戸内海にいた主力部隊は、呉《くれ》経由中央と結ばれて

いた直通の電話連絡を切って、八日正午、柱島泊地を出撃した。

旗艦「長門」につづく戦艦「陸奥」、「扶桑《ふそう》」、「山城《やましろ》」、「伊勢」、「日向《ひゅうが》」、航空母艦「鳳翔《ほうしょう》」、第四水雷戦隊の駆逐艦群以下約三十隻の艦隊は、夜に入って、豊後《ぶんご》水道の東掃海水路を抜け、機動部隊の収容援護を目的として、南へ向った。

これはしかし、ちょっと奇怪な航海であった。

三十隻の大艦隊は、貴重な燃料を無為に費やして、小笠原列島の線まで進出し、途中、「鳳翔」と三隻の駆逐艦がはぐれて一時行方不明になったり、アメリカの潜水艦と出あったり、危なっかしい思いをした末に、要するに何も格別のことはせず、六日目の十二月十三日朝、瀬戸内海の泊地へ帰って来た。

機動部隊の収容援護というのは名目で、事実は、体裁よく言って士気の問題、露骨に言えば勲章の問題であったようである。

山本や山本の幕僚たちは、柱島にいても偉勲を立てたことになるが、一般の艦隊乗組員は、戦闘航海に参加せず、内海に腰を据えていたというのでは、何の手柄にもならない。誰がイニシアチブをとったかは別として、これは山本の部下思いが、情に溺《おぼ》れた一つの例であったように思われる。

この主力部隊が柱島を出たころ、南雲忠一の機動艦隊は、ハワイ攻撃を終って、すでに帰途についていた。

淵田美津雄に与えられていた任務は、東南アジヤの石油を確保するまで、六カ月間、アメリカの太平洋艦隊を真珠湾から出られないようにしろということで、彼は、自分の眼で総合した戦果を見届けなくてはならなかった。

　第一波、第二波の攻撃隊が、ほとんど母艦へ帰って行ったあと、彼はオアフ島の上空に残って、単機、雲にかくれながら、行ったり来たり、下界の様子を眺《なが》めていた。

　黒煙が天を焦がし、状況はつかみにくいが、はっきり沈没したのは、「アリゾナ」型が一隻くらいで、あとはなかなか沈まない。それに、水深が浅いので、浮いているのか沈座しているのかもよく分らない。

　もし戦闘機に出あったら百年目だと淵田は思っていたが、舞い上って来る戦闘機は、ついに一機も無かった。

　彼の乗機は、胴体後部に地上砲火による被弾があって、大穴があき、操縦索が一本三分の二ほど千切れていたが、彼は約三時間、真珠湾の上空で執拗《しつよう》にねばって、結局戦艦四隻撃沈、四隻大破と判断し、第二波攻撃隊の残った戦闘機を誘導して、最後に母艦「赤城」に帰投した。

　同期の源田航空参謀や、先に帰った部下たちが駈けよって来、口々に報告したり質問したりするのを聞いている間もなく、

「淵田隊長、上って来い」

　という、艦橋からの命令が来た。

　艦橋には南雲長官が待ちかねていて、戦果はどうか、戦闘機には出あったか、このあと敵の飛行機の反撃能力はあると思うかと、矢つぎ早の質問を彼に浴びせかけた。

淵田は「赤城」の飛行隊長で、報告は「赤城」の艦長にするのが順序だと思ったが、艦長の長谷川喜一が、

「あっちへ報告しろ、あっちへ」

と、眼顔で合図をしていた。

それで彼は、長官の南雲に向って、戦艦四隻撃沈、四隻大破乃至大破以上、この八杯に限り、今後六カ月間は動けなくなったと思う。航空母艦を逸していることであるし、敵の反撃は当然あり得ると考えていただいた方がよろしいが、オアフの地上基地に関しては、格納庫が大火災でよく分らないけれども、三時間、舞い上って来る戦闘機が一機も無かったくらいで、そう大した力が残っているとは思えないと報告した。

南雲は、大満悦で、それからあとのことは、もうどうでもいいように見えた。

参謀長の草鹿龍之介が、

「総隊長、第二回攻撃を実施するとして、攻撃目標は何にするか?」

と淵田に聞いた。

「それは、敵の戦艦は、撃沈したといっても、浅い湾内に腰をつけているだけで、サルベージがすぐ揚げにかかると思います。工廠《こうしょう》はじめ、アメリカ軍の修理施設と、所在の重油タンクとを、次の目標にとらせていただきたい」

と、淵田は答えた。

この意見は、戦後日本に来た米海軍の関係者が、

「日本は何故《なぜ》あの時、ハワイの軍工場と、燃料タンクとを破壊しなかったのか？　真珠湾は離島の基地で、油や資材の補給には、大きな困難があった。それの被害を免れたために、アメリカはあとの立直りが、非常に早くなった」

と言っているのと、符節を合している。

山本も、聯合艦隊の幕僚たちも、南雲艦隊自体も、最初は、ハワイ作戦に参加する航空母艦の半数はやられる覚悟であった。それが今、飛行機二十九機、搭乗員五十五名を失っただけで、艦隊としてはかすり傷も負っていない。

六隻の母艦を、坐礁しないかぎりのオアフ島の周辺まで近づけて、攻撃を再開すれば、戦闘機は攻撃隊と母艦群の双方を一度に護《まも》ることが出来るし、アメリカ太平洋艦隊は、真実長期間動きがとれなくなって、作戦に渋滞を来たすにちがいない。

淵田中佐は、そういう意見具申もしたが、これに対しては、長官からも参謀長からも、はっきりした返答が無く、

「よし。御苦労だった。休んでおれ」

と言われて、彼は艦橋を下りた。

「飛龍」坐乗の第二航空戦隊司令官山口多聞《たもん》少将からは、

「ワレ第二撃ノ準備完了」

という信号が送られて来た。

これは、「行きましょう」というそれとない催促である。

淵田も、当然第二回攻撃の命令は下るものと思い、その準備をすませ、士官室で牡丹餅《ぼたもち》を頬張《ほおば》っていると、艦内高声令達器が、

「戦闘機ダケ残シ、他ノ飛行機ヲ格納庫ニ収容セヨ」

と言い始めた。

淵田が不審を感じてデッキへ出、旗を見てみると、艦隊の針路はすでに北を向いていた。

彼はまたしても、

「一体、何してよンねん」

と思ったと言っている。

「何故か」と言われれば、これは、直接的には南雲と草鹿の性格によるものということになるであろう。

草鹿龍之介は、無刀流を使い禅をよくした。彼は獅子《しし》が獲物《えもの》に向う時は、全力をつくしてかかるが、一旦たおしたら其処《そこ》に心を留めず他へ転じるという「獅子翻擲《ししほんてき》」なる禅語を好んでいた。

淵田美津雄は、

「草鹿さんの禅は、野狐禅《やこぜん》や」

と言って揶揄《やゆ》しているが、第一回の真珠湾攻撃が予想外の成果を収めて終った時、この「獅子翻擲」という言葉は、草鹿参謀長の頭に浮んでいたであろう。

しかし、更に言えば、これは南雲忠一や草鹿龍之介個人の性格ばかりでなく、日本海軍そのものの性格でもあったように思われる。

もしかすると日本だけのことではないかも知れないが、海軍の軍人、殊《こと》に艦隊勤務に服している者には、無意識的にせよ、地上の戦争や重油タンク相手の戦争を嫌《きら》う傾向があり、入港の時以外、陸に近づくことを嫌う傾向があった。彼らの闘志は、ともすれば、合理的な比重を越えて敵の艦隊にのみ指向された。そして、宇垣纏がその言葉からのがれられなかったように、日本海海戦でロシヤの艦隊を全滅させた東郷平八郎の亡霊が、いつも彼らの前に立ちふさがっていた。

山本五十六も、必ずしもその例外ではなかったかも知れない。

と言うのは、聯合艦隊司令部からの第二回ハワイ攻撃発令案を結局山本が却《しりぞ》けているからである。

南雲部隊が帰途についたことを知った「長門」の司令部では、幕僚たちが侃々諤々《かんかんがくがく》の議論を始めていた。今、戦果は予期以上のものが上っており敵は混乱に陥っている。「獅子翻擲」で未練を残さず立ち去るのも一つの英断かも知れないが、もともと「全滅ヲ期シ」「勝敗ヲ第一日ニ於テ決スルノ覚悟」というほどの作戦だったのであるから、やはり追い撃ちをかけ戦果の拡大をはかるのが本筋で、航空参謀の佐々木彰中佐以外、幕僚たちはほとんど全員一致で、再攻撃の提案をすることになった。

山本はこれに対し、

「いや、待て。むろんそれをやれば満点だが、泥棒だって帰りはこわいんだ。ここは機動部隊指揮官に委《まか》せておこう」

と言い、

「やる者は言われなくたってやるサ。やらない者は遠くから尻《しり》を叩《たた》いたってやりゃしない。南雲はやらないだろ」

と言ったと伝えられているが、要するに聯合艦隊からの再攻撃下令案は採択されなかったのであった。

これは、山本に心服していた参謀たちが後日尊敬の念を以て語っているように、彼が実戦場に臨んだ部下の心理を洞察《どうさつ》するに敏であったためということもむろん考えられる。「やる」というには、ハワイの陸上施設と所在不明で撃ちもらした二隻の航空母艦と、対象が二つあった。後者はたしかに危険な存在にはちがいなかった。しかし「全滅ヲ期シテ」と考えていた山本が、今更これを恐れたはずはあるまい。ただ少なくとも前者——重油タンク相手の戦争に関しては、彼の心の中に意外に執着の薄い面があったのではないであろうか。

聯合艦隊司令部よりの電命は、それで、

「機動部隊ハ帰路情況ノ許ス限リ『ミッドウェー』島を空襲シ、之《コレ》ガ再度使用ヲ不可能ナラシムル如ク徹底的破壊ニ努ムベシ」

というに留まったが、南雲艦隊は天候不良の故《ゆえ》を以てこの命令を無視してしまった。

ミッドウェーには、真珠湾攻撃部隊とは別箇のミッドウェー破壊隊、第七駆逐隊の「潮《うしお》」と「漣《さざなみ》」という二隻の駆逐艦が十一月二十八日館山《たてやま》を出港して攻撃に向っていたし、それ以上大がかりな兵力で「徹底的」に叩かねばならぬような目標は当時無かったのも事実であるが、この電報を見た南雲忠一長官は、

「相手の横綱を破った関取に、帰りにちょっと大根を買って来いというようなものだ」と憤慨したという話を、吉田俊雄が書いている。

「海軍式経営法」「軍艦物語」などの著作をあらわし、現在実業家としても活躍している吉田俊雄は、海軍兵学校五十九期、元軍令部の情報参謀だった人である。

尚南《なお》雲中将の機動艦隊のほかにハワイ作戦に参加したものとしては、七日夜までにオアフ島周辺の隠密配備についた先遣部隊の潜水艦群があり、そのうち「伊号第十六」以下五隻の潜水艦から放たれた五杯の特殊潜航艇は、敵味方双方の国で特に大きな反響を呼びおこした。戦死した九名の乗組員は二階級特進の栄誉を与えられ、翌年の三月六日にその氏名が海軍省から発表された。

この豆潜水艦のことに関しては、戦中、岩田豊雄の「海軍」と題する文学作品があり、戦後、ジャイロ・コンパスの故障で艇をオアフ島の岸に乗り上げ、最初の捕虜となった酒巻《さかまき》和男の戦記があるが、山本は初め、収容が不可能だというので、ハワイでのこれの使用を容認しなかった。

それを、乗員たちのたっての希望で、艇の航続距離を増す工夫をし、収容のめどを立てた上で出すことになったが、結局五隻とも親潜水艦に帰って来ず、戦果もほとんど挙《あ》げ得なかった。

特殊潜航艇は甲標的とも格納筒とも呼ばれ、山本は内輪の者には「坊や」とも称していたが、全艇未帰還の報を聞くと、彼は痛心の様子で、

「航空部隊だけでこれだけ成果があると分っていたら、あれはやっぱり、出すんじゃなかったなア」

と言っていたそうである。

七

十二月九日、山本は四国の南を南下中の「長門」の上で、米英二国の対日宣戦布告を知った。

そしてこの日の午後、「伊六十五」潜水艦が、プロ・コンドル島とアナンバス島の中程の南支那海を、速力十四ノットで北上中の英国の戦艦二隻を発見したという報《しら》せが、「長門」の司令部に入って来た。

作戦室は再び緊張した空気に包まれた。

英国が東洋に派遣したこの戦艦二隻が、シンガポールを基地にして行動中であることはかねて分っていたが、軍令部にも艦隊にも、少なくとも戦闘態勢にある洋上の戦艦に対しては、こちらも戦艦を出して戦わなくては決定的な結果は望めないという、従来通りの考えが根強く残っており、山本はそれを、

「相手が戦艦と張って来た手に、こちらも戦艦と張るのでは、持駒《もちごま》互角の将棋で、妙味は無いよ。日本は、アメリカとイギリス相手の将棋で、そんな贅沢《ぜいたく》が許されるもんか。歩で王を食うことを考えなくちゃならないんだ」

と言って、基地航空部隊の兵力だけで、二隻に立ち向うことをはかっていた。

したがって、この二隻に対する戦いは、山本の大戦艦無用論、航空優先論を実証してみせる機会でもあった。

サイゴン周辺の飛行場からは、九六式陸攻と一式陸攻三十機の編隊が、魚雷が間に合わず、取《とり》

敢《あ》えず五〇〇キロ爆弾を抱いて飛び立ったが、敵を発見し得ぬまま夜になって、この日の攻撃は取止めになった。

翌十日の朝、「長門」以下の艦隊が小笠原の母島《ははじま》と北硫黄島《きたいおうじま》の間を通過するころ、南部仏印の基地から、再び八十四機の攻撃機隊が発進した。

見失った相手を発見し、攻撃をかけるまでには、充分時間があり、幕僚たちが「長門」の作戦室で勝手な戦果の予想を立てていると、山本が突然、航空甲参謀の三和義勇大佐の方を振り向いて、

「どうだい？　レナウンもキング・ジョージ五世も両方撃沈出来るかね？　僕はレナウンはやれるが、キング・ジョージ五世の方は、まあ大破かと思うがナ」

と、この、航空生《は》え抜きの古い部下を試《ため》すようなことを言った。

二隻の英国東洋艦隊の戦艦は、事実は「レパルス」と「プリンス・オヴ・ウェールズ」であったが、この時まで日本側は、これを、「レナウン」と「キング・ジョージ五世」と推定していた。

三和が、

「そりゃ、長官、両方ともやれますよ」

と答えると、山本は、

「よし、そんなら賭《か》けようか」

と乗り出して来た。それで、もし山本が負けたらビール十ダース、三和が負けたらビール一ダースという賭が成立した。

艦載機とちがって、九六陸攻や一式陸攻の機内はゆとりがあり、総指揮官の宮内七三少佐以下、攻撃に向う搭乗員《とうじょういん》たちは、それぞれの機上で、罐詰《かんづめ》の赤飯、玉子焼、昆布巻《こぶまき》、熱いさつま汁という食事で腹ごしらえをし、アナンバス島を右下に見て、更に南下をつづけていたが、あと三十分以内に敵発見の報が届かなければ、その日の行動可能の限界点に達するという所まで進出した時、陸攻の編隊に、

「敵主力艦見ユ。北緯四度、東経一〇三度五五分。一一四五」

という先行索敵機からの電報が入った。

それは、マレー半島のクワンタン沖で、攻撃機群がその上空に達したのは、午後一時四十分であった。

当時その雷撃隊の第一中隊先任小隊長であった須藤朔の書いたものによると、三隻の駆逐艦に囲まれて航行中の二隻の戦艦は迷彩のせいか、馬鹿に泥くさく薄ぎたなく見え、須藤が雷撃のために「レパルス」へ突っこんで行くと、甲板で鉄兜《てつかぶと》をかぶって機銃を操作している英国人の、緊張した赤ら顔がはっきり見えたという。

命中した魚雷の水柱が、幾本も立ち昇り、須藤機が高度を上げて、船の姿が小さくなった時、「レパルス」は不意に、黒い煙を噴《ふ》き出して、あっという間に海面から消え去った。

「長門」の作戦室では、「レパルス」轟沈《ごうちん》の報に、参謀たちが沸き立っていたが、それから三、四十分後、伝声管を通じて、

「又も戦艦一隻沈没！」

という、暗号長新宮等大尉《しんぐうひとし》の、とてつもない奇声が響いて来た。これが、英国の誇った新鋭戦艦「プリンス・オヴ・ウェールズ」の最期であった。

真珠湾の時は、無口に、むしろ沈んだ様子に見えた山本が、この時は両頬を紅潮させ、何とも嬉《うれ》しそうに、ニコニコ、顔をほころばせていたそうである。

しかし理窟《りくつ》からいうと、これは少し矛盾した話で、戦艦が真実無用の長物なら、それを沈めてもそんなに喜ぶにはあたらないし、もし喜ぶなら、四隻沈めた真珠湾の場合に、もっと喜んでいい筈だということになるが、山本は多分、自ら主張した作戦でありながら、ハワイでは、相手の寝首をかいたことが後味が悪く、今度の場合は洋上、正面からの取組みで、自分がその開発を手がけた陸上攻撃機が、年来の彼の航空優勢論を実証してみせてくれたことが、何より嬉しかったのであろう。そうして、戦艦無用、航空優先を唱えながら、戦艦が、それを保有する国の国力と栄光の象徴であるという思いから、彼自身もまた完全には脱却していなかったのであろう。

三和参謀が、

「長官、さあ、十ダースいただきますよ」

と催促すると、

「ああ、十ダースでも五十ダースでも出すよ。副官、よろしくやっといてくれ」

と、山本は言い、三和がまた、

「これは長官、男爵か元帥かということになって来ますね」

と言うと、

「俺ァ、そんなものは要《い》らないけどね。もし褒美《ほうび》をもらえるんなら、シンガポールあたりに土地を買って、僕に大きなバクチ場を経営させてくれないかナ。そうしたら、世界中の金を、ごっそり日本へ集めて来てやるんだがな」

と答えた。

これまでにも度々《たびたび》書いたが、山本はその方はよっぽど好きであったらしく、しかし、部内には、彼の賭け好きを快く思っていない者もおり、このあと戦争中、海軍省が発表禁止事項として指定したものの中に、

「聯合艦隊司令長官が勝負事に巧みなること」

という一項目があったということである。

八

こうして日本海軍が、戦艦に対する飛行機の優越を、二度にわたって世界に実証してみせてから間もなく、十二月二十一日の正午、山本が五年前、その建造に極力反対した戦艦「大和《やまと》」が、初めて柱島泊地に、完成した姿をあらわした。

「大和」は、満載排水量七万二千八百トン、四十六サンチ三連装砲塔三基、最高速力二十七ノット、当時秘密に包まれてはいたが、字義通り世界一の戦艦であった。

「長門」や「陸奥」と並ぶと、巡洋艦と戦艦とが並んでいるように見えた。

のちの話であるが、実際、航走中の「大和」と「陸奥」とを発見したアメリカの哨戒機《しょうかいき》が、

「敵戦艦一隻、巡洋艦一隻見ユ」

という電報を打った例がある。

聯合艦隊司令部は、これから二カ月後に、将旗を「大和」へ移すことになるが、「大和」が柱島に入泊した次の次の日、南雲艦隊が豊後水道を抜けて、一カ月ぶりに日本へ帰って来た。

旗艦「赤城」が柱島泊地に錨《いかり》を降ろしたのは夜に入ってからであったが、宇垣以下の聯合艦隊幕僚は、祝いと謝辞とを述べに、「赤城」に出向いて行った。

それを迎えて、草鹿参謀長の報告の意気込みは、大したもので、帰途ミッドウェー空襲の命令については、

「あんな時、そんなことが出来るもんか。命令を見て腹が立った」

と、現地の情況も分らず、戦争もしない者が、勝手なことを言って来るなと言わんばかりの口つきであったという。

母艦搭載機の方は、豊後水道の入口で、大部分陸上へ帰すことになり、淵田美津雄も、九州の東海岸を一と飛び、午後には、なつかしい鹿児島の鴨池《かもいけ》の基地に帰っていた。

その晩、彼は仲間たちと、午前一時まで酒を飲んで騒いでいたが、その間に「長門」から電報が入り、山本長官がお待ちだから、明朝飛行機で岩国へ飛び、飛行機を岩国に置いて、内火艇で旗艦へ戻るようにということであった。

それで、十二月二十四日の朝、淵田は九七艦攻の操縦桿《そうじゅうかん》を村田重治に握らせ、二日酔のずきずきする頭を、寝ながらさまして、岩国へ着き、「赤城」に帰ってみると、山本が、東京から来訪

中の永野軍令部総長と一緒に、もう来ていた。

山本は、

「オウ、隊長、来たか」

と淵田を迎え、

「よくやったぞ」

と言って、彼に握手を求めた。

それから山本は、聯合艦隊司令長官として、機動部隊の各級指揮官に対し、訓示を行なった。

その訓示はしかし、淵田に対する態度とは打って変り、骨子は、

「真の戦はこれからである。この奇襲の一戦に心驕《おご》るようでは、ほんとうの強兵とは言い難い。勝って兜《かぶと》の緒《お》を締めよとは、正《まさ》にこの時のことで、諸子は決して凱旋《がいせん》したのではない。次の戦に備えるため、一時帰投したのであって、今後一層の戒心を望む」

というもので、随行の三和義勇は、傍《そば》で聞いていて、まるで指揮官たちが叱《しか》られているようであったと書き残している。

三和が、

「長官、あとの祝杯の時にでも、もう少しお褒《ほ》めになったらどうですか」

と、小声で忠告すると、山本は、

「フフン」

と言って、返事をしなかったそうである。

山本は、情に溺れる性であるだけ、人に対する好悪の感情は、ずいぶん烈《はげ》しかった。訓示を受ける総指揮官の南雲忠一は、かつて堀悌吉を首にするために動いた、いわゆる艦隊派の一味の者であった。この「フフン」には、南雲中将に対する山本の、積年の公怨《こうえん》私怨が多少こめられているように思われるが、果してどうであろうか。

山本の訓示のあと、軍令部総長の永野が挨拶《あいさつ》をし、記念撮影ののち、士官室で、勝栗、するめ、冷酒で祝杯が挙《あ》げられた。

山本は淵田に、攻撃開始時刻のことで、質問をした。

淵田が、五分早くなった事情を説明すると、山本は、

「まあ、五分くらいなら仕方がないだろう」

と言った。

この時、アメリカ側はすでに、「treacherous, sneak attack」と言って、真珠湾のだまし討ち、真珠湾を忘れるなということを、しきりに国の内外に宣伝し始めていた。

山本はそれを、あとあと死ぬまで苦にしつづけたようである。

山本がそれほど気に病んだ「真珠湾のだまし討ち」の情況が、それでは何故《なぜ》おこったかということになると、表面的には明らかに日本側の手落ちであるが、更に突っこんで行くと、こんにちでも解きがたい幾つかの謎《なぞ》があらわれて来る。そしてこれが、ハワイ作戦の成功が果して「天佑《てんゆう》」であったかという問題にからんで来る。

派米特命全権大使の来栖《くるす》三郎が、チャイナ・クリッパー機定期便の香港《ホンコン》出発を、二日延期して

もらって、あわただしく東京を発《た》ったのは、この年十一月五日の朝であった。

来栖の派遣は、日米交渉をまとめるためではなく、本気で交渉をつづけている野村吉三郎大使の袖《そで》を引っぱりに行ったのだという説があるが、彼の書いた「日米外交秘話」を読むと、とてもそうは受け取れない。少なくとも来栖自身にはそんなつもりは全く無かった。

ワシントンに着くと、来栖は野村を援《たす》けて、交渉妥結の真摯《しんし》な努力を始めた。

ルーズベルト大統領もハル国務長官も、初めのうちは極く友好的で、冗談も出、しかし友好的な雰囲気《ふんいき》の中にも、会談の席上、アメリカ側は、三国同盟の問題が交渉上の一番の難点であること、日本が一方で三国同盟を保持しながら、他方日米間の協定を求めるのは、国務長官は理解するとしても国内の世論を納得させるのが困難であること、ナチスの運動は停止することを知らぬもので、やがてはアメリカもその目標になるであろうし、ヒットラーが勝利を収めた暁には、当然東亜に進出して来て日本を圧迫するであろうに、日本がそれを理解しないのは了解に苦しむということ、日米交渉開始後、日本軍の南部仏印進駐では、アメリカは冷水を浴びせられる思いをしたこと、が、最近の情報によると、再び日本に冷水を浴びせられそうな懸念《けねん》があること、しかし友人の間には「ラスト・ウォード」は無いということ（これはルーズベルトの言葉である）などを述べ、そして最後には、戦争回避のために大統領から天皇陛下に親電を出してもらうより他ないという来栖の提案にも、賛成し、それを実行した。

この親電は、何人《なんぴと》かの手に阻《はば》まれて、天皇の許《もと》にそれが届いたのは、十二月八日の午前三時、淵田美津雄がオアフ島の上空で「ト連送」を命ずる十九分前であった。

直接その妨害をしたのは、陸軍参謀本部通信課の戸村盛雄という中佐であったと言われ、彼は大統領の親電をふくむすべての外国電報の配達を、この日、自動的に十時間遅らせることを指示していた。

こうして来栖の意図はついに空《むな》しくなったが、ルーズベルトやハルの指摘したポイント、ポイントは、山本が次官時代から、米内と共に一貫して主張しつづけたところと、ほとんど完全に一致しているのは、興味のあることであろう。

来栖に向って、

「君が遠いところをはるばる来たのだし、本来なら食事に招くとか、ゴルフに誘うとかすべきところだが、何分多忙で、ゴルフは時間を取りすぎるので、国務と両立しないことを見つけた」

などと言って、機嫌《きげん》のよかったハルは、十一月二十二日の会談を境にして、急によそよそしく、態度を硬化させた。

十一月二十六日のハル・ノートを、野村と来栖とが受け取る時には、その素振りは、もう問答無用、取りつく島もないというようなものであったと、来栖は書いている。

これは、ハルが何かを知り、何かを決意したためとしか思えない。

のちに名高くなったこのハル・ノートには、中国及び仏領印度支那《インドシナ》からの全面撤兵、汪兆銘《おうちょうめい》政権の否認、日独伊三国同盟の解消といった、当時の日本、特に日本陸軍として到底呑《の》めそうもない要求が含まれており、野村来栖の両大使はこれをこのまま本国政府に伝えることに難色を示し強く相手の再考を求めたが、ハルは少しも譲歩の色を示さなかったという。そしてこれが事実上アメリカ側の対日最後通告であった。

ヘンリー・スチムソン陸軍長官の日記によると、十一月二十七日の朝早くハルと電話で話した時、ハルは、

「I have washed my hands of it, it is in the hands of you and Knox, the Army and Navy.」

(自分はこのことからはもう手を洗った。あとは、君とノックス《海軍長官》の手中にある。陸軍と海軍の番だ)

と言ったという。

十四通に細分された、日本の対米最後通告の、長い暗号電報が、ワシントンの日本大使館に次から次へと届けられて来たのは、十二月六日(日本時間の七日)の夜から七日の朝へかけてであった。十四通のほかに、この通告を送ることを予告したいわゆるパイロット・メッセージや、通告手交時機に関する電報も前後して到着した。

七日はしかし日曜日であった。休日も出勤ということになってはいるが、大使館員たちの出揃うのはいつもより遅かった。それでこれらの電報は、配達されることはされたが、大使館の郵便受けの中に空しく落ちているだけであった。

在米海軍武官補佐官として当時ワシントンにいた実松譲が、九時少し過ぎに事務所の入口まで来てみると、階段の上には数本の牛乳瓶《ぎゆうにゆうびん》と日曜の新聞の部厚い束とが置いてあり、人の気配は無くて、ドアの郵便受けから電報や手紙がはみ出しそうになっていた。

「大使館の奴《やつ》ら、たるんでるなあ」

と思いながら、実松は牛乳も新聞も電報も、みんな自分で大使館のと陸海軍武官室のとに仕分けをしてとどけたが、彼もこの日戦争が始まるとは知っていなかった。

海軍武官室では、格別の用事がなければ午後から皆でゴルフに出かけることにしていた。

新聞にざっと眼を通してみたが、大した記事も出ておらず、東京へ報告すべき問題も無い。実松は食事のためにちょっと外出した。そして彼が戻って来た時、事務所の空気はもう変っていた。出て来た館員の手でパイロット・メッセージの翻訳が終り、それを見ると最後通告の手交時機が、ワシントン時間の七日午後一時、東京時間の八日午前三時と指定してあった。パイロット・メッセージには、東郷外相から野村大使あて、

「申すまでもなきことながら、本件覚書を準備するに当りてはタイピスト等は絶対使用せざるやう機密保持には、此《こ》の上とも慎重に慎重を期せられたし」

との一文も添えてあった。

しかしタイピストを使わないとなると、大使館の主だった職員の中にはタイプライターの打てる者はほとんどいない。奥村書記官がその数少ない一人であるが、とても本職のタイピストのようにはいかない。結城《ゆうき》書記官が居催促の恰好《かっこう》で机のそばで待っているが、奥村はあせればあせるほどタイプの打ちちがえをしたり、行を脱落させたりした。長い暗号電報の最後の部分の翻訳が終った時には指定の午後一時がもう近かった。

ハル国務長官には、書類の準備がととのわないので約束の時間を午後一時四十五分に延期してもらいたいという電話連絡がとられた。

ようやく浄書が出来上り、野村と来栖とがそれを携え自動車を飛ばして国務省に到着した時は、二時を五分まわっていた。ハルに会見出来たのは午後二時二十分であった。

ハル国務長官は部屋の大時計を見て、時刻を宣告し、二人の大使に椅子《いす》もすすめず渡された覚書を読み始めたが、やがて彼の手はブルブル震え出し、最後の頁を読み終ると激情を押し殺した様子で、

「過去九カ月間の交渉を通じて自分は一と言の虚言も述べなかった。それは記録が証明するだろう。自分の公職生活五十年の間、自分は未《いま》だかつて、このような恥ずべき偽りと歪曲《わいきょく》とに充たされた文書を見たことが無い」

と言った。

野村、来栖の両大使は、無言のまま、ハルとつめたい握手を交わして、国務省を退出した。真珠湾に対する日本の攻撃は、その五十五分前に始まっていた。

九

来栖の「日米外交秘話」や、野村吉三郎の伝記に描かれているこのハルの態度が、芝居であったとは、ちょっと考えられない。

にもかかわらず、ハルはこの時、日本大使の持って来た最後通告の内容を、あらかじめ全部知っていたことが、のちに明らかにされている。

他国の暗号を解読することにかけては、アメリカは「ブラック・チェンバア」時代からの長い

すぐれた伝統を持っていた。しかし日本の暗号の方も、もうワシントン軍縮会議当時のような幼稚なものではなくなり、複雑な乱数表や程度の高い機械暗号が使われるようになっていたが、それでもなお外務省の使用暗号は相手に盗読されている恐れがあるというので、日米関係の切迫に際し、主要国の日本大使館と外務省とには、海軍が開発した「九七式印字機」と称する新しい暗号機械が渡されることになった。

これは従来の機械暗号や「海軍呂暗号」「波暗号」などより更に高度のもので、海軍が使用したのは、「海軍J暗号」と呼ばれる「九七式邦文印字機」、外務省が使ったのは、「九七式欧文印字機」、片方は片仮名、片方はローマ字の暗号であった。

二冊制のアルファベット順暗号書で、たとえば「日本」という単語が、「KXLL」に変るというような暗号文を作成し、これをこの「印字機」にかけると、差した電子素子の配列によって、その都度機械的に、全くアト・ランダムな、破壊された（二重に暗号化された）ローマ字の羅列《られつ》があらわれて来る。「印字機」の大きさは、旧型のアンダーウッドのタイプライターを二つ並べたほどのものであった。

無理に蓋《ふた》を取って盗み見しようとする者があれば、差した電子素子が、はねて飛び散るようになっていた。

原文の中に「日本」という言葉が五回使われそれぞれに対応して暗号文の中に、仮に、「KXLL」が五回あらわれる、このことを暗号の方で「反覆」というが、反覆のそのまま出る暗号は必ず解読が可能である。しかし、「九七式印字機」で暗号化された電文には、反覆出現の確率は約二億分の一とされていた。

　こんにちのようにコンピューターが発達していれば話は別であるが、当時の専門家の常識としてはまず解読不可能と考えていいものであった。アメリカの解読班はそれを解いてしまったのである。

　どうして解いたか、詳しいことは戦後も長い間分らず、数百人の解読作業員と初期の真空管式電子計算機が動員されたとか、主務者は仕事を果したあとノイローゼで倒れ、のちに十万ドルの賞金を与えられたとか、断片的な風説が聞えて来るだけであったが、一九六七年になってデーヴィッド・カーンの「The Codebreakers」（暗号解読者たち）と題する本がニューヨークのマクミランから出版され、これまで謎とされていたことの多くがようやく明るみに出て来た。

　カーンは一九三〇年生れのユダヤ系アメリカ人ジャーナリストで、少年のころから暗号に異常な興味を持っていた。ヤードリとちがって政府部内で直接解読の仕事にタッチしたことはないが、現在「アメリカ暗号協会」という同好者の団体の会長をつとめている。「The Codebreakers」は一部を省略し「暗号戦争」と題した翻訳が日本でもすでに出ている。

　この本によれば「九七式欧文印字機」を使った日本の外交暗号解読の最大の功労者は、ウイリアム・フリードマンという人である。

　アメリカ陸軍の「ブラック・チェンバア」は一九二九年、スチムソン国務長官の時代に、スチムソンの、

「紳士は他人の信書を読むものではない」

という意見で一度解散させられたが、間もなくS・I・S（Signal Intelligence Service）として再発足し、再発足の当初からこれに参画して第二のハーバート・ヤードリとなったのがフリードマンであった。

アメリカ側ではこの暗号のことをパープル（紫）と呼んでいた。パープルの解読には近代数学の精髄が利用され、解読術に有効なあらゆる武器が動員され、約一年半の「血のにじむような苦闘」の末に、彼らはついに一九四〇年（昭和十五年）の八月、紙と鉛筆、想像と推理だけで「九七式欧文印字機」の模造品第一号を作り上げることに成功したという。

フリードマンはそれから間もなく病に倒れ、陸軍病院の精神科に入院したが、三ヵ月半の静養でS・I・Sに復帰し、パープル模造一号機の完成から一年後、すなわち開戦の年の夏には、アメリカはこれによる日本の主要外交電報のすべてを読むことが出来るようになった。

デーヴィッド・カーンの著書に書かれているかぎりでは、ウイリアム・フリードマンとS・I・Sの暗号官たちは、全くの正攻法でパープル暗号を解いてしまったようである。そして事実その通りであったかも知れないのだが、われわれとしてはやはり其処《そこ》に多少の疑問を感じずにはいられない。

それは第一に、たとい彼らが如何《いか》に優秀な智能を結集したとしても、「九七式欧文印字機」の模造品が僅《わず》か一年半の間にほんとうに紙と鉛筆だけで作り上げられただろうかということである。カーンが、

「この模造品は、外観的にも実物にそっくりであったし、機能にいたっては完全に同一だった」

(Though the Americans never saw the 97-shiki O-bun In-ji-ki, their contraption bore a surprising physical resemblance to it, and of course exactly duplicated it cryptographically.)

と言っているのは、もしかしたら語るに落ちているのではないであろうか。

第二に、日本のこの外交暗号の基礎暗号書の表紙は紫色であったと言われているが、推理と計算の正攻法だけで解いたとすれば彼らはそれを見ていないはずである。アメリカがこれをパープル（紫）と呼んだのは単なる偶然の一致であったろうか。

それから第三に、カーンの著作は国家機密保持の見地から出版に問題があり、結局世には出たけれども原稿は米国防省の検閲を受けている。それは現在の対ソ対中国通信諜報作業にふれた部分がひっかかったのだという説もあるが、果してそれだけであろうか。

実は他国の暗号を読む一番の早道は、それを盗むことなのである。盗むといっても現物を取って来たのでは盗まれたことが分って、相手はすぐ暗号を変えてしまうから、悟られないように機械なり暗号書なりのコピーを取るので、これは誰も口にこそ出さないが国際情報戦の一種泥試合的常識であって、当時日本もアメリカもそんな方法は考えたことも試みたことも無かったと言えば、お互いに嘘《うそ》になろう。

ほんとに「the Americans never saw」であったのかどうか、デーヴィッド・カーンが、

「解読術に有効なあらゆる武器が動員された」

と書いているのは暗にそのことを匂《にお》わせているようにも思われる。

「九七式印字機」や基礎暗号書を出先公館に配布するには、外交特権を持ったクーリエ使を使う

よりほかに方法は無かったが、長い船旅の間のちょっとした油断を誰がねらっていたかも分らないし、機械の設計図のコピーが東京でスパイの手に入り、上海《シャンハイ》に持ち出されてアメリカへ渡ったというような想像もまた充分に可能である。

パープルを解いて出て来る情報を彼らはマジック情報と称したが、マジックの配布先は大統領、陸軍長官、海軍長官、国務長官、陸海軍作戦部長ら十人だけに限定されていた。そこから又いろんな臆測が生れて来ることになる。

戦後アメリカで出版された「The Final Secret of Pearl Harbor」という本は、「真珠湾の審判」と題する中野五郎の邦訳があるが、この本によると、アメリカの解読班が、パイロット・メッセージを入手したのは六日の朝で、十四通の本文全部を解読し終ったのが、米国東部標準時の、七日の、午前四時から六時の間であった。「真珠湾の審判」の著者は、ロバート・シオボールドという、当時アメリカ太平洋艦隊の水雷戦隊の司令官で、海軍少将である。

情報戦に備えてのアメリカの傍受電信隊は各所にあったが、日米交渉の外交電報を取っていたのは西岸ワシントン州シアトルの対岸、ベインブリッジ島の海軍無線電信所で、日本の最後通告も此処が直接傍受して時を移さずテレタイプで首都のワシントンに送ったのに対し、日本大使館への電報は、今とちがって、アメリカの民間電報会社の手で配達されていた。遅速の差が生じるのは当然かも知れないが、それにしても、アメリカ側が電文を入手し、解読翻訳を完了したのはずいぶん早く、日本大使館側のそれは、あまりに遅かったという気がする。

暗号解読班の解いた電報は、刻々大統領に届けられ、ルーズベルトやハルは、ともかく真珠湾攻撃の始まる数時間乃至十数時間前に、日本の最後通告の内容を知り、日本が戦争をしかけて来ることを知っていた。

また、日本放送協会の海外向け短波放送が開戦の直前、

「東の風、雨。東の風、雨」

と繰返したのも、それが対米開戦、米領各在外公館は暗号書を焼却せよという意味であることは、アメリカは「ウインド・メッセージ」という名で、読んで知っていた。

「ウインド・メッセージ」のことはカーンの本にも記されているし、日本が同様の方法で英領内の各公館に、暗号書焼却を命じた、

「ただいまニュースの途中でありますが、本日は特にここで気象通報をお知らせします。『西の風、晴。西の風、晴』」

という東京放送は、シオボールドの著書に、アメリカ政府の文書よりの引用として載せられている。

外交上の正式手続きとしての覚書手交が、攻撃開始後になったことは無論動かせない事実で、日本が卑怯《ひきよう》な裏切り行為の汚名を着せられるのは仕方がないが、アメリカ側がいつまでも、「真珠湾のだまし討ち」を言いつづけるとしたら、其処に多少、面映《おもは》ゆい点がありはしまいかと想像されるのである。

そして、これに関連する大きな謎の一つは、外務省の「九七式欧文印字機」による暗号電報が読めたアメリカが、海軍の暗号は解読出来なかったのか、日本の真珠湾攻撃を、アメリカは事前

に、ほんとうに知らなかったのかということであろう。

アメリカ海軍の作戦情報部は十二月一日現在の、日本の航空母艦の所在地点を、「赤城」と「加賀」が九州南部、「蒼龍」「飛龍」「瑞鶴」「翔鶴」の四隻が内海西部と判断していた。

これは多分、十一月下旬から聯合艦隊司令部が機動部隊の動静秘匿のために実施した、欺瞞《ぎまん》通信の効果があらわれたもので、日本の海軍暗号は、開戦時にはやはり、解読をされていなかったように見える。

空襲部隊の主体となる六隻の航空母艦が、皆日本近海にいては、ハワイ攻撃は成り立たないが、作戦情報部がたといそういう判断を下し、日本の海軍暗号がたとい解けていなかったとしても、もう一つ上の段階では、真珠湾が危険であることは、充分察知し得たはずである。

グルー駐日大使ばかりでなく、ノックス海軍長官や、スタークの前の海軍作戦部長リチャードソン大将や、日本のハワイ奇襲の可能性について警告を発した人は、何人もいたし、ホノルルの森村書記生——吉川猛夫のスパイ活動については、ＦＢＩがかねて監視をしており、彼が東京へ送った初期の情報電報は、読まれていて、真珠湾の在泊艦船の数やその碇泊《ていはく》位置に、日本が異常な興味を示していることも、ワシントンでは分っていた。

ホワイト・ハウスに入って来る諸種の情報を総合し、分析してみれば、ハワイには、厳重な警戒命令が発せられて当然であった。

それなのに当時の海軍作戦部長スタークは、十一月二十七日、いよいよ事態が切迫して戦争警告（War Alarm）を出した時、日本が真珠湾に来るかも知れないということは、一言も言わなかった。

戦争の始まる前の晩、ホワイト・ハウスの書斎で政治顧問のハリー・ホプキンスと話していたルーズベルト大統領は、解読を終った、マジック情報による日本の最後通告が、十三節まで届けられて来ると、それを読んで顔を上げ、

「これは戦争だ」

と言ったが、ハワイの太平洋艦隊に警報を出そうという意志は、全く示さなかった。

翌朝、十四節全部の覚書に眼を通したスタークは、部下がこの情報をハワイに転電しようとするのを、二度にわたって拒否したという。

スタークとハルゼーと、二人の海軍大将は、戦後、回想録の中で、大統領が「何らかの目的で」、通報を差しとめたのだと言っているそうである。

こうして、現地の司令長官キンメル大将は、ルーズベルトやハルやスタークの知っていたことを何も知らされず、七日(八日)の朝、アメリカの艦隊は、真珠湾内で、少しも警戒の色を見せずに眠っていた。

ただ、偶然かも知れないが、並んでいたのはどちらかといえば旧式の戦艦ばかりで、二隻の航空母艦は在泊していなかった。そしてその二隻の空母のうち一隻、「エンタープライズ」は、十一月の下旬すでに戦争の気構えで行動していたと見られる証拠がある。それは同艦の艦長 G. D. Murray 大佐の名で「一九四一年十一月二十八日、洋上ニテ」出された「戦闘命令第一号」で、その第一項、第二項、第三項には次のように書いてある。

「一、『エンタープライズ』ハ目下臨戦態勢ノ下ニ作戦航海中ナリ。
二、昼夜ヲ問ハズ、本艦乗員ハ何時ニテモ即時行動ニ移リ得ル用意ヲナシ置クベシ。
三、敵性国潜水艦ト遭遇交戦ノ算アリ。」
(1. The Enterprise is now operating under war condition.
2. At any time, day and night, we must be ready for instant action.
3. Hostile submarines may be encountered.)

また、偶然かもしれないが、オアフの北半分の哨戒線《しょうかいせん》は「ここからおいでなさい」と言わんばかりにあけてあった。

「ラニカイ」というアメリカ砲艦の不思議な航海の話がある。

「ラニカイ」は、砲艦と言っても、二本マスト、八十五トンの帆船で、乗組員は米海軍の士官と水兵が六人、あとは、傭入《やとい》れのフィリッピン人十二人が、セイラー服を着せられて水兵に化けているだけで、米国の軍艦としては最小限度の要求をみたした船であった。

任務は、南支那海における日本艦隊の動静をさぐることとされ、この妙な砲艦は、十二月六日の夕刻、海南島《かいなんとう》と、こんにちの南ヴェトナム、ダナンの中間の指定された海域を漂泊するためにマニラ港を出た。

大統領の私的な内密の命令で、ほかにも同様、星条旗を揚げた帆船が二隻、南支那海の別の水域に出されるはずであったが、八日、日本の機動部隊が真珠湾を攻撃したことが分ると、「ラニカイ」には、すぐマニラへ帰るようにという指令が出た。

「ラニカイ」の仕事が、ほんとうに日本艦隊の動静察知であるなら、開戦後任務は一層重くなったはずで、これは明らかに囮船《おとりぶね》であった。

つまり、日本に何とか「米国軍艦」に対する一撃を先に加えさせて、アメリカが「自衛のために立ち上る」端緒をこしらえるのが、その目的であったと思われる。

「ラニカイ」の艦長は、戦後少将になって、横須賀の基地司令官に来ていたケンプ・トレイという人で、この話は、彼が一九六二年（昭和三十七年）の九月、アメリカ海軍の雑誌に発表した。トレイは、マニラへの帰投命令を受け取った時のことを、

「これで命が助かった。日本の真珠湾攻撃は、『ラニカイ』がなし得る何物よりも、大統領にとって満足なものであったろう」

と書いている。

当時のスチムソン陸軍長官は、十一月二十五日、ハル・ノートが日本側に渡される前日、ホワイト・ハウスで開かれたアメリカ政府の首脳会議で、

「如何《いか》にして、われわれがあまり大きな被害を受けずに、彼ら（日本人）を操《あやつ》って、最初の一発を発射させるか」

ということが討議されたと言っている。

また、松永敬介や増田正吾と同期で、開戦時海軍省軍務局員であった大前敏一の書いたものによると、英国の生産大臣で、アメリカと接触の深かったオリバー・リットルトンという人が、一九四四年に、

「日本は真珠湾でアメリカを攻撃するように刺戟《しげき》されたのである。アメリカがやむを得ず参戦したというのは、歴史の歪曲《わいきょく》である」

という発言をしているそうである。

アメリカの世論は、欧洲への参戦を好まず、議会には孤立主義の傾向が強かったが、ルーズベルト大統領としては、ヒットラーの勝利と狂態とを、あのまま座視するわけには行かなかったであろう。

名分が立てば、英国を援《たす》けて立ち上らねばならぬと思っていても、中立を侵犯したり、外交慣例を無視したりしての度々《たびたび》の挑発にもかかわらず、ドイツはなかなかそのアメリカの手に乗って来なかった。しかし、ドイツがアメリカに発砲して来なくとも、三国同盟という、ある意味で好都合なものが存在し、もし日本を挑発して先に発砲させれば、ドイツは自動的にアメリカと交戦状態に入り、大統領は世論をまとめて欧洲へ進軍することが出来たのである。

要するにそれで、アメリカは日本の真珠湾攻撃をほんとうに知らなかったのかどうかということになるが、これについては現在でも必ずしも明確な結論は出ていない。

戦争中開かれた何回かの真珠湾査問会議や、戦後の米上下両院合同調査委員会の報告書では、真珠湾のことは、職務怠慢の故《ゆえ》を以て、太平洋艦隊司令長官のキンメル大将、ハワイ地区陸軍指揮官のショート中将、及びスターク作戦部長に責任があるとしているが、これには多くの反論があり、米国の国内問題としても、今だに論争の種のように見える。

ただ、知っていたとしても、アメリカは、あれほどの被害を受けるとは思っていなかったであろう。それには、日本の航空戦力に対する非常な過小評価が因となっていた。

淵田美津雄は、

「ノックス長官が実情視察にハワイへ飛んで来て、あまりひどい有様なんで、ショックで顎《あご》がはずれ、ものが言えんようになって、『ア、ア、ア、ア』ばかり言うてたいうて、アメリカ海軍の奴ら、今でもその真似《まね》してみせるよ」

と言っている。

井上成美は、

「日本の政治家も軍人も、アメリカの国力や国民の精神力、ことに女性の精神力をアンダーエスティメイトし、女が威張ってる国だからそのうち女どもが戦争はいやだと言い出すだろうなどという、まるで子供の漫画のようなことを考えて——」

と言うが、その点は、当時アメリカ人の多くもまた、

「日本人は出ッ歯で、つのぶち眼鏡をかけ、不可解な顔に馬鹿笑いを浮べている、おかしな小男の集まりで、眼の構造が特殊なため、飛行機の操縦には適しない」

というような、やはり漫画の如きことを、本気で信じていたのであった。少なくとも、無知と侮《あなど》りとが互いの不幸を大きくしたということだけは言えるであろう。

淵田はのちのミッドウェーの海戦で脚を折り、飛行機に乗れなくなったために生き残って、戦後キリスト教の自称生臭《なまぐさ》牧師になり、一年の大半をアメリカで暮しているが、彼のあちらでの見聞によれば、アメリカの政府首脳が、日本の真珠湾奇襲を知っていたということは、今では知識

層の間で常識になっているという。

シオボールド少将の著書も、その立場で書かれており、この本の序文で、ハルゼー提督は、キンメルとショートの二人を、「自分の力では絶対に自由にならぬある目的のために犠牲の山羊《やぎ》として、狼群《ろうぐん》の前に放り出された」アメリカの偉大な殉教者だと言っている。

しかしシオボールドのような見方に対しては、中野五郎が訳書の「あとがき」にも書いている通り、アメリカ国内に逆にまた強い反論があり、日本でもこれに反対意見を表明する人が少なくない。

富岡定俊は、

「日本に最初に火蓋《ひぶた》を切らせたかったとしても、アメリカは何もそれをハワイで劇的にやってもらう必要は無かった。真珠湾攻撃の企図をアメリカが事前に知っていたというのは穿《うが》ち過ぎだ」

と言っている。高木惣吉もアメリカは知らなかったという立場であり、草鹿龍之介は、

「自分の前線での経験によれば、アメリカの人命救助に対する熱意は実にわれわれの想像以上のもので、何千人もの命を代償に、知っていてわざとハワイを撃たせたというようなことは考えられない」

と言っているが、特に傾聴すべきは国会図書館で現代史の研究をしている角田順の意見であろう。

角田博士によれば、この問題に結論が未だ出ていないのは事実であるが、事前にアメリカが知っていたという説を立てているのはシカゴを中心とする一部大学の歴史学者たちで、彼らはアメ

リカでは少数派、レビジョニストに属する。Roberta Wohlstetter という人がスタンフォード・ユニバーシティ・プレスから出した「Pearl Harbor : Warning and Decision」と題する本は、真珠湾に関する最も詳細な総決算的文献であるが、これを読んでみてもアメリカが知っていて日本を真珠湾へ誘致したことを立証するような記録は全く見当らない。

こんにち学界の大勢は「ノー」に傾いており、自分の意見としても「ノー」である。ただ真珠湾の責任を取らされた人々には、政府の首脳部は知っていたのに自分たちは情報を与えられず、囮《おとり》に使われ犠牲にされたのだという鬱憤《うっぷん》があって、どうしても観方《みかた》が偏《かたよ》りがちになる。そして、彼らの言い分をふくめ、「アメリカはほんとうは前もって知っていたのだ」という説は日本人の耳にある快い響きを与える。そのためアメリカでの少数意見があたかも多数意見であり学者や知識人の間で定説になりかかっているかのように伝わって来るのだが、それは警戒した方がいいのではないか、と。——

日本の真珠湾攻撃よりやがて満三十年、この問題はもう、当時の関係者の手から歴史学者の手へ渡りつつある。「アメリカは事前に真珠湾を知らなかった」というのが今後は次第に定説化して行くことになるであろう。

万一、アメリカの国務省か海軍省の倉庫の奥深く眠ったままの未発表資料が世に出て、多数派歴史学者の考えをひっくりかえしてしまうようなことが起ったら、泉下の山本五十六は「だまし討ち」と言われるのを終始気にしつづけて死んだ自分を少しお人よしだったと思って苦笑せねばなるまいが、幾つかの疑点は残るとしても、結局そういう日は訪《おとず》れて来ないかも知れない。

第十一章

一

開戦以来、「長門」の山本五十六のもとには、日本全国から連日、夥《おびただ》しい数の手紙が舞いこんで来るようになった。

山本は、

「小生も部下や若人等の奮戦にて一躍花形となりし様子只々《ただただ》苦笑汗背に不耐《たへず》」

と書いているが、従兵長の近江兵治郎の話では、国内に真珠湾の興奮が一応おさまったと見えてからのちも、山本あてに届く手紙の束は、日々二十センチくらいの厚みがあったという。

かつて彼を憎んだ老将軍や右翼の壮士から、部下の家族、国民学校（小学校）の児童まで、単なる讃辞《さんじ》から、山本の書を県下最優秀校への賞品にしたいと所望して来る、田舎《いなか》の中学校の虫のいい校長の手紙まで、実にさまざまで、これに対し山本は、愚直に一々、自分で毛筆で丁寧な返書をしたためていた。

したがって、山本五十六元帥の手紙を持っているという人の話は全国各地でしばしば耳にする。彼の書簡集でも編むことになれば、おそらくそれは厖大《ぼうだい》なものになるであろう。しかしその多くはありきたりの返書や礼手紙で、山本の直筆という以外に大した価値は認められない。又、ありきたりでなくとも、佐世保《させぼ》の鶴島正子のように、スーツ・ケース一杯戦災で皆焼いてしまった人もある。

現在記録を通して読み得るものと、原文の写しが私の手もとに在るものと併《あわ》せて、公私にわたり山本の真情をうかがえる書簡は結局そうたくさんは無いが、その中から、開戦初期の二、三を選んで挙《あ》げれば、昭和十七年の新春に、緒方竹虎《おがたたけとら》が感謝の手紙を出したのに対し、山本は一月九日付で、

「元旦の御懇辞不堪恐縮《きょうしゅくにたへず》候。敵の寝首をかきたりとて武士の自慢には不相成《あひならず》、かかれし方の恥辱だけと存候。切歯憤激の敵は、今に決然たる反撃に可転《てんずべく》、海に堂々の決戦か、我本土の空襲か、艦隊主力への強襲か、御批判はその上にて御願致度《いたしたく》存候。兎《と》に角《かく》敵の立直る迄《まで》に第一段作戦完遂、格構丈《だけ》にても持久戦態勢迄漕附《こぎつ》け度《たき》ものと祈念罷在《まかりあり》候。銃後の御指導は宜敷《よろしく》願上候」

と書き送っている。

また、原田熊雄あての昭和十六年十二月十九日付書簡には、

「開戦当初の戦果概《おほむ》ね順当なるは幸運尚《なほ》皇国を護《まも》るが如く被感《かんぜられ》候　此《この》際自粛自戒奮励御奉公致

度覚悟に御座候」

という一節がある。

「幸運尚皇国を護るが如く」とか、「格構文にても持久戦態勢」とかいうのは、もしそのまま読み過さなければ、「オヤ」と思うに足る措辞であるが、当時、むろん公表はされなかった。

郷里の、姉の嘉寿子には、

「いよいよ戦ははじまりましたが、どうせ何十年も続くでせうから、あせつても仕方はありません。

世の中ではカラさわぎをしてがや〳〵して居る様子ですが、あれでは教育も修養も増産もあまりうまくは出来ぬでせう（中略）人が軍艦の三隻や五隻を沈めたとて、さわぐには当らないと思ひます」（十二月十八日付）

と、山本は書いている。

支那方面艦隊司令長官として上海《シャンハイ》にいた古賀峯一宛《あて》の手紙は次のようなものである。

「十二月十五日附貴翰《きかん》本二日拝受（呉に十万通ばかり書信たまり居りとてもさばけぬ由《よし》）御祝詞御礼申上候

香港《ホンコン》も予定に若干先立ち陥落不堪同慶候
香港陥ちビルマをもう少したゝいたら蔣《しよう》も大分弱るにあらずや何とかならぬものかと存居候
英米も日本を少し馬鹿にし過ぎたるも彼等にすれば飼犬に一寸《ちよつと》手をかまれた位に考えことに米としてはそろ〳〵本格的対日作戦にとりかゝる本心らしく国内の軽薄なるさわぎは誠に外聞わるき事にて此様にては東京の一撃にて忽《たちま》ち縮み上るならむと心配に不堪候（中略）まだ〳〵こんな事にては到底安心出来ずせめて布哇《ハワイ》にて空母の三隻位もせしめ置かばと残念に存居候
陸上接近の上海は知らず当方十二月十四日以来時々潜水艦に脅威さるゝ外《ほか》例の水面とにらめつこにて一向正月らしくも無之候寒冷御自愛祈上候　　敬具

一月二日　　五十六

古賀大兄

布哇攻撃は中央実施部隊（飛行家連にあらず）共に相当難色あり成功しても一支作戦に過ぎず大した事なし失敗すれば大変といふ言分なりし為《ため》当時は大分不愉快の思ひもせしが今では其人《その》たちが最得意で居つたり勝敗が決定した様の事を言ふので実は世間のからさわぎ以上部内幹部の技倆《ぎりよう》識見等に対し寂莫《せきばく》を感ぜしめらるゝ次第にて候」

榎本重治には、

「徹夜で勝負をやろうといふのに一風《イーフオン》や半風で三百や五百貰《もら》つたとて何の何の安心してなるも

のか、之からは振り込まずに安上り専門でチビチビためていく事、人が何と云はうとも何の何の」(十二月十一日付)

と書いている。

彼は、天下の声に和して自ら有頂天になることは出来なかったし、気持がそういう風に傾くことは極力自戒していたように見える。

もっともこのころ彼が作った妙な和歌が二首あって、その一つは、

「グラスラはほど遠けれどリダブリて
　ジャストメイキの心地こそすれ」

という——、「グラスラ」は「グランド・スラム」で、ブリッジの勝負になぞらえた戯歌である。

これは、東京の「ブリッジ・クラブ」が、

「雨風の師走《しわす》の空も雲晴れて
　グランドスラムの心地よきかな」

という歌を贈ったのに対する返歌であった。

もう一首は、今どうしても見つけ出すことが出来ないが、ポーカーのゲームに擬したもので、何でも私の古い記憶では、相手が「ツー・ペア」でかかって来ようと、こちらは、「小粒なれどもフル・ハウス」という歌であった。

これはしかし、かりそめの内容通り、緒戦の勝ちの、その局面に限っての彼の快哉《かいさい》の叫びであって、此処《ここ》から山本の慢心を読み取ることは出来ないであろう。

十二月二十六日、重臣たちが宮中で御陪食ののち、千種《ちぐさ》の間《ま》で天皇と歓談した折山本の話に花が咲き、若槻《わかつき》礼次郎が、

「山本はなにぶん博打《ばくち》が強うございますので」

と言うと、陛下が愉快そうに笑われたという話もある。

山本はだが、要路の人たちへの手紙では、必ずしも自分の心の底までを打ちあけてはいない。彼が自己の裸の本心を見せるのは、堀悌吉や榎本重治あてのものを除くと、例によって、河合《かわい》千代子初め二、三の女性に対する手紙だけであった。

司令部の従兵たちは、山本の身辺の機微に関しても、なかなか弁《わきま》えていて、近江兵治郎は、来信を選り分ける時、河合千代子からのものがあると、必ずそれを厚み二十センチの一番上に載せて届けるようにしていた。

「呉局気付、軍艦『長門』、山本五十六様」

と、千代子の手跡が見えた日は、山本は、

「オウ、どうもありがとう」

と言って手紙の束を受取ったという。それの無い日は黙っているのだそうである。

十二月二十八日付の、千代子あての山本の書簡には、

「方々から手紙などが山の如く来ますが、私はたつた一人の千代子の手紙ばかりを朝夕恋しく待つてをります。写真は未だでせうか」

という一節があり、越えて一月八日付の分は、

「三十日と元旦の手紙ありがたうございました。三十日のは一丈あるやうに書いてあつたから、正確に計つてみたら九尺二寸三分しかなかつた。あと七寸七分だけ書き足してもらふつもりで居つたところ、元日のが来て、とても嬉《うれ》しかつた。クウクウだよ」

とある。

「クウクウ」というのは、開戦直前の十一月二十六日、東京から千代子をよんで、一緒に厳島《いつくしま》へ遊んだ折、寄って来た島の小鹿が、頭を撫《な》でられて鳴いた声だそうで、「長門」の司令長官私室で、女の手紙の丈《たけ》を物差しで計っている山本五十六の顔は、ある種の人々には不快感抜きで想像することが出来ぬかも知れないが、彼はきっと、口をへの字に結んで、いたずらっぽい渋面をつくっていたにちがいない。

青山の家族からの手紙は、そんなに繁々《しげしげ》とは来なかった。

従兵たちは、

「長官の奥さんはつめたい」

と、憤慨していたというが、これは今に始まったことではなく、どちらがつめたかったのかも分らない。

山本親雄の話では、昔在米武官時代から、五十六は実に手まめによく手紙を書いていた、「但《ただ》

し、おうちにはお書きにならぬ」、大使館から外務省あての閉嚢《へいのう》郵便というものがあって、外交特権で内容をチェックされないので、みんなが家族へのちょっとした贈り物とか、私信を封入するのに利用していたが、ある時親雄が、

「武官も、奥様やお子様に、何か……」

とすすめたら、

「いや。そんな必要無い」

と、一言のもとにはねつけられたという。持ち前の照れ性のせいか何か分らないが、少なくとも表から見たところでは、彼は外《そと》の女子供に甘く、内に対しては甚《はなは》だきびしかった。

山本の幼な馴染《なじみ》で、上松蓊《しげる》という同郷の人がある。上松は南方熊楠《みなかたくまぐす》の弟子の生物学者で、齢《とし》は山本より九つばかり上、郷里を出て十六、七年ぶりに、下関に住んでいた小学校時代の恩師渡部與《あたえ》の家で偶然の再会をしてから、交わりが復した。

その時、山本は未だ高野五十六で、痩身短軀《そうしんたんく》、不敵な面魂《つらだましい》が、狼《おおかみ》に浴衣《ゆかた》をかぶせたように見えたというが、この人が戦争中、「学界偉人南方熊楠」という一書を著して山本に贈ったことがあった。

山本は通読した上で上松に礼手紙を出したが、その中で、

「〇〇の四字は細字ながら書品を落したる点惜しき事にて候」

と言っている。

山本は手紙はたくさん書いたけれども元来米内と同じく無口で、余計な説明を好まず、ちょっと言って通じなければ知らん顔をしてしまう方であった。「学界偉人」の四字が書品を落したと

いうような神経は、分らない人にはいくら説明しても分ってもらえないといったもので、当時彼の身近にいた人、彼を崇拝していた人々の中に却《かえ》って山本のそういう一種繊細な神経を理解出来ない人があったように思われる。

安田靫彦《ゆきひこ》に、山本司令長官の肖像画制作を依頼しようという議が起って、同じく上松蓊の手紙でその噂《うわさ》を知った時にも、山本はやはり、

「安田画伯の肖像の事は今迄の所事実無根に候　尤《もっと》も高村画伯よりかつて半抗議的に質問せられしことは有之候

何《いづ》れにせよ　肖像画などは銅像に次ぐ最も敬遠すべき俗悪事と心得居候」

という返事を書いた。

「高村画伯」は、長岡出身の高村真夫《しんぷ》のことで、この話は「事実無根」ではなかったが、ただ安田靫彦は山本をじかに描くことが出来なかったので、のちに写真をもとにして、「十二月八日の山本元帥」と題する肖像画を完成し、昭和十九年の文部省戦時特別美術展に出品した。

安田靫彦の傑作の一つとされているこの絵は、戦後行方《ゆくえ》が分らなくなり、アメリカ海軍の手で持ち去られてワシントンにあるらしいと言われていたが、所在を確かめた者もないまま二十年が経過し、昭和四十一年になって、ある人が国内に秘蔵していることが明らかになった。

二

山本は、軍艦マーチ入りの、景気のいい「大本営発表」も、嫌《きら》いであったらしい。

昭和十七年の早春、幕僚休憩室で幕僚たちと四方山話《よもやまばなし》の間《かん》、話題がたまたま軍艦行進曲入りの報道のことに及ぶと、山本は不快そうな顔をして、

「報道なんか、静かに真相を伝えれば、それで充分なんだ。太鼓を叩《たた》いて浮き立たせる必要は無いよ。公報や報道は、絶対嘘《うそ》を言っちゃならんので、嘘を言うようになったら、戦争は必ず負ける。報道部の考え方は、全然まちがっている。世論の指導とか、国民士気の振作とか、口はばったいことだよ」

と言った。

日比谷公園に軍艦行進曲の碑が建つことになって、その題字を求められた時にも、藤井参謀に相談した上で、一と晩考えて、断わりの手紙を書いている。

日本の海軍は、「サイレント・ネイビー」と呼ばれることを長い間誇りにして来たが、真珠湾以後は、相当に饒舌《じょうぜつ》な海軍になってしまった。

歌舞伎座を一人であけられる役者は、世間に海軍報道部の平出《ひらいで》英夫大佐だけと言われ、海軍に対する国民の人気もよかったし、戦局の方も、順調に、というよりほとんど一方的に動いていた。

一月十一日には、堀内豊秋中佐の指揮する日本の海軍史上最初の落下傘《らっかさん》部隊が、セレベス島のメナドに降下して、此処を占領した。マニラは、一月二日に、シンガポールは二月十五日に陥落した。

ジャワの沖では、二月二十七日の午後一時、高木武雄少将麾下《きか》の第五戦隊「那智《なち》」、「羽黒《はぐろ》」、「神通《じんつう》」、「那珂《なか》」の四隻の巡洋艦と、十四隻の駆逐艦が、巡洋艦五隻、駆逐艦九隻から成るほぼ

同勢力の艦隊と会敵した。

この艦隊は、米、英、蘭、濠《ごう》四国の連合軍で、指揮官は、オランダ海軍のドールマン少将であった。

望遠鏡で望むと、一番艦にオランダの、二番艦に英国の軍艦旗が、三番艦には星条旗が、それぞれ大きく翻っているのがよく見えたという。

其処《そこ》は、北太平洋とちがって、まぶしい、明るい、波の無い海上であるが、三十二ノットの戦闘速力で航走していると、風速は台風をまともに受けているのと同じであった。

「那智」以下の第五戦隊は、昼間いっぱい、長時間にわたって、相手と撃ち合いをつづけ、連合国艦隊は駆逐艦二隻を喪《うしな》って潰乱《かいらん》状態となり、遁走《とんそう》を始めたが、日没後、高木艦隊もまた追撃をやめて北へ避退した。

そしてその晩、午前一時前から開始された夜戦で、日本の遠達酸素魚雷の攻撃が奏効し、まず先頭艦の「デロイテル」が、棒立ちになって海中に姿を消し、次に四番艦の同じくオランダの重巡「ジャワ」が沈没した。残った一部は翌三月一日、高橋伊望《いぼう》中将の指揮する重巡「足柄《あしがら》」、「摩耶《まや》」以下の第三艦隊が捕捉して、英国の巡洋艦「エクゼター」と駆逐艦二隻を沈め、勝敗が決定した。

「デロイテル」坐乗の、オランダのドールマン提督は、「プリンス・オヴ・ウェールズ」のサー・トーマス・フィリップスと同じく、救助を拒絶してその乗艦と運命を共にした。日本艦隊には、被害が無かった。

これが、「スラバヤ沖海戦」で、このあと約一週間で、ジャワ島の連合国軍は降伏した。

経過を記せばこれだけであるが、当時「那智」の高角砲分隊長であった田中常治の書いた「ジャワ海の決戦」を読むと、昼間の魚雷戦で、「那智」の発射管の魚雷の塞止弁《そくしべん》が開かず、

「塞止弁開《ひら》け」
「塞止弁開きませーん」
「塞止弁開け、急げ」
「塞止弁開きませーん」

という躍起のやりとりや、それで面目を失った水雷長の堀江弘大尉が、夜戦の成功で、暗い艦橋を、

「魚雷命中、敵轟沈《ごうちん》！」
「魚雷命中、敵轟沈！」

と、叫ぶように、歌うように唱えながら、雀躍《こおど》りして一廻りしている姿とか、初めて戦場に臨んだ将兵の、緊張、解放、錯誤、あがりっぷりなどが、如実に描かれていて、興味深いものがある。

小泉信三の長男小泉信吉も、「那智」乗組みの主計科分隊士としてこの海戦に参加している。信三の著「海軍主計大尉小泉信吉」によると、信吉は「那智」がこのあと修理のため佐世保入港中、戸畑の伯母《おば》安川幸子を訪問して海戦の模様を話して聞かせた。

幸子が、定めし恐ろしい気持もしたでしょうと訊《たず》ねると、時々デッキへ出て見物をしたが、それがどうも一向平気で、死に直面した気は少しもおこらず、これではいけないと思ってもそんな

気になれなかった、ただ飛行機が頭の上に来ると気味が悪かったが、敵の弾は一つもあたらなかったと言ったという。

この時の第五戦隊司令官高木武雄少将は、のちに中将に進級して、馬公《ばこう》警備府司令長官になり、私事にわたるが、私が海軍予備学生として台湾の東港で最初の基礎教育を受けているころ、度々《たびたび》話をしに、私たちの学生隊へやって来た。

「あきらめましたよどうあきらめた、あきらめられぬとあきらめた」

などという妙な都々《どど》逸《いつ》を聞かせてくれたり、戦場でつくづく感じたことは、あがる、どうしてもあがる、あがると智慧《ちえ》は出ない、思考力、判断力がゼロに近くなる、先《ま》ず落ちつくことが肝要で、敵を見たら、水筒の水を一口飲め、それから睾丸《こうがん》が二つあるか、さぐってみろなどという話をしてくれたりした。

田中常治の著作に附した解説で、吉田俊雄は、

「米巡ヒューストンと英巡パースを撃沈するバタビヤ沖海戦を含めて、ここまでで前近代海戦が終った」

と書いているが、ともかくこれは一方的な勝利の戦《いくさ》であった。

堀悌吉が、部内の者の「無敵艦隊」という言葉を使うのをひどく嫌った話は前に記したが、ハワイ、マレー沖から、スラバヤ沖海戦、バタビヤ沖海戦と、こう一方的な勝負がつづいては、彼らは先輩の警告と、長い伝統とを破ってそれを口にするのをもう抑《おさ》えかね、世間もまたこれを怪しまなかった。だが、山本五十六には、総じてこういう手放しの得意ぶりは、かなり苦々しかっ

たようである。

政務参謀の藤井茂は、

「第一段の作戦が余りに順調に進みすぎたので、却《かえ》って拍子抜けの気分が漂っていることは見のがせない。いつもは淡々として水のような、時には深い淵《ふち》を見るように静かな長官の日常に、時折焦慮の色が伺われるようになったのは、この頃である」

「打つべき手が打たれていないもどかしさを、時折洩《も》らされる」

と言い、

「戦争を勝ち目に終局させることは、別に大きな苦心が必要だ。日露戦争だって、やっと勝ち目に終局したのだ」

と言っているが、山本の息のかかった幕僚たちにはほぼ共通した思いがあったであろう。

参謀長の宇垣纒も、「戦藻録」の昭和十七年一月八日の欄に、

「開戦以来一ケ月経過せり。（中略）皇軍の向ふ所敵無く、如何《いか》に偉勲を奏するも之《これ》に伴ふ国家経綸の大策なからずんば、死生を賭《と》するの業徒為に終らんのみ」

と書いている。

もっとも、「戦藻録」二巻に見られる宇垣は、思慮の深さという点では、少しどうかと思われるところもあり、山本に較《くら》べて、いい意味でも悪い意味でも勇み屋で、それを山本に抑えられていたように感ぜられないことはない。

尚、つけ加えれば、この時聯合艦隊四万の将士のうち、日露戦争の実戦の経験を持ち合せてい

た者は、山本がただ一人だけであった。

三

聯合艦隊の司令部は、この年の二月十二日に、新造の「大和」へ移った。艦齢二十三年の「長門」に比して、居住もずっと上等になり、幕僚たちは皆、新しい旗艦の暮しを喜んだという。

シンガポールが陥落したのは、これから三日後であった。

有限戦争と無限戦争という、戦争に対する二つの考え方がある。

有限戦争というのは、どこかで工作を用い、妥協して和を求めるものであり、無限戦争というのは、相手の国民を徹底的に殺戮《さつりく》して、城下の盟を結ばせるまで戦うことである。

日本は、結果的には一種の無限戦争を逆に強《し》いられたかたちになったが、陸軍は識《し》らず、海軍の軍人で、アメリカを相手の無限戦争がやり抜けると思っていた者は、おそらく一人もいなかったであろう。

開戦の十カ月半前、山本が笹川《ささがわ》良一に宛てた名高い書簡があって、

その全文は、

「拝啓益々《ますます》御清健此度《このたび》は浦波号にて南洋を御視察相成候由《よし》奉多謝候　世上机上の空論を以《もっ》て国政を弄《もてあそ》ぶの際躬行《きゅうこう》以て自説に忠ならんとする真摯《しんし》なる御心掛には敬意を表し候　但《ただ》し海に山

本在りとて御安心などは迷惑千万にて　小生は単に小敵たりとも侮らず大敵たりとも懼《おそ》れずの聖諭を奉じて　日夜孜々《しし》実力の錬成に精進致し居るに過ぎず　恃《たの》む処は惨として驕《おご》らざる十万将兵の誠忠のみに有之候　併《しか》し日米開戦に至らば己《おの》が目ざすところ素《もと》よりグアム比律賓《フィリピン》に非ず将《はた》又　布哇《ハワイ》桑港《そうこう》に非ず　実に華府《かふ》街頭白堊《はくあ》館上の盟ならざるべからず　当路の為政家果して此本腰の覚悟と自信ありや　祈御自重　草々不具」（昭和十六年一月二十四日付）

というもので、笹川が川西の飛行艇に乗って南洋群島を見てまわり、何か言って来たのに対する返書であるが、これが何故《なぜ》名高くなったかというと、戦争中「浦波号」を「〇〇号」と伏字にし、「当路の為政家果して此本腰の覚悟と自信ありや」という一行を削って、「国民士気の振作」のために、この書簡が公表されたからである。

これは、同盟通信を通じてアメリカへ伝わり、そのためアメリカは山本を、いずれ日本軍を率いてワシントンに乗り込んで来るつもりの、狂信的なウォー・モンガーとしか見なくなり、東条と同格の憎むべき敵将と考えるようになったが、事実は笹川に対する皮肉というより、むしろ、アメリカ相手の無限戦争は不可能なはずなのに、一体どんなかたちの戦争なり対米交渉なりをするつもりかという、山本の、近衛や及川古志郎に対する、強い不満の表白であった。

したがって、戦争が始まってから山本の頭の中に常に在ったものは、早期講和の問題であり、そのための有利な状況を作り出すことであった。

一つのチャンスは、シンガポール陥落の直後に訪《おとず》れていたと思われる。

笹川良一は、前述の通り、日本の右翼の中でたった一人親英米の腰抜けとされていた山本をかばった人であった。山本の紹介状をもらって中国へ出かけた折、笹川は南京《ナンキン》で、総軍の参謀をしていた辻政信《つじまさのぶ》に威勢のいい話を聞かされたことがあった。辻が、汪《おう》政権の顧問役の、のちの大東亜大臣青木一男と口論になり、ぐずぐず言ったらぶった切ると軍刀をがちゃつかせたら、青木が青くなって逃げて行った、弱い奴《やつ》だと、辻が笑っていたという話である。

「それで、その時青木は、武器は何を持っとったんや？」

と笹川は聞いた。

「で、青木が丸腰で、あんたの方は、何を持ってた？」

「軍刀とピストル持ってる人間が、丸腰の人間脅《おど》したら、相手が青うなって逃げて行くのはあたり前で、そりゃ、あんたの方がよっぽど弱虫やないか」

と、彼は辻に言った。

山本は笹川が笹川流の一種の是々非々で、誰にでもこういう風に思ったことを言う点、それから、航空に強い関心を持っている点を買っていたらしい。

開戦三カ月前の九月のある日、柱島から上京の際、彼は笹川を芝の水交社に呼んで、開戦が避けがたい状況になって来たことを述べ、海軍の軍楽隊が銀座と心斎橋を景気よく行進しているのを見たら、それが事の決定した時だと教え、

「そりゃ、初めの間は、蛸《たこ》が脚をひろげるように、思いきり手足をひろげて、勝って勝って勝ちまくってみせる。しかし、やれるのは、せいぜい一年半だからね。それまでにどうしても和平に

持って行かなきゃならない。きっかけは、シンガポールが陥落した時だ。シンガポールが陥ちると、ビルマ、インドが動揺する。インドの動揺は、英国にとっては、一番痛いところで、英国がインドを失うのは、老人が行火《あんか》を取られるようなものだ。しかし、そこを読んでしっかりした手を打ってくれる政治家が果しているかね。シンガポールは、半年後には陥せると思うが、その時は、頼むよ」

と、そう言い置いている。

山本がそれでは、個人として考えていた講和の条件とはどんなものであったかというと、のちに連合国側から出されたポツダム宣言ほどではないにしても、勝ち戦《いくさ》のさ中に、日本側から持ち出すそれとしては、かなり徹底したもののようであった。

山本が航空本部長時代、人相見の水野義人を彼に紹介した桑原虎雄は、このころ、柱島の主力部隊直衛の小型空母、「瑞鳳《ずいほう》」「鳳翔《ほうしょう》」を率いる第四航空戦隊司令官で、少将であったが、シンガポール陥落後二カ月ばかりして、新設の青島《チンタオ》方面特別根拠地隊司令官に転勤することになり、一日、「大和」の山本のところに挨拶《あいさつ》に行くと、

「まあ、話して行けよ」

と山本が言い、それで桑原は、その日長官室でしばらく山本と雑談をした。

桑原が、

「これから戦《いくさ》はどうなりますかね？」

と言うと、山本は、

「そうだねえ、もう暫《しばら》くはいいだろうけどねえ、それから先は大変だよ」

と答えた。

それで桑原少将が、

「山本さん、長官として言えることじゃないかも知れませんが、山本さんは講和については、一体どう考えておられるんです？」

と更に突っこんで聞くと、山本は、

「ウン」

と考えてから、

「それは、今が、政府として和を結ぶ唯一の、絶好のチャンスじゃないのか。日本として、それを切り出す以上は、領土拡張の気持が無いことをよく説いて、今まで占領した所を全部返してしまう、これだけの覚悟があれば、難《むず》かしいけど、休戦の成立の可能性はあるね。しかし、政府は有頂天になってしまっているからなア」

と、言ったという。

そうして事実、この一つの時機は、空《むな》しく早く、過ぎて行きつつあった。

山本が笹川良一をどの程度「しっかりした手を打ってくれる政治家」と思っていたかは分らないが、笹川は、東条の翼賛選挙に非推薦候補として立候補し、当選して衆議院議員になり、陸軍の要路に、山本の考えを説いて廻ったりもしたが、反応は無かったということである。

講和の望みが無いとすれば、聯合艦隊の司令長官としては、次段の作戦に着手しなくてはならない。

前年十二月末、甥《おい》の高野気次郎宛の手紙に、山本は、

「第一段作戦即《すなは》ち比島香港馬来《マライ》蘭印《らんいん》攻略迄《まで》は勿論《もちろん》何の事も無之《これなし》と存候へ共　事の成否は実其後の第二段作戦に在り充分覚悟と用意とを要する次第と存居候（中略）但《ただ》し爾後《じご》の作戦は政戦両翼渾然《こんぜん》たる一致併進を要する次第にて　之が処理に果して人材可有之《これあるべき》か」云々《うんぬん》

と書いているが、山本の幕僚たちが、第二段作戦の研究を命ぜられたのは、十七年の一月五日であった。

「戦藻録」には、

「一月五日　月曜日　晴　寒し」

として、

「第一段作戦は、大体三月中旬を以《もっ》て一応進攻作戦に関する限り之を終らし得べし。以後如何《いか》なる手を延ばすや、濠洲《ごうしゅう》に進むか、印度《インド》に進むか、布哇《ハワイ》攻撃と出掛るや、乃至《ないし》はソ聯《れん》の出様に備へ好機之を打倒するか、何《いづ》れにせよ二月中位には計画樹立しあるを要し、之が為参謀連に研究せしむる事とせり」

とあり、これはまた、ずいぶん東西南北漠然《ばくぜん》としたもので、シンガポールの陥落よりは前であるが研究開始の時機としては遅く、あとの思案としても、「これでは」という気がする。

開戦劈頭《へきとう》のハワイ作戦に関しては、早くから綿密周到な計画を樹《た》て、「全滅を期し」、「勝敗を第一日に於《おい》て決する覚悟」で、もし失敗したら、爾後の全作戦を放棄しようとまで考えていた山

本として、その結果を見てののちでなくては、第二段作戦の構想を練る気にはなれなかったのかも知れない。

堀悌吉の年始状に対する返書（一月十二日付）の中では、

「とにかく一風《イーフオン》囲めたらよいお正月と言つてよいのだろう　どうせ先きは苦しくなるのだから今の内少しは朗にするのがよさそうだ

飛行機が予想よりいたまないから今の内急速養成がよかろうと思つて取りかゝつて貰《もら》つた　追追に小艦艇や安い貨物船なども必要を痛感する様になるから準備が入ると思ふ

先月十三日以後は一月ぢつとして居る　相当退屈なものだね　面白い本でもないかね」

と書いている。

宇垣の日誌の中の四つの作戦案のうち新たにソ聯を敵に迎える案は、少々論外として、第一の、濠洲進攻策は、軍令部の作戦部が最も熱心に主張したプランであった。

軍令部の考えでは、連合軍の反攻は、必ず濠洲を基地として捲《ま》き上げて来る。その推定時機は、大体昭和十八年の春季以降で、その前に、ソロモン群島から、ニュー・カレドニヤ、フィージー、サモア島を攻略して、相手の空軍の濠洲への展開を妨げ、出来ればオーストラリヤを孤立させ、戦争から脱落させようという、いわゆるこれは、「米濠遮断案《しやだんあん》」であった。

第二の印度洋進攻作戦は、聯合艦隊司令部が最初に主張したプランで、陸軍の五個師団くらいの兵力でセイロン島を攻略し、インドと英国とを動揺させ、英国の東洋艦隊を誘い出して撃滅し、コーカサスから中東へ出て来るドイツと打通しようというものであった。

これはしかし、陸軍が頭から反対した。

大東亜戦争は、海を知らぬ者の手で始められ、空を知らぬ者の手で戦われたと言われるが、陸軍としては、大体南方の島嶼《とうしょ》作戦は、気乗りもしないし、よく研究したこともなかったのである。

彼らが最も闘志を秘めた、そして最も恐ろしかった敵は、ソ聯であって、南方攻略作戦の一段落とともに、費やした兵力の大半を満洲と中国へ引揚げようと思っている時に、新しく印度洋作戦に五個師団割《さ》くなどということは、参謀本部として、とても受け入れ得ざる話であった。

陸軍の反対でこのプランがつぶれたあと、聯合艦隊司令部は、第三の中部太平洋進攻案を採ることになった。

この時機に、東京を空襲し得る実力を持っている者は、アメリカの機動艦隊だけであった。

そして、帝都空襲ということは、日本中の都市が焼野原になったあとからではちょっと想像出来ないほどの、当時重い問題で、それは帝国海軍と、日本の国のプライドにかかわると思われていた。

ミッドウェーから、出来れば再びハワイを突き、同時にアリューシャン列島の要地を攻略して、日本の海と空との防衛圏を東に二千浬《かいり》拡大し、アメリカの太平洋艦隊を洋上に誘い出して、撃破するという、案としては、これが一番雄大な案である。

それに、陸軍が「泥水すすり草を嚙《か》み」という戦争に、気質的にしたしみを感じていたとすれば、海軍の軍人は、前にも書いた通り、どうしても、洋上の華々《はなばな》しい艦隊決戦というものに、一種の郷愁をいだく傾向があった。

こうして、常勝の日本海軍は、ミッドウェーの失敗に向って歩を進めて行くことになるのであるが、このころ南方の占領地域では、陸軍が早々と多くの不祥事件をひきおこしていた。

三月七日付古賀峯一宛の山本の手紙の後段に、

「戦闘一段落と共に香港をはじめ仏印新嘉坡《シンガポール》非島《ひとう》各方面陸州真面目《しんめんぼく》発揮の事実又は空気有之由之より漸《やうや》く内部破壊作用実現するにあらずやと憂慮せらるゝ次第に御座候」

という数行があるが、「真面目」とは掠奪強姦《りやくだつごうかん》、戦後問題になったシンガポールにおける華僑の大量虐殺などを指すものと思われる。「陸州」は陸軍である。目糞《めくそ》鼻糞を笑うのたぐいかも知れないが、海軍部内では陸軍のことをよく「陸助」とか「陸州」「陸式」という蔑称《べっしょう》で呼んでいた。

四

MI（ミッドウェー）、AL（アリューシャン）両作戦の、一応出来上った聯合艦隊側の構想を携えて、戦務参謀の渡辺安次が上京したのは、四月二日であった。

軍令部は、これに対して再び、非常に強い反対の意向を示した。

反対の中心は、一部一課長の富岡定俊大佐と、課員の三代辰吉中佐とであった。

三代は一就《かずなり》と改名して戦後「MI作戦論争」と題する手記を残している。それによると彼は渡辺と兵学校海軍大学ともに同期で、渡辺のことを「安兵衛」と呼んでいたが、二人の級友は、この時、立場を異にして激しい応酬を繰返した。

双方の主張の細目に関しては「MI作戦論争」に詳しいが、それは省略するとして、三代は、「山本長官は、ミッドウェーを基地とする飛行哨戒《しょうかい》の効果の少ないことを、どの程度に理解されたのか。あの孤島での大きな消耗と補給難、これを続けるために他方面の航空兵力の減少とか、艦隊の作戦行動に及ぼす影響などを、はたしてよくよく勘案されたものだろうか」

と書いている。

富岡もまた、

「ミッドウェーに関して、私は不遜《ふそん》ながら、山本さんは大戦略構想を知らざるものと思った。第二段作戦は、先《ま》ず米濠遮断をやるべきだったと、今でも思っている」

と言っている。

富岡や三代に較《くら》べると、軍令部の反対といっても、伊藤軍令部次長や福留第一部長は、少し腰が弱かったようである。

それというのが、富岡や三代は、山本との個人的接触が浅かったのに対し、福留繁は、山本が昭和十四年に聯合艦隊に着任した時の「長門」の艦長であり、そのあと聯合艦隊司令部へ上って、参謀長として山本に仕えているし、伊藤整一は、山本が在米武官の時、駐在員としてアメリカへ行き、勉強の仕方まで教えられた仲であり、しかも、福留のあと宇垣の前に、短期間ではあるが、やはり聯合艦隊参謀長をつとめている。

　三和義勇や渡辺安次が、山本の人間的魅力にすっかり取り憑《つ》かれていたように、伊藤も福留も、かつてのその人間的な接触のゆえに、つい、山本の主張に同情的な見方をする傾きがあったように見える。

　作戦課の反対は、強硬であっただけでなく、理路も整然としていて、渡辺はタジタジの態《てい》であったが、やがて彼は、

「長官の決裁された案を、作戦課の反対だけで引っ込めるわけには行かない。上層の意見も聞かなくちゃあ、帰れない」

　と言い出し、それではというので、議論を福留第一部長の部屋へ持ちこむと、福留は渡辺の主張は全部聞き、三代の反対論は途中で遮《さえぎ》って、

「まあそう言わずに、折角の聯合艦隊の要望案なのだから、なるべくその要望を、研究してみようじゃないか」

　と言い出した。

　そして、その「研究」の結果をもとに、四月五日、軍令部の作戦室で、伊藤次長も出席して再び激論になった時、渡辺安次は中座して、呉経由で「大和」へ電話をかけ、中央の空気を伝え、山本の意向を聞き、席へ帰って来ると、

「長官の御決意は固く、お考えは変りません」

　と、列席の一同に伝えた。

福留少将は、次長の伊藤整一に向って、

「山本長官がそれほど仰有《おつしや》るのなら、お委《まか》せしましょうか」

と伺いを立てた。

伊藤は黙って頷《うなず》き、三代は急に涙が出て来て、顔を伏せてしまったという。永野軍令部総長には、異議が無かった。

ところで、その前日の四月四日は、山本の数え年五十九歳の誕生日にあたり、柱島の「大和」へは、海軍省人事局の大野局員が、長官への勲一等加綬《かじゆ》の旭日《きよくじつ》大綬章と功二級の金鵄勲章《きんしくんしよう》とを持って、訪れて来ていた。

山本は、

「こんなもの、貰《もら》っていいのかなあ」

と言い、金色に光る金鵄勲章を眺《なが》めて、

「羞《は》ずかしくて、こんなもの、つれやせん」

と言っていたそうである。

開戦以来、彼は自分の眼では、未だ一度も敵の艦隊も飛行機も見たことはないので、これは必ずしも謙遜ではなかったであろう。

この日、山本は東京の堀悌吉に宛てて、

「前略

武井歌の守《かみ》　呉まで来ながら風邪《かぜ》にて来隊せず残念　同氏に頼んで次官室金庫に入れたものの内容は何でもないが　一つは昭和十六年一月七日認《したた》めたもので布哇作戦と聯合艦隊長官更迭の事を及川に話して置いたのを覚書の様にして書いたもの
一つは昭和十四年五月頃憲兵につけられた時に書いたもの
一つは昭和十六年十二月八日認めたごく簡単なもの（家庭の事など何もない）
一つは金若干封入のもの
右を一の袋に入れ必要の場合堀中将に交付の事を依頼しあり
今日東京から使が勲章を持つて来て驚いた　第一線で働いたものは何と感じて居るだろう　慙《ざん》愧《き》に堪《た》えぬといふ言葉があてはまるだろう　まさか高松宮様の様に賞勲局総裁を呼んでおこるわけにも行かないだろうし
　　四月四日　　　　　　　　　　　　　　山本五十六
堀兄」

という手紙を書いている。

経理局長の武井大助が、呉まで出張して来たのに、風邪で熱を出し、「大和」へ来られなくなったので、山本はこの時右の袋を呉へ届け、武井に託して東京へ持ち帰ってもらい、海軍省の金庫に保管を依頼したのであった。

何気なく書いてあるが、この書簡の前段は、山本の一つの遺書、「述志」と見られるもので、

「必要の場合」というのは、むろん自分が死んだ時という意味である。

その内容については、すでに触れた部分もあるが、あとは、彼の死後、次官の沢本頼雄の手で金庫が開かれて堀がそれを見る時まで、保留しておきたい。

上京中の渡辺戦務参謀は、その二、三日後、「大和」へ帰って来たが、この山本の誕生日からちょうど二週間後の、四月十八日の昼過ぎ、東京は突然、アメリカの爆撃機の空襲を受けた。

「和光」の丹羽《にわ》みちは、店のマッチの字を書いてもらったあと、一度、かねて腹にたまっていた梅龍の千代子のことで、山本にさんざんえげつないことを言い、それきり二年近く往き来が絶えていたが、開戦後、いても立ってもいられない気持になり、「長門」へ手紙を出し、それでこの古い新橋芸妓《げいぎ》と山本との文通が復した。三月十一日付の彼女の手紙への返書で、山本は、

「(前略) 商売が御繁昌なれば夫《そ》れで結構〳〵。かうなるとあまりいふ事も話す事もかく事もない筈《はず》だから之《これ》で左様なら。

と言つてもよいのだが一寸《ちよつと》心配なのは開戦わづか三月余だのに一度も空襲がないとて安心したり、山本さんに感謝したりして居る人が大分あるが夫れは大きな間違で敵の来ないのは山本さんなどのせいではない。全く敵のせいだから感謝するなら米国へしたらよい。若《も》し思ひきつて突込んで来れば東京などはとても防げるものではない。(中略) 其時に見当違ひに海軍は何をしてるんかアーンなどと言つてもこちらは知らぬ顔 はせぬが困りまアす。まあ財産やいのちの半分位は出来たら郊外へでも置くのが安全。

第一段作戦といふのは小供の時間でもうそろそろ終り之から大人の時間となりますからこちらも居眠りからさめてそろ〳〵やりますかね。(後略)

美つちやん　五」

と書いているが、その「一寸心配な」ことが起ったのであった。

それは、ウイリアム・ハルゼー中将の率いる「エンタープライズ」と「ホーネット」の二隻の航空母艦、四隻の巡洋艦、八隻の駆逐艦から成るアメリカの機動部隊で、空襲を実施したのは、「ホーネット」搭載《とうさい》のB25十六機、指揮官は、陸軍中佐のジェームス・ドゥーリットルであった。

B25は、米国陸軍の双発中型爆撃機で、発艦は辛《かろ》うじて出来るが、航空母艦へ下りることは不可能なので、爆撃後は中国大陸へのがれて、蒋介石《しょうかいせき》軍の手中にある飛行場へ着く予定になっていた。

空母に陸軍の軍人と、大きな陸軍の爆撃機を積んで空襲を行うという戦法は、少なくとも日本では誰も想像し得なかったもので、アメリカの機動艦隊も、この時機には、戦争末期のような一方的な傍若無人の行動することは出来ず、これは艦隊の安全を保して、遠距離の洋上から飛行機を放つための苦肉の策であった。

本州の東方洋上に出ていた哨戒艇《しょうかいてい》の第二十三日東丸は、その朝六時三十分に、犬吠岬《いぬぼうざき》の東六百五十浬にアメリカの航空母艦二隻がいることを発見して、無電を発しているが、この位置から艦載機が本土空襲に出ることは常識上不可能で、相手のこの後の行動を見守ることにしているうちに、日本は完全に意表を衝《つ》かれた。

第二十三日東丸は、アメリカの巡洋艦「ナッシュビル」に沈められた。

ドゥーリットルの爆撃隊は、東京を去る六百六十八浬で「ホーネット」から発艦を始め、数群に分れて、東京のほか、川崎、横須賀、名古屋、四日市《よっかいち》、神戸《こうべ》などを空襲した。「エンタープライズ」は機動艦隊自体の直衛にあたって、その艦載機は一機も日本へ向わなかった。艦隊は、B25十六機の発艦を了《お》えると同時に、東方へ避退を開始した。

機動艦隊司令長官のハルゼーは、悍馬《かんば》の如き猛将で、戦争中、

「Kill Japs, kill Japs, kill more Japs !」(日本人を殺せ、日本人を殺せ、日本人をもっともっと殺せ)

と言った彼の言葉は有名であるが、米海軍の上級指揮官の中で、最も強く「山本のこん畜生」と思っていたのも、この人であったろう。

ハルゼーは、昔、セオドール・ルーズベルト大統領の時代に少尉で横浜に入ったことがあるし、その後も軍艦に乗って幾度か日本を訪れたことがあるらしく、日本政府から贈られた何かの勲章を持っていた。

その勲章を彼は、

「東京の空から奴らに突っ返して来い」

と言ってドゥーリットル中佐に渡した。

空襲の前日、それはほかの米海軍将校たちの持っていた日本の勲章と一緒に、「ホーネット」

の飛行甲板で五〇〇ポンド爆弾の尾部にくくりつけられ、翌十八日東京の何処《どこ》かに投下された。ドゥーリットル爆撃隊の空襲の被害は、それほど大きなものではなく、日本側では、ドゥーリットルでなくてドゥ・ナッシングだったなどという地口《じぐち》も行われたが、その心理的効果は、決して小さくなかった。

永野修身が、軍令部の作戦室の大机のまわりを、

「これではならぬ、これではならぬ」

と呟《つぶや》きながら、ぐるぐる廻っていたという話もあり、空襲後の四月二十九日、丹羽みちに宛てた手紙の中で、山本は、

「東京もたう／＼空襲を受けまことに残念でした。勿論《もちろん》あんなのは本当の空襲などといふ丈《だ》けのものではないが今の東京の人達には丁度よい加減の実演だつたと思ひます」

と書いているが、実際は彼もまた、相当のショックを受けていたようである。

古賀峯一宛の書簡（五月二日付）の中では、

「先月十八日の空襲には相当自信ありて占めたりと思ひしところうまうまとしてやられたる形にて恐縮に候

大した事はなかりしとは言へ帝都の空を汚されて一機も撃墜し得ざりしとはなさけなき次第にて拙劣なる攻撃も巧妙なる防禦《ぼうぎょ》にまさる事を如実に示されたるを遺憾とするもの」

と言っている。

ミッドウェー作戦は、軍令部がそれを呑《の》んだあとも、作戦発動の日時に関しては、未だ懸案中ということになっていたが、このことのために、それが早められた——少なくとも先へ延ばそうという議論が、姿を消してしまった。

五

この、ドゥーリットルの本土空襲のあった日の朝、南雲忠一の指揮する日本の機動部隊は、印度洋での作戦を了《お》えて、バシー海峡を、間もなく台湾の陸影が見えるところまで、帰って来ていた。

乗組の将兵が、故国の土を踏むのは、ちょうど三ヵ月ぶりであった。

指揮官の器量がどうあろうと、真珠湾以来この四カ月半の、南雲艦隊の勇戦は、記紀に見える倭建《やまとたける》の物語のような、まことに目ざましいものがあったと言わねばなるまい。

その航程は五万浬に及び、南へ下ってはラバウル、ポート・ダーウィンを空襲し、中部太平洋へ出て、マーシャル群島来襲の敵機動部隊を追い、更に、遠く西へ印度洋に進出して、セイロン島のコロンボとツリンコマリを襲った。

常に、ほとんど一方的な勝利の戦であった。

四月九日、ツリンコマリ港外に、英国の航空母艦「ハーミス」を沈めた時などは、攻撃隊の指揮官江草隆繁大尉からの、

「突撃準備隊型作レ」

という無電が旗艦の「赤城」に入って来、「ハーミス」の電話が、

「『ハリケーン』出発セシヤ、『ハリケーン』出発セシヤ」

と、ツリンコマリ基地を呼んでいたのが途絶えて、

「全軍突撃セヨ」

つづいて、

「『ハーミス』左ニ傾斜」

「『ハーミス』沈没」

「残リ駆逐艦ヲヤレ」

「駆逐艦沈没」

「残リ北ニ上レ、大型商船ヲヤレ」

「大型商船沈没」

と、その間わずかに十五分であったという。

ただ、これらの作戦期間を通じて、淵田美津雄は、「果してこれでいいのか」ということを、屢々《しばしば》考えたと言っている。

それは彼らが、自分たちの当面の、最大最強の敵であるアメリカの機動艦隊をさしおいて、牛刀を以て雞《とり》を割《さ》くような任務にばかり、奔命させられているのではないかという疑問であった。

彼らはまた、聯合艦隊司令部のあり方についても疑問を持っていた。

もし、全般作戦の指導上、中央と密接な連絡を取って広い視野で戦局を眺《なが》めていることが必要だというなら、司令部は、アメリカ太平洋艦隊の司令長官と司令部とがそうしているように、陸へ上ればいい。ほんとうに指揮官先頭を考えているのなら、山本長官以下、機動部隊と行動を共にすればいい。それを、陣頭指揮という東郷平八郎の亡霊に取《と》り憑《つ》かれて、柱島泊地で、どっちつかずに世界一の戦艦「大和」に腰を据えているのでは、文字通りの遊兵ではないかというのであった。飛行機乗りの多くは「大和」以下の戦艦群を、「柱島艦隊」と、冷笑の思いで呼んでいた。

もっとも「亡霊に取り憑かれ」るといっても、それは海軍一般の空気がそうだったという意味で、山本自身は東郷にある種の反撥《はんぱつ》を感じていたらしい。東郷という人は、長年の間に、日本海軍にとって、何となく天日の如き存在となってしまい、日本海海戦でのその武勲は高く評価されねばならぬとしても、実際には困る面が多々あったようである。井上成美の一等大将と二等大将の区分では、東郷平八郎は、一等大将に入っていない。

山本が次官時代の話であるが、女たちと徹夜麻雀《マージャン》のあと朝早く、中村家《や》の古川敏子が、

「きょうはわたし、これから成田さんにお詣《まい》りに行って来なくちゃ」

と言い出すと、何しに成田さんへ行くんだと山本が聞いた。

敏子は開運の願い事か何かあって、それを話すと、山本は、

「なんだ。それなら手近に東郷神社があるじゃないか。まわりの人にみんなやってもらって運がよくなりたいんなら東郷神社へ行けよ。東郷さんくらい運のいい人はいやしない」

と言った。

「まわりの人」というのは、多分日本海海戦の時の東郷の幕僚加藤友三郎や秋山真之のことであろう。

鶴島正子は、昭和十三年の秋佐世保で料亭「東郷」を始める時、名前をいただくのだからと東京へ出て来て、東郷元帥のお墓詣《はかまい》りをしたいと山本に言ったが、山本は、

「なんだ、人の墓なんか行って何になる。やめとけやめとけ」

と相手にしなかった。

「聖将東郷平八郎」に対して山本五十六や井上成美が一種の反感を持っていたのは、運がよかった悪かったよりも、ワシントン軍縮会議以後東郷が小笠原長生《ながなり》とか加藤寛治《ひろはる》とかいう取り巻きの連中に利用され、次第に強硬派と同じ言動を見せることが多くなっていたからである。

誠忠の士で、もともとは合理的な頭の持主だったのであるから、取り巻きがよかったら東郷さんもあんな風にならずもう少しフレクシブルな面を出せたろうにと、こんにちでも旧海軍軍人の中のある種の人々はそう言って残念がっている。

五・五・三の比率問題で下村正助中将が東郷元帥に諒解《りょうかい》を求めに行った折、

「ああいう船をスクラップにするなどということは絶対ならん」

と、東郷は軍令部あたりの勇ましい少壮将校と同じような反対意見をひどい権幕で述べ立てた。

下村は、

「オイ、東郷さん大分いかれてるよ。年も年だけど、大きな世界情勢というものがつかめなくな

っておられるんじゃないかな」

と言っていたそうである。

それはそれとして、ハワイ作戦の目的は、アメリカの艦隊を六カ月間真珠湾から出られないようにするということであったが、「大和」や「長門」の日本の主力部隊も、ミッドウェー作戦まで、まる六カ月間、ほとんど柱島の泊地を動かなかった。傷ついているかいないかだけの相違で、動かず、役に立たなかった点では、双方とも同じことであった。

「柱島で、毎日大砲撃つ稽古《けいこ》してる言うて、一体何に向ってその大砲撃つつもりやったんか」

と、淵田は言っている。

コロンボ、ツリンコマリの空襲を終って、バシー海峡を故国へ向いつつあった南雲艦隊は、本州東方に米空母出現、東京空襲の報を聞くと、命によって、全速力でその攻撃に向ったが、距離が遠すぎて間に合わず、ハルゼー艦隊は早く反転して東へ去り、それで南雲部隊の各艦は、戦闘態勢を解いて、それぞれの母港に帰投した。

疲れた艦隊には、乗員の入れ替えと充分の休養とが必要であったが、彼らは三カ月ぶりに日本へ帰って来て、初めてミッドウェー作戦の構想を聞かされ、間もなく、また東へ出撃しなくてはならないことを知らされた。

近藤信竹中将の指揮する重巡「愛宕《あたご》」以下の第二艦隊も、同様、南から帰って来て、初めてミッドウェー作戦について聞かされた。

発動の時機は既に決定していて、彼らには、作戦の延期を主張することも、作戦案を検討して疑義を正す余地も、ほとんど残されていなかった。

実際の戦争をして来た機動艦隊側には、多くの不満と不安とがあったと想像されるが、ただ今度の作戦では、宿敵であるアメリカ艦隊との洋上決戦が起る可能性が強く、ミッドウェー島の攻略よりも、どちらかと言えばその方が主眼で、そうとなれば、これは最も望む戦、そして、全勝無敵の南雲艦隊として、「鎧袖《がいしゅう》一触」の戦であると、大部分の者はそう信じて疑わなかったようである。

聯合艦隊司令部の肩を持つ人々は、この頃には、南雲中将以下、機動艦隊の将士の心が、もう驕《おご》りに驕っていたというし、艦隊側の人々は、聯合艦隊司令部の独断と驕慢《きょうまん》とが、既に度し難いものになっていたように言う。

五月一日から四日間、「大和」の艦上で、この作戦の図上演習が行われた。

連戦連勝の大艦隊の図演で、お偉方が綺羅星《きらぼし》の如く集まって来た。現在海上自衛隊横須賀地方総監部の副総監藤平卓《ふじひらたくし》は、当時戦艦「山城《やましろ》」の分隊長で、毎日艦長の鞄持《かばんも》ちで内火艇に乗って「大和」へ通《かよ》っていたが、彼の話では食事の時などどこもかしこも満員、中将の後任級は長官公室へ入れず士官室で飯を食っている、少将はガンルーム、大佐クラスはデッキで親子丼《おやこどんぶり》の立ち食いといった有様であったという。

藤平は「山城」の副長から、

「図上演習の内容はどんな上の人から聞かれても一切言っちゃならんぞ」

と厳命され、自分の艦へ帰ると鞄を金庫におさめて鍵《かぎ》をかけることにしていた。

そのくせ副長は、

「オイ、大体どんな構想になっとるか？」

と藤平に訊《たず》ねたりした。

統監兼審判長は、聯合艦隊参謀長の宇垣纏であった。アメリカの陸上機が日本の航空母艦群に爆撃を加える場面になり、統監部員の奥宮正武少佐が、爆撃命中率を決めるためにサイコロを振り、演習審判規則に従って、「命中弾九発」と査定すると、宇垣がそれを制して、

「待て。今の命中弾は、三分の一の三発とする」

と言ったという話が、奥宮と淵田の共著の戦記「ミッドウェー」に出ている。

そのため、沈没するはずの「赤城」が小破になり、それでも尚《なお》、「加賀」の沈没は決定的となったが、しばらくすると、沈んだ「加賀」も、もう一度浮き上って、次の作戦行動を開始したりした。

淵田美津雄は、

「この様な統裁振りには、さすが心臓の強い飛行将校達もあっけにとられるばかりであった」

と書いている。

一方、機動艦隊や攻略部隊の方でも、ある水上機隊は、

「六月中旬以降当隊宛ノ郵便物ノ転送先ハ『ミッドウェー』トセラレタシ」

という、不用意な、作戦の不成功など考えたことも無いような事務電報を発信しているし、戦闘場面に突入する直前の、南雲長官の情況判断報告には、

「敵ハ戦意乏シキモ、我ガ攻略作戦進捗《シンチョク》セバ出動反撃ノ算アリ」
との一項目があった。敵が戦意に乏しいというのは、何を根拠にしての話か、実際はアメリカは、烈《はげ》しい闘志を燃やして待ち構えていたのであって、要するに南雲忠一の鼻がむやみに高くなっていただけとしか考えられない。

山本五十六自身の気持が驕《おご》っていたということは、私は誰からも聞かされたことがないし、それを示すような事実も見出すことは出来ないが、少なくとも客観的現象として、この時機には彼はもう、東郷と並ぶ日本海軍の英傑、作戦の神様になりかかっていた。

山本の主張することなら、仕方がないし、多分まちがいもないだろうという思いが、結局、軍令部作戦部をふくむ全海軍を支配したように思われる。

山本は実際は、ミッドウェー作戦には賛成していなかったという説がある。

聯合艦隊水雷参謀の有馬高泰《たかやす》は、山本の死後、千早正隆に、

「長官は、ミッドウェーは、ほんとは反対だったんだ。これだけは覚えておいてくれ、千早君。自分たちが苦心して作り上げたミッドウェー作戦案を、長官自身の意志だと言い張ったのは、参謀たちだった」

と言ったことがあるという。

有馬参謀のこの言葉は一つの謎《なぞ》である。真珠湾の時には幕僚たちの反対意見を却《しりぞ》けてあれほど強硬に自分の考えを押し通した山本が、ほんとうにミッドウェー作戦に不賛成だったのなら、何《な》故《ぜ》はっきりとそれを言わなかったか。部下への情に溺《おぼ》れるようになってしまったのか、それとも

有馬がミッドウェー敗戦の山本の責任をかばい、幕僚の一員として自分らでそれをひっかぶろうとしたのか、有馬高泰は戦後病気で亡《な》くなり、こんにちでは確かめてみる術《すべ》が無い。

山本はミッドウェーの戦の終ったあと、作戦に関して弁解がましいことを一と言も口にしなかった。しかし朝日新聞の黒潮会記者であった杉本健は、

「仮に立場を変えて、他の者が聯合艦隊司令長官で、ミッドウェーの失敗をやったら、山本はさぞ、こっぴどい批判を浴びせたにちがいない」

と言っている。

六

「奉勅
軍令部総長永野修身
山本聯合艦隊司令長官ニ命令
一、聯合艦隊司令長官ハ陸軍ト協力シ『ミツドウエイ』及『アリユーシヤン』西部要地ヲ攻略スヘシ。
一、細項ニ関シテハ軍令部総長ヲシテコレヲ指示セシム」
という、いわゆる「大海令」が出されたのは、昭和十七年五月五日、端午《たんご》の節《せつ》の日であった。

陸軍は初め、この作戦には参加しないと言っていたが、のちに参加を申出で、一木支隊一個聯隊約三千人の陸兵が、ミッドウェー攻略に向うことになった。

「大海令」というのは、大本営海軍部命令、形式だけではあるが、天皇の勅を奉じて発せられる

命令で、「ダイカイレイ」という言葉を聞くと、海軍士官は、電気にかけられたようになったものであるという。これは前述の通り、むろん開戦の時にも出ている。昭和十六年十一月五日、開戦の場合の作戦準備完整を命じたのが「大海令」第一号で、ミッドウェー作戦の「大海令」は、第十八号であった。

瀬戸内海は新緑の季節で、宇垣の「戦藻録」には、

「五月五日　火曜日　晴

征戦途上男の子の節句を迎ふ。鯉幟《こひのぼり》の影も見るに由なし。島影正《まさ》に新緑酣《たけなは》なり。

日一日島影青く浮びけり」

とあるが、この日の夕刻、伊予灘《いよなだ》で訓練射撃中の戦艦「日向」は、第五砲塔が爆発し、死者五十一名、重傷者十一名を出すという、ミッドウェー作戦の不吉を暗示するような事故を起した。

また、この日から二日後の五月七日、ラバウルを出て、ポート・モレスビー攻略に向いつつあった輸送船団護衛の空母「祥鳳《しょうほう》」は、アメリカ機動部隊艦載機の先制攻撃を受けて沈没した。「祥鳳」は、潜水母艦「剣崎《つるぎさき》」を改装した一万一千トンの小型空母であるが、戦争中アメリカ海軍が撃沈した最初の日本の航空母艦となった。

南雲艦隊の六隻の制式空母のうち、「瑞鶴」「翔鶴」の二隻は、この時この方面の海域に分派されて、第四艦隊司令長官井上成美中将の指揮下に入っていたが、翌五月八日、この二杯は、アメリカの航空母艦「レキシントン」「ヨークタウン」の二隻とわたり合い、「レキシントン」を沈め、「ヨークタウン」を大破した。

日本側も「翔鶴」が「ヨークタウン」と同程度と思われる被害を受けて、作戦行動が不能になった。しかし「瑞鶴」は無傷で、柱島で経過を見守っていた山本と彼の幕僚たちは、井上長官に、残存敵艦隊に対する追い撃ちをかけさせようと躍起になったようであるが、井上は「翔鶴」がやられると間もなく、モレスビー攻略も、追撃戦も共に中止してしまった。

これが「珊瑚《さんご》海《かい》海戦」で、前の「スラバヤ沖海戦」「バタビヤ沖海戦」を以て前近代海戦が終ったとすれば、珊瑚海の海戦は洋上、機動艦隊同士の近代海戦の始まりであったと言えよう。

ただ、聯合艦隊司令部では、井上成美の措置について、憤激する者が多かったという。井上が、軍政家としては定評がありながら、用兵家として色々批判のある所以《ゆえん》であるかも知れないが、高木惣吉は巷間《こうかん》伝えられるところとは別の見解を示している。高木はその著「太平洋海戦史」の中で「スラバヤ沖海戦」の昼戦の追撃中止を取り上げ、

「勝者が敗者と共に戦場を後に退却した史上の珍らしい一例である」

と書いた人であるが、この場合は事情がちがうという。充分な索敵が実施出来ず敵との距離が不明で、ジェスチャとしてがむしゃらに突っこんで行くなら別だが、第四艦隊のとった処置はやむを得ないものだった、それをあとあとまで、まるで井上の戦意不足か卑怯《ひきょう》の振舞いのように言い立ててケチをつけたのは、昔堀悌吉が呉淞《ウースン》砲撃問題でケチをつけられたのとよく似ている、要するに「新軍備計画論」で井上を中央から追い出した強硬派が、いい機会とばかりに彼を中傷したに過ぎないというのである。

もっとも、個々の事情を別にして言えば日本が徹底的な追撃戦を展開して戦果を拡大したとい

う海戦は、他にもほとんどその例が見あたらない。

ハワイの時もそうでなかったし、「スラバヤ沖海戦」の時もむろんそうでなかった。

これは単に指揮官個人の問題ではなく、よく言えばしつこくない、悪く言えば粘りの無い、私たち日本人の国民性のあらわれであったかも知れない。

五月五日の「大海令」が出て、各部隊は着々とミッドウェー及びアリューシャン行きの準備を始めた。山本も、この度《たび》は「大和」に乗って、支援部隊として出かけるつもりであった。

しかし、真珠湾の時に較《くら》べて、機密保持の面は、極《きわ》めてルーズであったようである。呉軍港は、出船入船で戦場のような様相を呈し、北へ向う航空母艦「隼鷹《じゅんよう》」「龍驤《りゅうじょう》」のランチは、半ば公然と、夥《おびただ》しい数の防寒被服を積みこんでは、岸と母艦との間を往復していたし、呉の床屋が、

「今度は、大分大けなことをやられるそうですのう」

と、海軍士官の頭を刈りながら言ったという話もある。田結穣《たゆいみのる》は、「噂《うわさ》の方が公文書よりも先に伝わって来る、へんな事だと思った」と言っている。

一方、ハワイのホノルルの町でも、五月の中旬には、日本の艦隊がミッドウェーに来るという噂が流れていた。

しかし、心の驕《おご》りというが、心の驕りと自信の深さと、よしあしの差は紙一重の点もあり、日本海軍の慢心がミッドウェーの失敗を招いたというのは、一面の真実に過ぎまい。

アメリカ側から言えばミッドウェーの成功は再び暗号解読の勝利、情報綜合力《そうごうりょく》の圧倒的勝利と

いうことになるであろう。

ハワイの米太平洋艦隊の司令部では、司令長官のチェスター・ニミッツ大将以下、日本のMI、AL作戦に関しては、早く察知していた。

デーヴィッド・カーンの著書には、失われた西太平洋の支配権を一挙に奪回するため、アメリカは強力な秘密兵器を準備していて、その秘密兵器はパール・ハーバーの海軍工廠《こうしょう》内第十四海軍区司令部の窓の無い細長い地下室にあったという意味のことが書いてある。それがジョセフ・ロシュフォート少佐を長とする米国海軍の暗号解読班であった。

日本側の記録によれば、軍令部は五月一日付で「呂暗号」の使用規定、乱数表の全部を改変している。変えたばかりの無限乱数暗号がただちに解かれてしまうというのは、スパイを入れてコピイを盗《と》らない以上、暗号の常識として不可能と思われるが、ただ一つ、この年の一月に、機雷敷設の任務を帯びて濠洲方面を行動中の「伊一二四」潜水艦が、帰途消息を絶つ事件が起っているのは、この問題を考える上で興味のあることであろう。

第六艦隊（潜水艦艦隊）の司令部でも聯合艦隊司令部でも、これを、約一カ月後に、行衛《ゆくえ》不明になったものとして処理し、それ以上の心配は何もしなかったのであるが、事実は「伊一二四」潜は、一月二十日の夕刻、ポート・ダーウィンの沖でアメリカの駆逐艦「エゾール」とオーストラリヤ海軍のコルヴェット艦三隻の包囲攻撃を受けて沈没したのであった。

現場は水深十五メートルの、澄明な、潮の流れも激しくない海で、アメリカ海軍はすぐ潜水母艦から潜水夫を入れて、「伊一二四」の残骸《ざんがい》を切り、艦内の重要書類を引き揚げさせた。その中には商船暗号書をふくむ海軍の暗号書が何種類かあった。

原物を手に入れて、しかも相手にその事を悟られていなければ、暗号は解くも解かぬもない話で、少なくともこれ以後海軍の暗号電報のかなりの部分がアメリカ側に読まれるようになったろうし、五月一日の改変後も解読の有力な手がかりとなり得たろうと想像される。

しかしカーンの本には、日本の第一段作戦があまりに急速に進展したので暗号書の配布が間に合わなくなり、五月一日改変の予定は六月一日に延期されたとある。そしてロシュフォート少佐の部隊を中心とする連合国の解読班は、ほとんど正攻法だけで日本海軍の主だった暗号電報の九十パーセントを読めるようになったと言っている。

いずれが真相であるかは分らないが、ともかく彼らが、中部太平洋において日本の大攻勢の時期が迫っていることを、五月の初めには暗号を読んで知ってしまったのは事実であろう。

ただ、作戦計画の全貌《ぜんぼう》が次第につかめて来てからも、電文の中の「ＡＦ」という地点符字が果してミッドウェーを指すものかどうかには、一抹《いちまつ》の不安があったらしい。万一「ＡＦ」がミッドウェー以外のところであった場合は、邀撃《ようげき》態勢に大きな錯誤を犯すことになるので、ロシュフォートの発案で彼らは、

「『ミツドウエー』島ハ蒸溜《ジョウリュウ》施設故障ノタメ真水ノ欠乏ヲ来《キタ》シツツアリ」

という平文電報を発信してみた。

日本海軍で敵信傍受の中枢になっていたのは、埼玉県の平林寺《へいりんじ》の近くにある、野中の大和田海軍通信隊であったが、大和田通信隊はすぐ、この米軍の平文電報を捕え、「ＡＦ」に真水が欠乏

しているそうだという暗号電報が、作戦参加の各部隊に出され、日本は特に、攻略部隊に水船を追加するという処置まで取って、これで「AF」がミッドウェーであることを、アメリカ側に確認させた。

山本が次官時代、水から油が取れるという怪しげな話にひっかかって、「発明家」にその実験をやらせた折、立ち会った石川信吾は、この時軍務局第二課長のポストにいたが、彼は「飛龍」艦長の加来《かく》止男《とめお》大佐と兵学校同期で、五月のある日、加来が石川の娘の結婚式に上京して来た時、

「おい、ミッドウェーとは何だい？　勝って新聞賑《にぎ》わすだけで、負けたら大変なことになるぞ。東京じゃあ、みんな反対なんだ。貴様、何と思って出て行く？」

と不平を言った。

加来は、

「うん。今度はもう、貴様とも会えないかも知らんな。後事を頼むよ」

と、あまり気勢の上らぬ様子で、

「俺《おれ》も、この作戦は無理だし、無意味だと思ってる。しかし、山本さんが頑張《がんば》るから、やむを得ないんだ」

と言った。石川が、

「どうしてそれを、長官に言わない？　航空母艦の艦長ともなったら、それくらいはっきり言って、山本さんを諫《いさ》めたらいいじゃないか」

とつづけると、加来はまた、

「とても言えやしない。言っても聞いてもらえるもんじゃあない」

そう言った。

その次の日、石川は新橋で、南雲忠一とも会食した。

「南雲さん、ミッドウェーとは、一体何ですか？　何故山本さんに言って、やめさせないんですか？」

と、石川は同じ不満を述べた。南雲は、

「分ってるよ。しかしな、この前ハワイの時、俺は追い撃ちをかけなかった。そうしたら山本は、幕僚たちに、見ろ、南雲は豪傑面《ごうけつづら》をしているが、追い撃ちもかけずにショボショボ帰って来る、南雲じゃ駄目《だめ》なんだと、悪口を言った。今度反対したら、俺はきっと、卑怯者《ひきょうもの》と言われるだろう。それくらいなら、ミッドウェーへ行って死んで来てやるんだ」

と、山形訛《なま》りで答えた。

石川は、戦後、

「堀中将を首にした遺恨とはいえ、山本さんは、どうしてあんなに南雲長官をいじめなくてはならなかったのかと思う」

と言っている。

石川はまた、アメリカ側が真珠湾攻撃を、「相手の横面を張って激昂《げっこう》させただけの作戦」と評していることなど引合いに出し、山本は軍政家としては傑出していたが、用兵家としては、きんたま握りの幕僚ばかり可愛がって、ハワイもミッドウェーも皆失敗で、一つも及第点はつけられないとも言っている。

石川信吾は、かつて加藤寛治を親玉に、南雲忠一たちと一緒になって、大いに軍縮条約反対の気勢をあげたいわゆる艦隊派の一味の人で、彼の話は多少その点を考慮して聞く必要があるであろうし、南雲と山本の関係については、山本はそんなに度量の小さい人ではなかった、少なくとも開戦後は山本はむしろ南雲をかばっていたという説もあるが、山本の死後、山本に眼をかけられた参謀たちが、皆、作戦の中枢からはずされ、いくらか左遷状態に置かれたのは事実である。

出撃を二週間後にひかえた五月十三日の朝、「大和」は柱島を抜錨《ばつびょう》して、修理と補給のために、昼すぎ呉に入港した。

これから六日間の呉在泊の間に、司令部の幕僚たちも、「大和」乗組の士官たちも、希望者はみな、呉へ細君を呼び寄せて、別れの幾夜かを過した。これは、入港時の慣例であって、別に不思議はないが、真珠湾出撃の直前には、こういうことは行われていない。

山本も東京の千代子に、出て来いといって、その日のうちに何度となく電話をかけたようである。

千代子は、三月の中旬から肋膜炎《ろくまくえん》を患《わずら》い、病状が重く、ドゥーリットルの東京空襲のころは、一時医者にも見はなされたほどで、未だ絶対安静の状態がつづいていたが、とうとう意を決し、死んでもいいというつもりで、その晩、抱きかかえられるようにして、下関行の夜汽車に乗せてもらった。

咳《せき》がひどく、列車の中で附添いの大井静一という医者に何度も注射をうってもらいながら、翌日の午後呉に着くと、プラットフォームには、背広に眼鏡をかけマスクをした山本が待っていた。山本は、例によって彼女をおぶい、駅前に待たせてあった車のところまで連れ出した。

二人は、呉の吉川という旅館に入り、呼吸困難の千代子は、注射をつづけながら、此処《ここ》で山本と四晩を過したが、これがこの二人の、最後の出あいになった。

「この下に宇垣がいるんだよ」

と山本は言っていたが、人眼をはばかる様子も無く、痩《や》せ細った彼女を横抱きにして風呂へ入れたりしたそうである。

彼女が東京へ帰り、「大和」が柱島へ帰ったあと、山本は五月二十七日付で、

「あの身体で精根を傾けて会ひに来てくれた千代子の帰る思ひはどんなだつたか。(中略) 私の厄を皆ひき受けて戦つてくれてゐる千代子に対しても、私は国家のため、最後の御奉公に精根を傾けます。その上は——万事を放擲《ほうてき》して世の中から逃《のが》れてたつた二人きりになりたいと思ひます。

二十九日にはこちらも早朝出撃して、三週間ばかり洋上に全軍を指揮します。多分あまり面白いことはないと思ひますが。今日は記念日だから、これから峠だよ。アバよ。くれぐれもお大事にね。

うつし絵に口づけしつつ幾たびか千代子と呼びてけふも暮しつ」

という手紙を書いている。

「記念日」というのは、海軍記念日のことだが、「これから峠だよ」は、何の意味か、はっきり

しない。

しかし、少し前の珊瑚海の海戦の時には、古川敏子に、

「けふは東の方で、三翻《サンファン》にはならなくとも両翻《リャンファン》ぐらゐのことをやつてゐるはずです」

という気楽な手紙を出した山本が、五月二十七日のこの河合千代子あての手紙では、「私の厄を皆ひき受けて戦つてくれてゐる」とか、「多分あまり面白いことはないと思」うとか、妙に不吉に聞えることを言っているのは、不思議といえば不思議であった。

浦賀船渠《ドック》の社長の堀悌吉は、艦隊がミッドウェーに向けて出撃する前の晩、進水式で船が転覆する、いやな夢を見たと言っていたそうである。

また、五月二十五日、柱島の「大和」で、最後の局部的図上演習が行われた日の昼食に、傭人《ようにん》のコックが、鯛《たい》の味噌焼《みそやき》を出した。

配食の指図をしていた従兵長の近江《おうみ》兵治郎は、思いなしか、その時、山本の眼つきが変ったように思ったという。

船乗りは一体にかつぎ屋であるが、近江は副官から、

「味噌をつけるといって、オイ、こういう時に味噌焼なんか出すもんじゃないぞ」

と叱《しか》られた。

「コックも私たちも、まったく気がつかなかったのだが、長官がもっと癇癪《かんしゃく》持ちの人だったら、鯛の皿を投げつけられたかも知れない」

と近江兵治郎は言っている。

七

山本が千代子に手紙を書いた海軍記念日の、五月二十七日の朝、南雲艦隊の本隊は広島湾を出撃した。

軽巡「長良《ながら》」に率いられる第十戦隊の駆逐艦十二隻が、一本棒になって先頭に立ち、そのあとに第八戦隊の重巡「利根」「筑摩」、第三戦隊第二小隊の戦艦「榛名《はるな》」「霧島」がつづき、「霧島」のうしろに、第一航空戦隊、第二航空戦隊の大型空母「赤城」「加賀」「飛龍」「蒼龍」の四隻が、この順序で走っていた。

豊後《ぶんご》水道を抜けると、艦隊は、航空母艦四杯を中心にした輪型陣に隊形をあらためた。

アリューシャン方面に向う第四航空戦隊の航空母艦「龍驤」「隼鷹」及び重巡「高雄」「摩耶」と三隻の駆逐艦は、角田覚治《かくじ》少将の指揮下に、その前日の五月二十六日、大湊《おおみなと》を出た。

海軍特別陸戦隊二個大隊と、陸軍の一木支隊三千名を乗せた、ミッドウェー占領隊の輸送船十二隻は、第二水雷戦隊の軽巡「神通」以下十一隻の駆逐艦に護《まも》られて、五月二十八日、サイパンを出た。第二水雷戦隊の司令官は、田中頼三少将であった。

同じ日、グアムを出撃した栗田《くりた》健男《たけお》中将の率いる第七戦隊の「鈴谷《すずや》」「熊野《くまの》」「最上《もがみ》」「三隈《みくま》」の四隻の巡洋艦と駆逐艦二隻も、この部隊の直接掩護《えんご》にあたった。

北方作戦全般の指揮にあたる第五艦隊司令長官細萱《ほそがや》戊子郎《ぼしろう》中将も、この日重巡「那智」に乗って大湊を出た。

第二艦隊司令長官近藤信竹中将麾下《きか》の、重巡「愛宕《あたご》」「鳥海《ちょうかい》」「妙高《みょうこう》」「羽黒」、戦艦「比叡《ひえい》」「金《こん》剛《ごう》」、軽巡「由良《ゆら》」と駆逐艦七隻の第四水雷戦隊、及び航空母艦「瑞鳳」駆逐艦一隻の計十六杯は、南雲艦隊に二日おくれて、五月二十九日、広島湾を出撃した。この部隊は、ミッドウェー占領隊と合して一の攻略部隊となり、ミッドウェー島攻略の任務を果す予定であった。

山本五十六大将の直率する戦艦「大和」「長門」「陸奥」の三隻と、その直衛にあたる軽巡「川《せん》内《だい》」及び駆逐艦八隻、航空母艦「鳳翔」及び駆逐艦一隻、第一艦隊司令長官高須四郎中将の指揮する戦艦「伊勢」「日向」「扶桑」「山城」の四隻と、第九戦隊の軽巡「北上」「大井」及び駆逐艦十二隻は、二十九日、近藤部隊につづいて柱島泊地を出た。このうち、高須部隊は、途中、アリューシャン作戦支援に分派されることになっていた。

これは、聯合艦隊のほとんど全兵力で、六カ月前ハワイに向った艦隊の規模をはるかに上廻り、アメリカ太平洋艦隊の全勢力よりはるかに優勢であった。

誰も、この艦隊が負けるかも知れないなどと、想像することは出来なかったにちがいない。

ただ、堀悌吉の進水式の夢や、鯛の味噌焼の話は、結果を知ってあとで思い合せたこととしても、すべてが順目《じゅんめ》に、ついていた真珠湾の時と較べて、この度《たび》はあらゆることが、裏目々々と出、日本の大艦隊は事毎《ことごと》についていなかったように見受けられる。

「赤城」の飛行隊長の淵田は、出撃の前から腹痛を訴えていたが、盲腸炎ときまり、航海中の艦内で手術を受け、戦闘にはついに参加することが出来なかった。

同期の源田航空参謀が、病室へ見舞いに来て、

「今度の作戦のことなんぞ、気に病むな。貴様が無理せんでも、鎧袖《がいしゅう》一触だ。それよりこの次の、米濠遮断《しゃだん》作戦に、また一つ、シドニー空襲を頼むよ」

となだめたというが、その源田実もまた、間もなく高熱を出し、肺炎を憂慮される状態で、艦隊がミッドウェー近くの海域に到達して、やっと起き出して来た時にも、未だ熱っぽい顔をしていた。

あとで書くが、総指揮官の山本五十六も、戦のさ中に、蛔虫《かいちゅう》が原因のひどい腹痛を起して苦しんでいる。

彼が千代子に、「多分あまり面白いことは無いと思ひます」と書いたその根拠は不明であるが、仮にこれを、勝負師の山本が、つきの去りかけているのを悟ったための言葉と考えれば、辻褄《つじつま》が合い過ぎるけれども一つの解釈にはなろう。

マーシャル群島の東の、ウォッジェ基地にいた、海軍の二式飛行艇は、五月三十一日の深夜、真珠湾の状況を偵察する任務を与えられていた。

二式飛行艇は、九七式大艇の後裔《こうえい》で、川西《かわにし》が製作した、四発の、当時世界で最もすぐれた飛行艇であったが、ウォッジェ・ハワイ間の無着水往復は、航続距離の上で無理で、ハワイとミッドウェーの中間に、フレンチ・フリゲート礁という無人の珊瑚礁《さんごしょう》がある、此処《ここ》で味方の潜水艦と出あって、燃料の補給を受けた上、真珠湾へ飛ぶ予定であった。

ところが、補給の潜水艦がフレンチ・フリゲート礁を潜望鏡で覗《のぞ》いてみると、アメリカの水上艦艇が二隻と、飛行艇が二機いて、警戒厳重で、味方の大艇の着水は不可能と分り、それでこの偵察飛行は取りやめになった。

何故この真珠湾偵察が企てられたかというと、聯合艦隊司令部は、ミッドウェー攻略作戦を、相手はまったく察知していないもの、反撃のアメリカ艦隊が出て来るとすれば、真珠湾から出て来るものと判断していたため、パール・ハーバー在泊の艦隊の様子を知りたかったからで、実際はこの時、米海軍はすでに、保有の全兵力を真珠湾からミッドウェー島とその周辺とに移し、万全の態勢をととのえて待っていたのであるから、この偵察飛行が成功すれば、真珠湾がからっぽであることを見出して、少なくとも不審はいだけたはずで、これもついていなかったことの一つであった。

また、一般には小さなことと思われるかも知れないが、給油艦の「鳴門《なると》」が、「大和」と会合出来ず、六月一日、悪天候の中で位置を知らせるために電波を出すという錯誤を冒しているし、「赤城」も変針を下令するために、六月三日、微勢力の電波を出している。こういうことは、十二月の真珠湾の時には、決して行われなかったのであった。

南雲艦隊のミッドウェーでの戦闘については、淵田と奥宮の「ミッドウェー」がほぼ完璧《かんぺき》な戦記であり、このほか、源田実も書いているし、伊藤正徳《まさのり》も書いている。近くはウォルター・ロードの「Incredible Victory」という厖大《ぼうだい》な記録文学作品が刊行され、ロードの日本での取材に協力した実松譲の訳で「逆転」と題する日本語版も出た。ここであらためて多くを記す必要はあるまいが、ミッドウェー島攻略日が六月七日、攻略支援のため機動艦隊がミッドウェー空襲を開始するのが、その二日前の六月五日と予定されていた。

作戦の目的の第一は、ミッドウェー島の攻略、第二は、それによって、ハワイにいる（はずの）アメリカ艦隊を誘出し、決戦を強《し》いることで、目的の大小からいうと、あとの方が大目的であるが、順序としてはこの順序で、一応はっきりしているようでもあるし、もしそのスケジュール通り事が運ばなかった場合、どちらを優先さすのか、少しあいまいなところもあった。そしてこのことが、失敗の原因の一つになったように思われる。

ミッドウェー島の北西二百四十浬《かいり》に達した南雲艦隊は、東京時間で六月五日の午前一時三十分、いつもの通り日出三十分前に、四隻の航空母艦から第一次攻撃隊の発艦を開始した。

飛行機の両翼に赤と緑の航空灯がつき、それが飛行甲板にたくさん重なりあって、美しい光景であったという。

淵田が病気で、総指揮は「飛龍」飛行隊長の友永丈市大尉、編制は、水平爆撃隊、降下爆撃隊、制空隊がそれぞれ三十六機ずつの、合計百八機であった。

しかしこの第一次攻撃隊は、発進直後から、相手の飛行艇につけられてしまった。攻撃隊がミッドウェー島にさしかかると、飛行艇は吊光弾《ちょうこうだん》を落して位置を知らせ、基地の邀撃《ようげき》戦闘機が舞い上って来た。

これに対し、菅波政治大尉の率いる零式艦戦の制空隊は、二機の損失で、グラマン戦闘機四十機以上を撃墜するという、信じられないほどの戦果を挙《あ》げ、爆撃隊に一切手を触れさせなかったが、島の飛行場は、飛行機が悉《ことごと》く退避してしまっていて藻《も》抜《ぬ》けのからで、爆撃はあまり効果が上らなかった。

それで、友永大尉は、南雲長官あてに、

「第二次攻撃ノ要アリト認ム、〇四〇〇」

という電報を打って帰途についた。

この時、四隻の空母の上では、江草隆繁少佐の降下爆撃隊、村田重治少佐の雷撃隊、板谷茂少佐の制空隊が、アメリカ機動艦隊の出現に備えて、第二次攻撃隊として待機していたが、友永の電報を見て、航空母艦相手の攻撃機の雷装を、急いで陸用爆弾に取り替えることになった。

南雲忠一の情況判断報告には、

「敵ノ航空母艦ハ『ミッドウェー』附近ノ海面ニハ行動シアラズト推定ス」

とあったが、これは言葉通りの「推定」であるし、艦隊は定石として、その前朝早く、一応、戦艦「榛名」から一機、巡洋艦「筑摩」と「利根」から二機ずつ、「赤城」と「加賀」から各々一機、計七機の索敵機を、ミッドウェー島をはさんで、扇型に出していた。

しかし、此処《ここ》にも事が裏目に出た一つの例があって、結果的にアメリカの航空母艦群を発見する、その線上に出る「利根」の水上偵察機は、カタパルトの故障のため、発進が三十分遅れた。

ミッドウェー海戦における索敵に関しては、防衛庁防衛研修所の秦郁彦《はたいくひこ》が昭和四十四年一月「海幹校評論」に発表した「ミッドウェーの索敵機」という詳細な論考があるが、それによるとこの水上偵察機の機長は甘利洋司という一等飛行兵曹《へいそう》であった。しかも甘利機は磁針偏差修正の算出を誤って、与えられた索敵線とはちがうところを飛ぶ。「その線上」と書いたが、実際は彼の飛ぶべき「線上」でないところを飛んで、怪我《けが》の功名でアメリカの艦隊を発見するのである。

秦は「戦闘は過失の連続であると言われる」と書いているが、予定通り飛んだ他の索敵機は視界内に敵を見ず、或《あ》るいは見出すことに失敗し、三十分遅れた「利根」の四号機が誤った索敵線上を飛行して、

「敵ラシキモノ十隻見ユ。ミッドウェーヨリノ方位一〇度二四〇浬、針路一五〇度、速力二〇ノット」

という報告を出した時には、「赤城」「加賀」「蒼龍」「飛龍」の甲板では、第二次攻撃隊がすでに島を叩《たた》くための陸用の兵装を始めていた。

第一航空艦隊の司令部では「オヤ」と思い、一瞬ドキンとしたらしいが、先入観にとらわれて未だみんなが「まさか」と思っていたらしい。甘利機に対してはしかし、触接続行の命令が出された。

五十二分後、甘利兵曹の触接機は、

「敵ハソノ後方ニ空母ラシキモノ一隻ヲ伴フ」

と打電して来た。

これは決定的な報告であった。いないはずの航空母艦がいた。

各母艦の上は騒然となり、陸用爆弾を積んで飛行甲板に並んでいた攻撃機は、急遽《きゅうきょ》格納庫へ下ろして、再び魚雷を装備させることになった。時間が切迫している時に、これは大変な作業で、エレベーターは、飛行機を載せ、「チャンチャンチャンチャンチャン」と警鐘を鳴らしつつ、絶え間なく上ったり下ったりし、兵員たちは汗水漬《あせみず》くになりながら、不平も言わず、二度目の兵装転換にか

かったが、下ろした陸用爆弾は、弾庫へしまう余裕が無く、皆ごろごろ格納庫の隅《すみ》へころがして置かれた。これが、あとでことごとく誘爆することになる。

その間にも、各母艦には、第一次攻撃隊の収容、陸上基地から来襲の米軍機への応戦という仕事が待っていた。

病後の身体を押してデッキへ出て来ていた淵田美津雄が、

「今何時ですか？」

と、「赤城」飛行長の増田正吾に聞くと、増田は腕時計を見て、

「七時十五分です。いやァ、全くきょうは一日が長いですなァ」

と言って、フーッと吐息をついたという。

それから五分後の、七時二十分、

「第二次攻撃隊準備出来次第発艦セヨ」

という命令が出た。

母艦は風に立ち始め、やっと雷装に切り替え終った攻撃機群は、すでにプロペラを廻し出し、あと五分あったら、全機アメリカの機動艦隊に向って発艦を了《お》え得るという時に、突然、上空から、真っ黒な敵の急降下爆撃機が三機、「赤城」をめがけて突っこんで来た。

三発の爆弾が命中し、やがて「赤城」は、猛烈な音を立てて、誘爆を起した。

その時には、「赤城」から視界内にある「加賀」と「蒼龍」の二艦も、黒煙を上げ、一瞬にしてまったく同様の状態に陥りつつあった。

八

山本の乗った戦艦「大和」は、このころ、「長門」「陸奥」以下の主力部隊を随《したが》えて、ミッドウエーの北西約八百浬のところを東へ走っていた。

南雲艦隊との距離はほぼ五百浬で、「大和」の司令部では、南雲艦隊が、二度の兵装転換に、騒然と時間を空費していることは知っていなかった。

それで、「利根」の偵察機から、敵艦隊発見の報が入った時は、みんながこれを吉報と思ったようである。

敵空母出現に備えて待機している南雲部隊の第二次攻撃隊が、そこで時を移さず発進すれば、成功は疑いなしと思われ、

「うむ。なかなかうまくやっている」

「あと、残敵の処分は、どうしますかな」

などと、幕僚たちは、緊張のうちにも、むしろ楽しげに話していた。

ただ山本は、前日来の腹痛で顔色がすぐれず、戦闘艦橋に在って、ほとんど口をきかなかったという。

「敵艦上機及ビ陸上機ノ攻撃ヲ受ケ、『加賀』『蒼龍』『赤城』大火災」

という電報が「大和」へ入ったのは、それから間もなくであった。

山本は、唇《くちびる》をきゅっと結んで、一と言、

「うむ」

と言っただけだそうであるが、幕僚たちは色を失った。

この電報の発信艦は「利根」で、発信者は第八戦隊司令官阿部弘毅《ひろあき》少将であった。阿部は、南雲部隊の次席指揮官で、このことは、南雲中将の安否不明と、「赤城」の通信不能状態とを暗示していた。

聯合艦隊司令部のある参謀は、興奮して、

「今すぐ、魚雷を抱いて飛び出して行けば、刺しちがえでございます」

と山本に進言したが、三隻の航空母艦は、飛行甲板がめくれ上り、下からは火が吹き出して来、度々の誘爆が起って、すでに飛行機の発進出来る情況では無くなっていた。

ともかく、南雲艦隊を援《たす》けるために、「大和」は麾下《きか》の戦艦群を率いて、二十ノットに増速し、ミッドウェー指して急行し始めた。

北方の角田部隊の空母「龍驤」と「隼鷹」には、急速南下、本隊と合同するようにという命令が出された。

南雲司令長官、草鹿参謀長以下の機動部隊司令部の人々は、この時、火に包まれた艦橋の窓から脱出し、燃える「赤城」をあとに、巡洋艦「長良」へ将旗を移しつつあった。

淵田美津雄が、艦橋から飛び下りて脚の骨を折ったのもこの時である。

無傷で残っている空母は、ミッドウェーの海域に「飛龍」が一隻だけ、「飛龍」は第二航空戦隊司令官山口多聞少将の旗艦で、艦長の加来止男大佐が操艦にあたっていた。

この航空母艦を襲った米軍の飛行機は、延《のべ》百十五機に及んだが、「飛龍」は、二十六本の魚雷と七十発の爆弾とをみなかわして、生き残っていた。

山口多聞は、識見もすぐれ、勝負度胸もあり、当時海軍部内で極《きわ》めて評判のよかった武将である。機動艦隊の総指揮は、この人にとらせてみたかったと、幾人もの人がのちにそう言っている。兵学校は山本五十六の八期下であるが、山本とは旧知の間柄で、山口に後添いの妻孝子を世話したのは山本であった。

孝子は旧姓四竈《しかま》、山本夫婦の媒介人をつとめた四竈幸輔《こうすけ》の姪《めい》にあたり、山本は彼女を少女のころから可愛がっていて、女子大への進学をすすめたりもした。

そのころ、女子大といえば、婦道教育でやかましい日本女子大だけが名高かったが、山本は、

「女子大といっても、目白じゃないんだよ。安井さんの女子大の方だ」

と言って、西荻窪《にしおぎくぼ》の東京女子大学を推奨した。

山本が、アメリカ系の自由主義的な、当時あまり有名でもなかった東京女子大に、何故《なぜ》関心を持っていたかというと、四竈幸輔はシャムの公使館附武官当時、シャムの皇后女学校教育主任としてバンコックにいた安井てつと識《し》り合いになっている。それから現在この学校の国文科の教授をしている「薄田泣菫《すすきだきゅうきん》」の著者の松村緑は、四竈夫婦も識っているし、榎本重治夫人とは同じ岡山の出身で親戚《しんせき》すじにあたる。松村は東京女子大の初期の卒業生でたいへんな母校びいきであるから、親戚でしかも保証人だった榎本の細君には、いい学校だいい学校だとしきりに言っていたにちがいない。山本は榎本夫人の口を通してその校風を色々耳にし、四竈からは安井てつの人柄

を聞き、それで「安井さんの女子大」に孝子を託《たく》す気になったのであろう。

ミッドウェーに出かける時、山口多聞は妻の孝子に、一と言だけ、

「今度は敵が知ってる所へ行くから、帰って来られんかも知らんよ」

そう言った。

山口は、海軍に入って一日といえども後悔したことはなかったという、如何《いか》にもすっきりした海の武人で、山本とちがって酒もよく飲み、

「月雪花の時以外晩酌はしない方が教育上よろしい」

と言いながら始終月雪花であった。彼の出陣の時の口調はまことに淡々たるものであったという。

僚艦三隻がやられたあと、山口少将は航空戦の指揮をとり、アメリカの機動部隊が「エンタープライズ」、「ホーネット」、「ヨークタウン」の三杯から成っていることを確認すると、第一次攻撃から帰って待機していた友永丈市に、十機の雷撃機と、六機の戦闘機を率いさせて、攻撃に立たせた。

友永の乗る艦攻は、左翼の燃料タンクが、朝の攻撃で打ち抜かれ、修理中で、未だガソリンが充分積めなかったが、彼は、

「もういいよ。右翼のタンクだけ、一杯つめてくれ」

と言い、部下が自分の搭乗機《とうじょうき》を使ってもらいたいと申し出るのも、

「いいよ、いいよ」

と断わって、片道分の燃料で「飛龍」を発進し、そのまま還《かえ》らなかった。

この攻撃隊は、「ヨークタウン」を大破し、「ヨークタウン」はそのあと、日本の「伊一六八」潜水艦の手で撃沈された。

尚、「ヨークタウン」がミッドウェーにあらわれていたことは、日本の艦隊には一つの驚きであったようである。

五月の珊瑚海海戦で傷ついた航空母艦「翔鶴」は、三カ月の予定で呉で修理中で、この作戦に参加しなかったが、同じ海戦で同じ程度に傷ついた相手の「ヨークタウン」も、やはり修理には約三カ月を要するものと考えられていた。

アメリカ海軍はそれを、真珠湾で、三日間の突貫工事でとにかく使えるようにし、ミッドウェーにまわしていたのであった。

友永の攻撃隊が、指揮官を喪《うしな》って帰って来た時、「飛龍」に残された飛行機は、戦闘機が六機、爆撃機が五機、雷撃機が四機だけになっていた。

もはや昼間の強襲は無理で、山口多聞は、薄暮以後夜にかけての決戦を決意し、その準備を始めた。

そして、長かった一日が暮れようとし、乗組員たちが、戦闘配食の大きな牡丹餅《ぼたもち》を食っている時、突然上の見張の少尉が、

「敵機上空ッ。急降下に入る」

と、はらわたからしぼり出すような声を上げた。

「飛龍」は面舵《おもかじ》一杯に、一段目、二段目、三段目までの攻撃を回避したが、四段目から六段目までの急降下爆撃で、爆弾が命中し、飛行甲板はたちまち使用不能になり、やがて艦内では誘爆が始まった。

消火作業がつづけられているうちに日は暮れ、やがて電源が切れて舵も利《き》かなくなり、母艦は燃えながら次第に左に傾斜しはじめた。

機関部との電話は未だかすかに通じていた。機関長の相宗邦造中佐からは艦橋に、

「機械室の天井は灼熱《しゃくねつ》状態、機関部員は相次いで倒れつつあり」

という悲壮な電話報告がとどいて来た。

艦長の加来が、総員退去を命じたいと、司令官の山口に申し出で、山口は、

「やむを得まい」

と言って、それを認めた。

第十駆逐隊の「巻雲」「風雲」の二隻の駆逐艦が寄って来ていた。駆逐隊の司令は、のちに航空母艦「信濃《しなの》」の艦長になった阿部俊雄であった。

懐中電灯の信号で、駆逐艦経由、「長良」の南雲司令長官に、総員退去のやむなきに至ったことが告げられ、生存者は飛行甲板に集められて、副長の鹿江《かのえ》隆中佐の人員点呼を受けた。

加来艦長は、駆逐艦がくれた乾麺包《かんめんぽう》の罐《かん》の上に立ち、

「皆、最後までよく戦った。感謝に堪《た》えない。戦の常とはいえ、この情況に立ち至ったことは、まことに遺憾であるが、戦争は未だ先が長い。皆は、生き残って、この体験を生かし、強い海軍

を作ってもらいたい」

と訣別《けつべつ》の言葉を述べた。

つづいて山口多聞が、傾く甲板の上で、同じビスケットの罐に上り、

「艦長の話で、自分には何も言うことはない。日本の方に向って、陛下の万歳を三唱しよう」

と言い、一同は西へ向いて万歳を唱え、たった一人残った信号兵の吹くラッパで、軍艦旗が下ろされた。

山口と加来とは、互いに相手を立ち去らせようとして、ちょっと言い合っていたが、結局二人とも艦に残ることに決めたようであった。

鹿江副長以下、各科の長も一緒に残りたいと申出たが、それは却《しりぞ》けられた。

ブレーカー(水樽)の水で、別盃《べっぱい》が交《か》わされた。ミッドウェー作戦が月明を考慮して日を決められていたので、電灯は消えても、月が出て、飛行甲板は火焔《かえん》と両方で明るかった。

加来が、

「司令官、いい月ですなあ。月齢は二十一でしたかな」

と言うと、山口は、

「うん。いい月だなあ。一つ今夜は、月を賞《め》でながら語るか」

と言って、二人は、燃え残った艦橋へ上って行った。

下の金庫には、重要書類と相当額の金とが納めてあり、火の中を無理に取りに行こうと思えば、行けるかも知れない情況であったので、「飛龍」主計長の浅川正治《まさはる》が、

「どういたしますか」

と艦長に伺いを立てると、加来は、

「三途《さんず》の川の渡し銭が要《い》るから、まあ、それは残しとけよ」

と言った。

先任参謀の伊藤清六が、山口の後姿に向って、

「司令官、何か形見を」

と叫ぶと、山口は、

「オッ」

と答えて、かぶっていた、司令官識別用の夜光塗料のついた戦闘帽を投げてよこした。この帽子は、今、未亡人の孝子が保存している。

いよいよ「総員退去」の命令が出、怪我人、他艦から収容した者、司令部職員、「飛龍」乗組員の順で退艦が始まるころには、東の空がわずかに白んで来た。

敵のB17が、夜じゅう「飛龍」の上を旋回していて、時々爆弾を落した。それは一発も命中しなかったが、副長の鹿江中佐は歯ぎしりをしながら空を睨《にら》んでいた。

鹿江が軍艦旗を、伊藤先任参謀が少将旗を奉じ、「巻雲」と「風雲」に一同が移乗し終ったあと、駆逐隊司令の阿部俊雄は、

「何としても、司令官と艦長を連れ出して来い」

と言って、特別にボートを出させたが、「飛龍」の艦橋の窓から、二人は、

「帰れ、帰れ」

と手を振って、それを寄せつけなかった。

「風雲」の甲板から、二人の手を振っているのがよく見えたという。

山口から伊藤先任参謀への、前以ての言づてで、立ち去る前に、駆逐艦「巻雲」は、「飛龍」に、二本の魚雷を放った。

一本が艦底を通過し、一本が命中した。「飛龍」はしかし、それからも未だしばらくは沈まなかった。

九

ミッドウェーさして急航中の「大和」の上で、最後に「飛龍」もやられたことを知った時、山本はついに作戦の中止を決意し、幕僚に退却命令を書くことを命じた。

だが、頭が火のようになっている参謀たちは、なかなかそれを納得しなかった。

渡辺戦務参謀は、

「ミッドウェーの飛行場を、『大和』以下の艦砲で射撃して使用不能にし、陸戦隊を上げれば、占領は可能です。攻撃をさせていただきたい」

と主張したが、山本は、

「戦務。島に向って大砲撃つのは、海軍の戦法として、最も馬鹿な方法とされているじゃないか。それは、君、将棋のさしすぎだよ」

と言った。

先任参謀の黒島は泣いていた。

「長官、『赤城』が未だ浮いております。これを、アメリカに曳《ひ》いて行かれて、見世物にされたら、何としますか。われわれの魚雷で『赤城』を沈めることは出来ません」

と、彼は泣きながら山本に食ってかかった。

ある者はまた、

「お上《かみ》に対して、申訳ない」

と言った。

「加賀」がその日午後四時二十五分、「蒼龍」が四時三十分、相ついで沈没したあとも、「赤城」と「飛龍」とは、沈まずに燃えつづけていた。山本は、

「お上には、自分からお詫《わ》びする」

と言い、

「僕の責任において処分しようか」

と言って、それで、彼にとって長い間縁の深かった航空母艦「赤城」は、駆逐艦「野分」の手で沈められた。それは、「野分」が軍艦に向けて放った、最初の魚雷であった。

「『ミッドウェー』攻略ヲ中止ス。主隊ハ攻略部隊、第一機動艦隊ヲ集結、六月七日午前地点北緯三十三度、東経百七十度ニ至リ補給ス。（中略）占領部隊ハ西進、『ミッドウェー』飛行圏外ニ出ヅベシ」

という退却命令が出たのは、その晩、十一時五十五分であった。大攻勢を目ざした圧倒的な大艦隊は、こうして破れ去った。ウォルター・ロードは次のように書いている。

「常識的には、どんな標準から見ても味方は完全に劣勢であった。敵は十一隻の戦艦を保有しているのに、味方には一隻の戦艦も無かった。八隻の味方巡洋艦に対して敵は二十三隻、空母の数は三対八であった。（中略）敵は立派な経験豊富な、そして連戦連勝の艦隊であった。

味方は疲れ切っていた。哨戒機の乗員は連日十五時間もの搭乗勤務で、睡眠は三時間程度しかとっていなかった。（中略）降下爆撃機のあるものは、急降下が出来なかった。魚雷の速力はのろく信頼性は低かったし、雷撃機の状態はもっと悪かった。それを以て味方は世界でもっともすぐれた艦載機群に対抗しなければならなかったのである。

（中略）勝てるはずはなかった。しかし味方は勝った。そして勝つことによって戦争の進路を変えた」

情報戦における完全な優位ということを考慮に入れても、アメリカ側から見ればロードの著書の題名通り、incredible――信じがたい驚くべき勝利であったであろう。海戦の結果が伝わると、アメリカの各新聞は全面ぶち抜きでこれを報道し、国民は勝利の報に熱狂したと言われている。ちょうどニューヨークで、交換船「グリップスホルム」号に乗船し帰国の途につこうとしていた実松譲は、アメリカの船員や水兵たちが新聞を眺《なが》め嬉々《きき》として何か話し合っているので、不審に思って見てみると、それは炎上する「赤城」の写真などを大きく載せたミッドウェー大勝利の記事であったという。

一時四十分には、夜が明けた。

「大和」はそれから未だしばらく、敗残の機動部隊を収容するために、真東へ走っていたが、やがて三百十度に変針した。

急速航行中、マストには、はげしい風の鳴る音が聞えていたが、針路が北西に変ると同時に、速力も十四ノットに落され、「大和」の上は、不意に静かになった。

脂汗《あぶらあせ》を浮べながら腹の痛みをずっと我慢していた山本は、

「全部僕の責任だからね。南雲部隊の悪口を言っちゃいかんぞ」

と言い残して、長官私室へ去り、それから数日間、姿を見せなかった。

軍医長の診察で、結局蛔虫《かいちゅう》のせいと分り、虫下しを飲んでその腹痛はおさまり、六月十日、洋上で「長良」を横づけし、南雲長官、草鹿参謀長、源田航空参謀らを「大和」へ迎えた時には、山本も起き出して来たが、虫の治療にしては少し休養が長すぎたような気もする。

ミッドウェー作戦にかけた山本の思いは、これで勝って、早期講和の二回目のチャンスをつかむということにあったようであるが、結果がこのような裏目に出て、やはり彼は、相当にこたえていたのであろう。

南雲、草鹿らは、自決しようとしたのを、皆に押しとどめられて、生きて帰って来た。怪我をした草鹿は、もっこに乗せられて、「長良」から「大和」へ移された。憔悴《しょうすい》し切った南雲や草鹿の姿は、司令部従兵たちの眼にも、如何《いか》にもあわれに見えたという。

北の方は、ほぼ順調に経過し、六月七日、キスカ島及びアッツ島を占領したが、ミッドウェー作戦部隊はこうして制式空母四隻と巡洋艦「三隈」とを喪《うしな》い、六月十四日、柱島錨地《びょうち》に帰還した。

大本営は、六月十日、ミッドウェー作戦の戦果を、米空母二隻撃沈、我方の損害、航空母艦一隻喪失、一隻大破と発表した。

山本の恐れていた、鳴物入りの嘘《うそ》の報道が始まったのは、この時からである。

敗戦の情報が洩《も》れるのを防ぐために、機動部隊生き残りの将兵は、九州の各基地に分けて皆罐《かん》詰《づ》めにされ、下士官兵は、家族との面会も許されないまま、やがて全員、南方へ転属させられた。

鹿江もしばらく佐伯《さえき》の航空隊に罐詰めにされていたが、彼は「飛龍」生存者のうちの最先任で、間もなく海軍省教育局に転勤になると、聯合艦隊三和航空甲参謀を通じて、山本から、山口多聞少将と加来大佐の最後の模様を詳しく知りたいという申出があった。

鹿江隆は、詳細な報告を書き上げて、山本に提出した。

当時吉川英治が、軍令部の勅任待遇嘱託として、戦史の編纂《へんさん》にあたっていたが、吉川は一日、芝の水交社で、福留軍令部第一部長をまじえて鹿江と会い、話を聞き、鹿江が山本に出した報告の写しを貰い受け、それをもとにして、山口、加来両人の論功行賞のための長い文章を草した。

翌年四月二十四日の晩、報道部の平出英夫が、「提督の最期」と題して放送した講述の内容は、吉川英治の書いたものである。

それは、

「艦破るるも軍紀破れず」

とか、

「忽《たちま》ち見る、その左舷《さげん》は急傾斜して洋中に没し、刹那《せつな》に沈み行く艦橋には人なく、焔《ほのほ》なく、正《まさ》に中天一痕《いつこん》の月落ちて洋心へ神鎮《しづま》つたかのやうにしか思はれなかつた」

とか、如何《いか》にも吉川英治らしい調子のものであった。

実際には、「飛龍」の最後を目撃した者は、一人もいなかった。

第十二章

一

その後しばらく、戦局にはあまり大きな変化が見られなかった。

「大和」以下の戦艦群は、再び柱島に根を下ろしてしまった。

短い梅雨《つゆ》が明けて、夏が来た。この年の夏は、異常の猛暑で、七月初め以来、瀬戸内海に、ほとんど雨が降らなかった。

南半球の太平洋戦線では、海軍はビスマルク諸島からニューギニアに到る線を固め、さらに南へ出て、ブカ、ブーゲンビル、ショートランドからツラギ、ガダルカナルを攻略し、各所に新しく航空隊の前進基地を建設しつつあった。

その一つであるガダルカナル島ルンガ地区の飛行場が、ミッドウェー作戦からまる二カ月、設営隊の努力でほぼ完成し、あと一週間もしたら戦闘機の進出が可能となった八月七日の日、アメリカの海兵師団は、機動部隊の支援の下に、突如、ツラギ島と、ツラギに南接するガダルカナル島とに上陸して来た。

ラバウルにいた第八艦隊は、翌八月八日三川軍一中将の指揮下に、急遽《きゅうきょ》、旗艦「鳥海《ちょうかい》」以下重巡五隻、軽巡二隻、駆逐艦一隻で、敵の泊地にいわゆる殴《なぐ》りこみをかけるため、出撃した。

それは、日本海軍が長年訓練に訓練を重ねて来た夜戦の砲魚雷戦で、僅《わず》か三十五分間の戦いに、連合国の巡洋艦五隻、駆逐艦六隻の大半が沈み、三川艦隊は、ほとんど無傷のまま、素早くツラギを引揚げた。

海軍報道班員として「鳥海」に乗っていた丹羽《にわ》文雄が「海戦」に描いたのはこの戦闘であり、これが「第一次ソロモン海戦」である。

米軍の上陸はしかし、中央が初め甘く考えたような、小手しらべ的なものでもなく、アメリカ側から言わせれば「突如」でもなく、第一回の殴りこみの成功で満足していいようなものでもなく、連合国の本格的な捲《ま》き返し作戦の始まりであった。

大体日本の陸軍はアメリカの歩兵部隊を頭から舐《な》めてかかっていた。白兵戦で突撃を受けると彼らは泣きわめいて逃げて行くそうだとか、そんな伝説ばかりを信じて、殊《こと》にアメリカ海兵隊というものに関しては全く認識を欠いていた。

のちに硫黄島《いおうじま》の戦いに名を挙《あ》げたU. S. Marine（アメリカ海兵隊）は、米軍の中でも実は最も勇猛をもって鳴る存在で、風呂《ふろ》へ入ってもタオルを使うような柔弱な真似《まね》は許さない、マリーンの兵隊は鉄条網で身体をこするという冗談があるくらいである。

山本が次官時代副官兼秘書官をつとめた松永敬介は、この頃第八根拠地隊の先任参謀としてラエ、サラモアの占領作戦にも参加し、ラバウル方面の前線で勤務していたが、ある日陸軍の参謀がアメリカ海兵師団というのは一体どういうものかと聞きに来た。

松永が一応の説明をすると、

「ははあ、要するにアメリカの陸戦隊ですか」

と、納得して帰って行ったが、それなら何程の事もあるまいとたかをくくって進撃に移った陸軍部隊は、松永の表現によると「キャッとも言わず」行衛《ゆくえ》が分らなくなってしまったのである。

米軍の逆上陸から数日後、松永は第八根拠地隊の金沢正夫司令官から、

「あすこには海軍の見張所がある。暫《しば》く辛抱して待て、必ず奪回に行くという報告球を落して来い」

と命ぜられ、陸上攻撃機三機を出してツラギとガダルカナルの上を飛び、準備した報告球を投下したが、戦況は金沢司令官の考えたようには進展しなかった。

事態の容易ならざることに気づいた聯合艦隊司令部は、第二艦隊、第三艦隊大部のラバウル進出を命じ、テニヤンにいた第十一航空艦隊司令部も、ラバウルに前進させ、自らも「大和」以下、内南洋のトラック島にその本拠を移すことになった。

「大和」は、護衛の駆逐艦と郵船の「春日丸《かすがまる》」（改装後空母「大鷹《たいよう》」）を伴い、八月十七日の昼すぎ、

柱島を抜錨《ばつびょう》し、クダコ水道を抜け、佐田岬《さたみさき》を左に見て、沖《おき》の島《しま》東方水路から外海に出、月の落ちた真っ暗な海を、厳重な対潜警戒をしながら南へ向った。

八月十八日の朝があけた時には、もう日本の島影は見えなかった。そして山本は、この時かぎり、日本へは帰らなかったわけである。

「大和」の柱島出港から三日後の八月二十日、横浜へは、実松譲中佐の乗った「淺間丸」と「コンテ・ヴェルデ」号の日米外交官交換船二隻が帰って来た。

交換地は、アフリカのポルトガル領モザンビックの港、ロレンソ・マルケスで、ミッドウェーの敗退から間もなく、野村、来栖《くるす》両大使以下千四百人の日本人引揚者を乗せたスウェーデン船「グリップスホルム」号が、ニューヨークより、リオ・デ・ジャネイロ経由この地に向い、日本からグルー駐日大使以下米州引揚の外人たちを乗せて来た「淺間丸」と「コンテ・ヴェルデ」号の二隻と落ち合い、船客の交換をして、それぞれ帰国の途についていたものであった。

乗船者名簿には、両大使や実松中佐のほか、前田多門、坂西志保《しほ》、中野五郎、森恭三、荒垣《あらがき》秀雄、平岡養一というような人々の名前も見える。山本が次官当時海軍省の副官兼秘書官として、もっぱら、右翼の、

「天ニ代リテ山本ヲ誅《チュウ》スルモノナリ」

を聞かされていた実松の眼に、久しぶりの日本と日本海軍とは、少しへんなものに見えた。

彼は軍令部出仕になり、間もなく兼務教官として、海軍大学でアメリカの軍事問題を講義することになったが、軍令部の連中は、彼がアメリカの造船能力や、ドイツ潜水艦の活動が近い将来

下火になって来るだろうというような話をしても、少しも聞こうとせず、信用もしなかったし、彼が教えた海軍大学の一期目の学生たちは、

「教官は、むやみにアメリカをほめますなあ」

と言い、かげでは、

「あんな話、おかしくて聞けるか」

と言っていた。

もっとも、次の期からは、いくらか実松の話に耳を傾けるようになり、各戦線で苦杯を舐《な》めて帰って来た三期目の学生になると、

「いや、教官、アメリカはもっと強いですよ」

と言い出したということである。

こうした事情は、英国から帰った吉井道教《みちのり》中佐についても、同様であった。吉井も、山本の次官時代、副官兼秘書官をつとめた人であるが、昭和十四年の初めからロンドンに駐在していて、開戦の年の十一月、リバプールから英国船でベネズエラへ渡り、パナマ経由でリマへ出、辛《かろ》うじて照川丸という最後の貨物船をつかまえ、近藤泰一郎に一と月半おくれて、開戦後の十二月二十八日に帰国した。

航海中、ハワイのはるか南で開戦を知り、舷側《げんそく》の日の丸や煙突のマークを塗りつぶして、危ない思いをして帰って来た吉井は、緒戦の勝ちで、暢気《のんき》に浮かれている日本の空気に驚いたと言っている。

彼は、ロンドン滞在中、日本の新聞特派員たちが、東京へ記事を送っても、ドイツ空軍の空襲で町が三日も四日も燃えつづけているというようなことばかりが大きく扱われ、自分たちが考えていることは、少しも取り上げてもらえない、張り合いが無いと言っていた話なども引合いに出し、大臣の嶋田や総長の永野たちの前で、

「大体参るといっても、英国の参り方は、少しケタがちがっているように見受けます。一時、空襲でロンドンの地下鉄が使えなくなったことがありますが、一カ月もすると立派に修復し、プラットフォームには頑丈《がんじょう》な二段ベッドを入れ、避難者のために、ベッドの番号つきの前売り切符を売り出して、利用に供しております。一晩中、食糧を積んだ電車が走って、女子供に菓子や紅茶を売っています。御承知の通り、ロンドンの地下鉄は、非常に深く、これは絶対安全な避難所で、誰も怯《おび》えたり泣き言を言ったりしている者はおらず、混乱もほとんど見られません。ホテルへ行けば、地下室で、軍人も一般市民も悠々《ゆうゆう》とダンスを楽しんでいるという風で、英国の力の衰えをあまり大きく評価することは、甚《はなは》だ危険と考えます」

というような任務報告を、一時間ばかりやったが、「また一人、西洋かぶれが帰って来た」というような顔をしている人もおり、永野修身などは、心地よさそうに居睡《いねむ》りをしていた。

もっともそのうちには、吉井の方でも段々日本の空気に馴《な》れて、何とも思わなくなってしまったという。

二

「大和」がトラックの春島《はるしま》第二錨地《びょうち》に入港したのは、八月二十八日の午後であった。

この、「大和」の航海中に、南東方面では第二次ソロモン海戦が起り、航空母艦「龍驤」が沈み、一方、陸軍が精鋭をすぐってガダルカナル島に逆上陸させ、飛行場の奪回に向わせた部隊は、前述の通り全滅していた。

これは、三カ月前、ミッドウェー占領隊としてサイパンを出た、あの一木支隊の兵士たちであった。

ガダルカナルの戦いは、ようやく重大な、そして日本にとって極《きわ》めて不都合な、長期消耗戦の様相を呈し始めていたのである。

これから二週間ばかりのちであるが、宇垣は日録の中で、

「墜《おと》しても落しても持って来る。困ったものなり」

と嘆じている。

しかし、トラックの泊地に落ち着いた「大和」の上での山本五十六の日常は、特に切迫したものというわけではなかった。

彼は、作戦指導のかたわら、朝夕また、頼まれた書を書いたり、手紙の返事を書いたりして暮すようになった。

内地からの手紙や小包も、少し日数はかかるが、きちんきちんと届けられて来た。

九月某日付の、丹羽みち宛《あて》の手紙には、彼は、

「九月十一日附の御手紙は特別便で椰子《やし》の葉かげで拝見しました。お菓子ありがとう。ことしの東京いや日本全部が随分暑かつた様ですね。私達も大部分はそれを体験しましたが今は一寸《ちよつと》出かけて居ります。（中略）次に家をたたんで南洋方面へでも出かけて見ようかとは如何《いか》にも丹羽式で今頃はとても矢も楯《たて》もたまらぬ気持でしようとお察しします。
併《しか》し一体あなたは此《こ》の戦争はどうなると思ひますか。（中略）戦地から帰つた人達は色々面白さうの事を無責任に話すらしいが（中略）本当の事情や将来の見通の出来る人は今度内地に帰つて来らるゝ高橋伊望中将（昔の海軍省副官のノミ助さん）こそ信用が出来ますから豊田さんにでも引張つて来て貰《もら》つてゆつくり話を聞てご覧なさい、一応は夫《そ》れは良いねえと言ふでしようが相談にのつて呉《く》れますかと真面目《まじめ》にきり込んで御覧なさい、多分まあもう少し様子を見てからと言はるゝでしよう（中略）秋になつて雨が多い様で又米は々々と少々心配です　ことしは豊作だから一人一日五合以上たべなければ困るといふ様に一つ願ひたいものですね、御機嫌《ごきげん》よふ、四十四なんかまだこれからですよ、あせらずにゆつくり〱」

と書いている。

高橋伊望は、昭和十四年の九月、山本が聯合艦隊に着任した時の参謀長である。

「和光」の丹羽みちは、商売の方も次第に思わしくなく、いっそ店をたたんで南方へでも出稼《でかせ》ぎ

に行ってみようか、そうすれば、また山本にも会えるかも知れないと、気楽なことを考えて、彼に相談の手紙を出した、これはその返事であるが、彼女は結局、榎本重治に山本の手紙を見せて思いを打ち明け、榎本から、

「小寿賀《こすが》、君は、日本がこの戦争に勝つと思っているのかい？」

と、しみじみした口調で言われて、やっと南方進出の計画を思いとどまった。

このころ——九月二十四日、ガダルカナルの戦闘指導を担当していた陸軍第十七軍派遣の大本営参謀、辻政信が、「大和」へ山本を訪《たず》ねて来た。

軍の階級からいうと、片方は中佐で、片方は大将であるが、辻は例の強気で、海軍の協力が不充分だと、山本に直訴《じきそ》するつもりであった。

辻はしかし、この時初めて見る「大和」の大きさには驚異を感じたようで、その著書「ガダルカナル」の中で、

「艙口《ハッチ》から艦内に入ると、大ホテルに入つたやうである。異るのは到る所に、鉄管が張り廻らされてゐる。この無数の鉄管は、そのどれもが有機的に一体となつて、七万噸《トン》の巨体を養つてゐるのであらう。無数の血管が人体を養つてゐるやうに、一本切れても出血しさうな気がする。人呼んで大和ホテルといふも宜《むべ》なる哉《かな》。迷子になつたら容易に出られさうもない」

と書いている。

「大和」の司令長官公室は、従来の戦艦の型を破って、艦の中央部艦首寄りに設けられていた。

黒島先任参謀と宇垣参謀長に大体のことを話したあと、中央部の長官室に案内されて、彼は山本

に会い、

「陣地を持ちこたえている将兵は、ガンジー以下に痩《や》せ細りました」

と、補給船団護送の問題で、陸軍のガ島奪回作戦への海軍の協力を要請した。

山本は、

「補給がつづかず、陸軍の兵隊を餓死させたとあっては、海軍として、申訳が立たない。承知しました。必要とあらば、この『大和』をガダルカナルへ横着けしてでも、掩護《えんご》をしましょう」

と答え、両眼からハラハラと涙をこぼし、辻も思わず貰い泣きをしたというが、これはほんとうかどうか分らない。

山本は、情にもろい性ではあったが、「野分」の魚雷で「赤城」を沈めた時にも涙は見せていないし、宇垣の「戦藻録」には、この日、

「午後第十七軍参謀一名参謀本部員二名来訪南下の途中なり」

と、簡単に一行記してあるだけである。

辻は、

「このやうな将軍が果して陸軍に、幾人か在つたであらうか。海軍参謀になつて、この元帥(当時山本は、元帥ではない)の下で死にたいとさへ考へた」

と、たいへん感激のていで書いているが、実をいうと、山本の方は、辻政信をあまり信用はしていなかったようである。

辻が、戦況が思わしくなくなると、中央連絡などと称して逃げ出してはスタンド・プレイをや

っているのを、苦々しげに、

「あんな者をのさばらせておくから駄目《だめ》なんだ」

と言っていたことがあるそうである。

山本が辻に約束したという、この「大和」ガダルカナル乗りつけの強行作戦は、結局実行はされなかった。

それは、山本が辻を信用していなかったからというわけではなく、一説によると軍令部から奉勅命令で禁止されたともいうし、また一つには、艦隊の燃料消費量が一日一万噸《トン》に上り、呉《くれ》の重油の在庫量は六十五万噸に減って、「大和」のような巨《おお》きな、そしてどうやら役立たずの船は、つとめて行動を遠慮しなくてはならぬ時機が、訪れて来ていたためであった。そういう時にしかし、聯合艦隊の司令長官が、大戦艦に立てこもって、動くが如く動かぬが如き構えで、内南洋の泊地に居据わっていなくてはならなかったというのは、こんにちから考えると、少し奇妙なことではある。

ミッドウェーの敗戦の際、幕僚たちは、血を見せて長官の冷静な判断を曇らせるようなことがあってはならないというので、「大和」へは傷者を一切収容させなかった。

「長良」から報告に来た南雲や草鹿たちも、すぐまた、「長良」へ還《かえ》している。だが、それならそれで、司令長官は、血なまぐさい状況を目視する可能性のあるところへは出て来なければいいわけで、やはり、戦艦が海軍の象徴であり、主力であり、中心であるという伝統的な思想は、いつも山本の片脚を引張っていたように思われる。

アメリカ海軍も、この点、必ずしもそれほど進んでいたわけではないが、ただ彼らは、幸か不幸か、真珠湾で一挙に多くの戦艦を喪《うしな》った。そしてそのあと、アメリカの、機動部隊中心への頭の切り替えは、非常に早かったのであった。

「大和」ではしかし、重油に不安を感じているようには、食糧の不安は無かった。

辻政信は、山本と会見のあと、艦内で夕食の馳走《ちそう》になり、黒塗りの膳《ぜん》に、鯛《たい》の刺身、鯛の塩焼、冷えたビールという品々を出されて、思わず副官の福崎昇に、

「海軍は贅沢《ぜいたく》ですねえ」

といや味を言った。

福崎は笑いながら、小声で、

「長官があなたに、出来るだけの御馳走をしてやれと言われましたのでね」

と答えたというが、これは多分、福崎副官のつくろいの嘘《うそ》であろう。

辻の供されたのは、司令部の日常の夕食であったはずである。

糧食艦の「間宮《まみや》」や「伊良湖《いらこ》」がトラックに入ると、司令部従兵は、一番先に欲しい物を取りに行くことを許されていて、近江兵治郎の従兵長在任中、聯合艦隊司令部は、最後までその献立を崩《くず》さなかった。

「五月の七日間」という映画に、アメリカの地中海艦隊旗艦の上で、司令官がフランス風の美食を楽しんでいる場面があったが、こういうのは、一般に海軍というものの風習であり、ある意味で美点であると共に、一種スノッブ的貴族趣味の、妙なところでもあろう。

「大和」が未だ柱島にいたころ、「伊良湖」が、サイパンから砂糖を八十噸《トン》ばかり持って帰ったことがあって、主計長がそれを海軍関係にだけ配給しようとするのを、参謀長の宇垣が、町の子供たちに廻してやれと言って、その措置を取らせたのは、一つの美談として伝えられているが、これが美談になるほどに、海軍は自分たちだけの閉鎖社会でスコッチ・ウィスキー、英国煙草、垢《あか》のつかない白いカラーという生活を、なかなか崩そうとしないところがあった。のちに将旗をラバウルへ移す時には、聯合艦隊司令部はたった二週間の滞在に、洋食の皿からナイフ、フォークまで前線へ運んで行っている。

三

山本も、貧乏士族の家に育ったくせに、泥くさいこと、貧乏ったらしいことは、総じて嫌《きら》いであった。

俄《にわ》か雨《あめ》で連れが駈《か》け出すと、山本は、

「おい、ケチな真似《まね》はよせ」

と、きっと文句を言ったという。

昭和の初年、未だメロンが貴重品であったころ、ある人に、「ケチなことを言うな」と言って、メロンの半割りを、その人が、もうメロンの匂《にお》いが鼻について見るのもいやになったと言い出すほど食わせたという話もある。

トラックの「大和」で、直接山本の身のまわりの世話をしていたのは、小堀と藤井という二人近江の従兵であったが、この二人は死んでしまって、現存の、消息の分っている司令部従兵は、近江のほかには、松山茂雄という、当時の一等水兵が一人だけである。

松山は昭和十七年の呉の徴兵で、「大和」乗組になるとすぐ、司令部へまわされた。彼の話では、幕僚の中には、古い褌《ふんどし》をなかなか捨てさせず、黄色いのをいつまでも洗濯させる人があったが、山本は自分でも洗わないかわり、従兵にも下帯《したおび》は決して洗わせず、毎日舷窓《げんそう》から、ポイポイ海へ捨てていたそうである。

松山は、そのころ色白の美少年で、ある司令部職員の私室へ入って靴《くつ》を磨《みが》いていたら、背後から抱きしめられていきなり、キスをされ、松山がのがれようとすると、

「オイ、黙ってろよ」

と言われたこともあったという。

いくら「大和ホテル」でも、男ばかり暑いところで集団生活をしていれば、多少異常な状態になって来るのであろうが、山本には、その方の趣味は無かった。

「ただし、長官は、別の方は、なかなかお好きでした」

ということである。

トラックには、横須賀の「小松」の出店があった。いわゆる「海軍レス」で、露骨に言えば慰安所であるが、もうすぐ六十というのに、従兵たちの話がほんとうとすれば山本は時々は陸上の慰安所へも通って行ったらしい。

参謀長の宇垣は、猟銃を持っていて、折を見ては島へ鳥打ちに出かけた。山本は、いつも料理

方にまわって、こちらは食う方専門であったそうである。

「愛染《あいぜん》かつら」とか「暖流」とかいう映画も、一週一回、聯合艦隊旗艦が封切で、順番に見ることが出来た。

ソロモン群島では、アメリカが「トウキョウ・エクスプレス」と呼び、日本が「鼠《ねずみ》輸送」「蟻《あり》輸送」と呼んだ苦しい補給戦がつづけられていたが、「大和」でのこうした比較的平静な日常の中で、十月七日、山本は久しぶりに、作戦の打合せのため来艦した井上成美と会った。

この日、兵学校の校長であった草鹿任一中将も、南東方面艦隊司令長官として、ラバウルへ転勤の途中、サイパンから飛行艇でトラックに着き、「大和」へやって来た。草鹿任一は、草鹿龍之介の従兄《いとこ》で、兵学校は井上や、桑原虎雄や、小沢治三郎と同じ三十七期である。

作戦会議のあと、各艦隊の幹部一同で、山本を囲んで夕食の時、草鹿が、

「ところで、私のあと、今度は兵学校長、誰ですか？」

と山本に聞くと、山本が、

「それは、井上君に決ったよ」

と言った。

井上は、

「ほんとですか」

と嬉《うれ》しそうで、それから草鹿の発案で、

「それじゃあ、今夜此処《ここ》で申し継ぎをやろうじゃないか」

ということになり、草鹿任一と井上成美とは食後、山本の部屋へ行き、ウィスキーを飲みながら、申し継ぎと称して、三人で久々に話に興じた。

その時、草鹿が、戦争がすんだら、山本さんはどうしますかという話を持ち出すと、山本が、

「いやァ、俺《おれ》なんか、どうせギロチンか、セント・ヘレナ送りだよ」

と、冗談ともつかず、そう言ったということである。

余談であるが、このあと十月二十六日付で兵学校長が発令になって、江田島《えたじま》へ転勤した井上は、兵学校の教育が如何《いか》にもゆとりが無く、窮屈な感じで、生徒たちの眼が狐《きつね》つきのように皆吊《つ》り上っているというので、「あれでは前科三犯の面構《つらがま》えじゃないか」、「秀才教育をするな」、「兵学校の教育を立身出世の目標にするな」ということを強調し、前線から帰った教官連中が生徒に戦争の話をするのを、一切禁じてしまった。

参考館に掲げてあった歴代海軍大将の写真も、

「あの中の半数は、自分が国賊と呼びたいような人たちだ。それを生徒に景仰させるわけにはいかない」

と言って、全部下ろさせた。

兵学校長時代の井上中将についてはこのほか色んな逸話が残っている。

当時日本では、敵性国語を使うなということがしきりに叫ばれていて、陸軍の聯隊などでカレーライスのことを「辛味入り汁かけ飯」と言わせたという、今の若い人には嘘と思われそうな話

もあるが、英語の教育は全国の各学校で次第に廃止削減の方向に向いつつあった。

その風潮は江田島にも及んで来、全教官の合同会議で、兵学校における英語教育の廃止と兵学校入学試験課目から英語をはずすことの是非が論ぜられたことがある。

陸軍士官学校では早く入試に英語を課さなくなってしまったので、ほかの成績は優秀だが英語が苦手だという生徒が兵学校を避けて陸士へ流れる、兵器資材の配分と同じく人的資源も陸海軍で奪い合いの時にそれが困るという実利的廃止論もあり、企画課長の小田切政徳《おだぎりまさのり》中佐が最後に全員の決を採ってみると、大多数の教官は廃止賛成の方に手を挙《あ》げた。

小田切は、

「御覧の通りでありますが、これを以て本日の教官合同会議の決定といたしてよろしゅうございますか？」

と、校長に伺いを立てた。

するとそれまで黙って聞いていた井上が、非常にきつい口調で、

「よろしくない」

と言って立ち上った。

「よろしくない理由は只今《ただいま》から申し述べる。一体どこの国に他国語の一つや二つしゃべれない海軍兵科将校があるか。そのような海軍士官は海軍士官として世界に通用することは出来ない。好むと好まざるとにかかわらず、英語がこんにちにおいても尚《なお》、海事貿易上世界の公用語であることは明らかな事実であって、事実はこれを事実として認めざるを得ない。軍人を養成する学校で

あるから、戦争に直接役に立つことだけ教えておればいいというなら、すべからく砲術学校や水雷学校の術科学校を充実して海軍兵学校そのものは廃止すべきである。兵学校は特務士官の養成機関ではない。卒業してすぐ実務に役立つような教育は丁稚《でっち》教育であって、吾人は丁稚の養成を以て本校教育の眼目とするわけにはいかない。兵学校教育の目的は、識見と教養とを備えた真にジェントルメンライクの、将来何処《どこ》に出しても羞《は》ずかしくないだけの海軍将校の素地を養うにある。言いかえれば大木に成長すべきポテンシャルを持たしむるにある。優秀な生徒が陸軍へ流れるというなら流れても構わぬ。外国語一つ真剣にマスターする気の無いような人間は、帝国海軍の方でこれを必要としない。近時日本精神作興拝外思想排斥の運動の盛んなるはまことに結構なことであるが、これを主張する人々を冷静に観察してみると、島国根性の短見を脱していない者が多いのは遺憾であって、諸官は似て非なるかかる愛国者の浮薄なる言動に迷わされることなく、本校においては英語のみならず、今後も普通学の教育に一層の力を入れてもらわねばならない。たとい多数意見であろうとも、本職在任中英語教育の廃止というようなことは絶対にこれを行わせない方針であるから、左様承知をしておいてもらいたい」

兵学校の教官室ではそのあと、若手の武官教官たちの間に、

「何だ、校長は親米派か、国賊じゃないのか」

という喧々囂々《けんけんごうごう》の声が起ったということである。歴代海軍大将の半数を国賊だと罵《ののし》った井上は、むろん当時の海軍上層部の一派からも国賊呼ばわりをされていた。

海軍省が兵学校生徒の精神訓育のためにと、平泉澄《ひらいずみきよし》を講師として派遣して来た時にも、彼は平

泉の国粋思想に難色を示し、ただ平泉博士に傷をつけることをおそれて、教官たちだけにその講話を聞かせるという苦肉の措置をとった。

　また、井上成美の校長在職中、ある日鈴木貫太郎が平服でぶらりと兵学校を訪れて来たことがある。

　企画課長の小田切政徳は鈴木と井上の供をして校内を一巡したあと、二人が貴賓室に入って差し向いになると、部屋の隅《すみ》に腰をかけて聞き耳を立てていた。

　鈴木大将は、長年家につとめていた女中が呉の実家に帰って家を新築し、是非見に来てほしいということで家内を連れて旅に出、自分だけはなつかしいので呉からちょっと兵学校へ足をのばしてみたのだと言っていたが、当時閑地にあったとはいえ、こういう重臣がこの時節に果してそれだけの目的で江田島へやって来たのだろうかと、小田切は興味を感じていたのであった。

　すると、鈴木が、

「井上君、兵学校教育のほんとうの効果があらわれるのは二十年後だよ、いいか、二十年後だよ」

　と言うのが聞えて来、それに対して井上が我が意を得たように深く深くうなずいているのを見たという。

　英語廃止の問題に関しては、高木惣吉は井上から、

「英語というのは、モールス符号と同じ国際間の符号みたいなものだ。英語をやめてしまえというのは、国際間に通用する符号を捨ててしまえというのと同じで、そんな馬鹿な話があるもんか」

と言われたことがあるそうである。

井上のこの英断は次の校長、次の次の校長時代にも受けつがれ、入校して来た生徒は備品のC・O・D（コンサイス・オックスフォード英々辞典）を貸与されるのが例で、あの戦争中日本で最後まで英語教育にもっとも熱心だった学校は妙なことだが海軍兵学校であった。

教師が生徒に戦争の話をしてはいけないという学校も、もしかしたら井上校長時代の兵学校だけであったかも知れない。

この井上成美が、戦争末期兵学校長から海軍次官に転じ、米内海相に終戦をもっとも強く進言する人になるのである。

江田島七十年の歴史のうち、兵学校出身兵科将校の陣没率は、日清《にっしん》日露から第一次世界大戦を経て日華事変までが五パーセント、今度の戦争だけで九十五パーセントと言われているが、ミッドウェーの敗戦、ガダルカナルの敗戦で、このころには海軍でも将官や艦長クラスの佐官にかなりの戦死者が出ていた。司令官や艦長が乗艦と運命を共にするというのは英国の古い伝統にもとづく風習であって、有能な人材が一人でも多く欲しい時に、死なないですむ人が無理に死んでしまうということは、国家総力戦の建前からすればまことに無益な消耗であった。

高木惣吉が言っている通り、船は「大和」「武蔵」でも四五年もあれば造れるが、大佐少将級の指揮官を育てるには少なくとも二十年はかかる。山本も、山口多聞や加来止男の死に感動はしながらも、必ずしもこれを好もしいこととは思っていなかったようで、草鹿任一、井上成美らと会食をした十月七日の宇垣参謀長の日誌（戦藻録）には、

「奮戦の後艦沈没するに際し、艦長の生還するを喜ばずと為さば前途遼遠《りょうえん》の此大戦を遂行する事を得ず、飛行機は落下傘により出来る丈《だけ》生還を奨励しあるに艦船は然《しか》らずといふ理なし」と、艦長も生きて還って来いという山本の内々の意向が記してある。

しかし彼らのこういうものの考え方は、新聞記事にも、放送にも、大本営発表にもなることは決してなかった。

軍隊でも世間でも人生僅《わず》か二十年とか、人間五十年、軍人半額とかいって、ただいさぎよい死だけがもてはやされていた。

これよりガダルカナル撤退が内定する十七年十二月までの間に、南では、「サヴォ島沖海戦」、「南太平洋海戦」、「第三次ソロモン海戦」と、幾次にもわたる激しい海空の戦闘が行われている。互角に終った戦いもあり、どちらかが優位に立った戦いもあり、アメリカは、ドゥーリットル空襲に使った航空母艦「ホーネット」を喪《うしな》い、日本は、戦艦「比叡」「霧島」を喪ったが、一つ注目していいのは、ミッドウェーのころから日本が脅威を感じはじめたアメリカ軍のレーダーが、暗夜でも、無照射射撃で第一弾をいきなり命中させるほどの精度を示しはじめたことであろう。

「長官思に耽《ふけ》られ憂鬱《ゆううつ》の風あり」

と、宇垣が「戦藻録」に書いたのは、六月二十二日であったが、トラック在留の山本の頭には、めっきり白髪が目立つようになって来た。

長岡出身者の大勢いる新発田《しばた》の歩兵十六聯隊が、ガダルカナルで全滅しつつあることも、山本には苦しかったにちがいない。

郷里の反町栄一には、

「十月二十八日附貴書拝受御祝辞御礼申上候但《ただ》し郷党子弟の苦難を想見すれば一向に快心ならず（此項貴台限り）」

という手紙を書いている。

堀悌吉にも、

「こちらはなか〳〵手がかゝつて簡単には行かない　米があれ丈《だ》けの犠牲を払つて腰を据えたものを一寸やそつとであけ渡す筈《はず》がないはずと前から予想したのでこちらも余程の準備と覚悟がいると思つて意見も出したが皆土たん場迄は希望的楽観家だからしあわせ者揃《ぞろひ》のわけだ（後略）」（十月二日付）

と書き送っている。

十二月八日の開戦一周年の日には、推計された海軍の戦死者は、一万四千八百二柱となった。

十二月十二日には、天皇陛下の伊勢神宮御親拝ということがあった。天皇の心中は忖度《そんたく》する由が無いが、戦争を防ぐことが出来ず、ついにこういう事態になって来たことを告げに行かれたものと考えていいであろう。

山本は、年末あちこちへの手紙の中で、

「天皇陛下の伊勢神宮御親拝を拝聞しては真に恐懼《きようく》に不堪《たへず》頭髪一夜にして悉《ことごと》く白からざるの不忠を恥づるものに御座候」

と書いている。

もっとも、女たちへの手紙は、少し調子がちがっていて、同じく十二月、丹羽みち宛のものには、

「(前略)こちらへ来る人は皆私に元気でけっこうですと言ひます。果して私は元気でしようか尤《もっと》も総理大臣や大蔵大臣や海軍大臣や商工大臣などがあれで元気なのなら私も元気なんでしよう(後略)」

とある。

当時の総理大臣は東条英機、大蔵大臣は賀屋《かや》興宣《おきのり》、海軍大臣は嶋田繁太郎、商工大臣は岸信介であった。

こうして、やがてこの年が暮れた。

四

汗を拭《ぬぐ》いながら、かびくさい雑煮《ぞうに》餅《もち》で、山本は昭和十八年の新春を「大和」で祝った。

その日、コックの手ちがいか、従兵の不注意か、祝い膳《ぜん》の尾頭《おかしら》つきの魚が向きをさかさにつけられて、テーブルに出た。

山本は、

「ホウ、年が変ると、魚の向きも変るもんかな」

と、ちょっと皮肉を言っただけであったが、現在秋田木工の東京営業所長をしている従兵長の近江兵治郎は、ミッドウェーの折の鯛《たい》の味噌《みそ》焼《やき》と併《あわ》せて、今でも少し、このことを気に病んでいるようである。

山本が聯合艦隊の司令長官になってから、この正月で、すでに三年四ヵ月が経過した。日露戦争前の、常備艦隊司令長官と呼ばれた時代から都合三十八代の長官のうち、在職期間として、これは異例の新記録になってしまったが、それでもなお、彼には、交替の声はかかって来なかった。幕僚たちには、決してそういう素振りを見せなかったが、彼は、少しばかりもう疲れていた。山本の心には、死への親しみと、浮世、殊《こと》に千代子の住む東京への未練とが、半々に存在していたように思われる。

それを証するような、たくさんの手紙がある。

「(前略)開戦以来一五〇〇〇人もなくしたので、

一とせをかへりみすれば亡《な》き友の
数へかたくもなりにける哉《かな》

と云ふのを武井大人に見て貰《もら》つたら、これだけは、ほめられたが憫笑《びんしょう》の至りといふ次第」

というのは昭和十八年一月二十八日付の堀悌吉宛のものであり、

「世界情勢も我作戦も追々かねて心配せし態勢と相成遺憾の次第に御座候
当方面も目下最悪の情況を呈し之《これ》が収拾には一段の惨状と非常の犠牲とを可生《しょうずべき》も今更愚痴を申しても追つかず昔より選ぶべきは友なりとはよく申したるものにて候」

は、横須賀鎮守府《ちんじゅふ》司令長官に替った古賀峯一宛(一月六日付)、「選ぶべきは友なり」はむろん日独伊三国同盟のことである。

「小生も此世にもあの世にも等分に知己や可愛い部下が居ることとなり　往《い》つて歓迎をして貰

ひ度《た》くもありもう少々此世の方で働き度もあり　心は二つ身は一つといふ処にて候」

というのは、二月、城戸忠彦《きどただひこ》宛の手紙の一節である。

城戸は、退役の海軍少将で、山本がアメリカの大使館附武官当時、造兵監督官としてニューヨークにいた人であった。

さかのぼって、昭和十七年十一月二十三日付堀悌吉宛の、

「東京は大分寒くなりし由　羨《うらやま》しくもあり御自愛を祈る　当方一向に面白からず　敵には困らぬが味方には困る　各長官幕僚共には概《おおむ》ね三代乃至《ないし》五代に仕へたり」

というのは、前に一部引用したもの。

そのほか、

「又自分も何時《いつ》帰れるやら帰れぬやら分らないから適当に頼みます　山梨さんではないが『運命だよ君』とでもいふ処だろうもう到頭開戦一周年となつたがあれだけハンデキャップをつけて貰つたのも、追々すりへらされる様で心細い」（昭和十七年十一月三十日堀悌吉宛）

「八月十九日附貴信拝受　御礼

あと百日の間に小生の余命は全部すりへらす覚悟に御座候　敬具

椰子《やし》の葉かげより」（十七年九月上松蓊宛）

「長谷川氏の怪我　原田氏の病気等皆初耳に御座候
小生も大分敵もやつつけ部下も殺し候へば　そろそろ年貢《ねんぐ》の納め時と存候」（十七年十月内田信也宛）

この手紙を貰った元鉄道大臣の内田信也は、そのころ宮城県の知事をしていた。
「長谷川氏」、「原田氏」は、長谷川清と原田熊雄である。
原田熊雄宛の、十七年十二月末の書簡には、
「（前略）平時ならばあとがつかへると云はるべきに如何《いか》なることにてかとんと左様の噂《うはさ》もきかず、遂に艦隊第一の古物といふ次第に候
依而《よって》古歌の真似《まね》をすれば、
　荒潮の高鳴る海に四年経つ
　京《みやこ》の風俗《てぶり》忘らえにけり
といふところにて候呵々《かか》（後略）」
とある。
山本の書簡には、「呵々」という言葉は稀《まれ》にしか使われていない。其処《そこ》には、彼の自嘲《じちよう》と未練とが顔を出しているように感ぜられる。
古川敏子宛の手紙の中には「ホンコがしたい」というのもある。「ホンコ」は部下相手のお遊びの勝負ではなくちゃんと金を賭《か》けて麻雀《マージヤン》や花札がしたいという意味だが、もうちょっと別の含

みもあるらしい。

これらよりさらに前の手紙であるが、松元堅太郎宛の、

「宇宙の一小黒子たる地球上悠久《ゆうきゅう》に対する一閃光《せんこう》にも比すべき此数年を非常時々々と喚叫する有様を天は何と見るべきか思へば浅間敷《あさましき》限りといふべしなど思ふことも有之候」

というのもある。

自転車の稽古《けいこ》を始めたと、近況を伝えて来た丹羽みちには、

「顔にけがをしない限りに精々猛訓練をして下さい。（からだ中で一番丈夫の顔にけがをする様では手足はたまらぬから）」

などと書いてあとで、

「私も漸《やうや》く六十になりましたからもうどこへ行つても小僧あつかひされなくともよい筈《はず》ですが矢張りめつたの所へは危険で持つて行けないと見へて部下や外の長官は二、三代から五代目ですがわたしは居残りいや置わすれられてるらしいです、自分ではよほど不景気のつまらなさ相《そう》の顔をして居るつもりですが夫《そ》れでも東京の人からは『内地からメイッたあたまで行つても長官にお目にかかると晴々して帰ります』などゝ不届のことを云つてよこすのもあります。どうかと思ひますねえといふ所ダンべな」（十八年二月初）

と言っている。

榎本重治には「牌《パイ》を手にせざること久し」とか、このころ健康にも少し不安があったらしく、将棋が弱くならないから未だ少々は脈があるらしいが、八月以来少し足が脹《ふく》れたり手がしびれた

りすると言って来ているし、古川敏子にも、手指が少ししびれる、筆を執っても手が震えると訴えて来ている。

真偽のほどは不明だが、山伏会の森村勇によると、こういう山本を慰めるために、千代子を飛行機でトラックに連れて行こうかという話が、起ったことがあったという。

千代子は、何かの時に山本をかくすつもりで、防空壕《ぼうくうごう》をかねて神谷町の家に六畳一と間の地下室を作り、留守番を置き、自分は相変らず「梅野島」の女主《おんなあるじ》として働いていたが、昭和十七年一杯で、商売をやめることになり、抱《かか》えていた五人の妓《おんな》には皆証文を巻いてやって、年が明けてからは、小女と二人、神谷町で暮すようになった。

トラックに進出以来、山本は一度も日本へは戻らなかったが、三和や渡辺ら幕僚たちは、時々要務を帯びて東京へ出張することがあった。そういう時、彼女は、神谷町の家で彼らをもてなし、更に、自腹を切って、築地《つきじ》あたりで賑《にぎ》やかに遊ばせたようである。

そういう部下の往き来や手紙のやりとりの間に、千代子をトラックへという風聞を、耳にしたのではないかと想像されるが、十八年の一月末に、山本は古川敏子に宛てて、

「新年お芽出度《めでたう》御座います。

元旦の午前十一時の御手紙は大に感謝しますと共に何だかあんまり景気のよくなさ相の御正月らしく感じます（人がせっかく急がしい中で特別に手紙かいて上げたのに山本さんと来たら随分よと言はるゝ位景気がよければ結構です）

前便により如何《いかが》かと案じて居りました佐野大人も大した事なく御全快のよし御喜申します。其《その》外《ほか》皆様御元気何よりです。

こちらは汗だくで団子の様の餅《もち》でとにかく三ケ日《さんがにち》お雑煮を頂きましたから立派に六十歳になりました。

八月から傷病者見舞慰霊祭などで四回陸上へ行きました外《ほか》は艦上に蟄居《ちっきょ》して居ります。此頃海軍省の人から『内地から前線へ行く人で長官の顔を見るとメイツた気分も晴々する由』と書いてありました。そんなことでよくいくさが出来ると思つて居ります、そんな不景気な内地ならもう一層のこと南洋に転籍して河合氏にでも来て貰つて朝から晩までパパイヤばかりたべて暮そうかしらむ。御馳走様でした。左様なら」


という手紙を書いた。

しかし、はた目をはばかるということもあったであろうし、結局この、「河合氏」のトラック行きは、実現はしなかった。

そして、昭和十八年の二月十一日、聯合艦隊司令部は、「大和」に移ってからちょうど一年目に、トラックの泊地でまた「武蔵」に引越しをした。

五

司令部「武蔵」移転の少し前、二月一日に始まったガダルカナル島の撤退作戦は、二月七日夜の第三次撤収で、生き残った陸海軍の将兵一万三千人の引揚げを完了し、島は放棄された。
当時一般には知らされなかったが、八月の米軍上陸以来この半年間のガダルカナル戦の実情は、実に悲惨なものであった。
ガダルカナル島は餓島と呼ばれ、救い出された陸兵たちは、栄養不良のために髭《ひげ》も爪《つめ》も髪の毛も伸びておらず、太いのはただ関節の部分だけで、裸の姿は尻《しり》の肉が落ちて肛門《こうもん》がまる見え、駆逐艦の上で始終下痢便を垂れ流していた。

「眠れる頰《ほお》に馬鹿と言い
砕けし額《ぬか》に馬鹿と呼ぶ。
涙は燃えて胸熱く
外に言うべき言葉なし。

さなり馬鹿なりアメリカの
へらへら弾丸にあたる汝《な》は
苦しき日々を耐えながら
苦しきままに斃《たお》れたる」

というのは元陸軍主計曹長《そうちょう》吉田嘉七の「ガダルカナル戦詩集」の一節であるが、彼らの苦戦は空《むな》しく、ソロモン群島南部の制海制空権は完全に米軍の手に帰し、山本が近衛に「一年か一年半」と言ったほぼその言葉通りに、これ以後、日本は明らかに守勢に立つことになった。

ただ、この撤退作戦の成功のかげで、一つ、海軍通信諜報《ちょうほう》班の偽電がちょっとした効果を挙《あ》げている。

米軍が緊急の場合、平文通信を許している習性を利用し、米軍のカタリナ哨戒機《しょうかいき》とガダルカナル基地の連絡不良のチャンスに乗じて、ラバウルのブナカナウ基地に在った第一聯合通信隊が、カタリナ哨戒機に化け、ガダルカナル米軍基地を呼び出した。米軍の基地は応答して来、そこで、

「Sighted. 2ac, 2b, 10d, lat.—,long.—,course SEE.」

(敵艦見ユ。空母二、戦艦二、駆逐艦十。南緯何度、東経何度。針路東南東)

という偽の電報が発せられた。

この電報は、すぐヌーメアとホノルルに転電され、約二十分後に、ホノルルの米海軍放送系にかかって、全太平洋艦隊に放送された。ガダルカナル基地の米軍爆撃機は、全機拘束待機状態となり、彼らがだまされたと気づいた時には日本軍の撤退は終っていた。

撤収に従事した第三水雷戦隊と第十戦隊の司令官が、トラックに帰って来た時、山本は、

「よくやってくれた。実は、駆逐艦の半分ぐらいは、やられると覚悟していた」

と言ってねぎらったというが、彼が偽電作戦の成功に対して賞讃《しょうさん》の言葉を送ったという記録は、見あたらない。

この偽電作戦を実施した一聯通の伊藤春樹通信参謀は、

「こちらの手の内を見すかされるような余計な真似はするな」

と、あとで逆に上の方から叱《しか》られている。

自身がそのために死にいたる、暗号や通信諜報の問題を山本がかねてどの程度深く理解していたかは分らないが、少なくとも、それを非常に重んじたという風には考えられないようである。

この時から二カ月ばかりして、山本はトラック島泊地の「武蔵」から、約二週間の予定で、将旗をラバウルへ移すことになった。

彼が霞《かすみ》ヶ浦《うら》の副長時代から、直接間接に眼をかけ、育てて来た海軍航空隊は、ソロモン方面の戦局の急迫と、母艦の喪失とで、陸上機艦上機をひっくるめてその精鋭の多くが、ラバウルの陸上基地に進出していた。

謂《い》わば子飼いの、このラバウル海軍航空隊を、現地に激励しようというのが、彼のこの度《たび》の行動の目的であったが、山本が自分で積極的にそのつもりになったかというと、必ずしもそうではなく、前線指揮官からの希望に引きずられた傾向が多分にあったように見える。

出発前日の四月二日の晩、山本は、留守番役で「武蔵」に残る藤井政務参謀に、

「オイ、君とは当分お別れだ。一戦やろう」

と将棋をいどみ、二勝一敗で彼が勝ったあと、藤井が、

「とうとう、長官、最前線へ出られることになりましたなァ」

と言うと、山本は、

「そのことだよ。近ごろ内地では、陣頭指揮ということが流行《はや》っているようだが、ほんとうを言

うと、僕がラバウルへ行くのは、感心しないことだ。むしろ、杜島行きなら結構なんだがね。考えてみたまえ、味方の本陣が、段々敵の第一線に引き寄せられて行くという形勢は、大局上、芳《かんば》しいことじゃないよ。士気の鼓舞という意味では、むろん話は別だがね」

と答えている。

また、この日山本は、千代子に宛てて、それが最後になった手紙を書いた。

「三月廿七、八日のお手紙はお天気がわるく飛行機が飛ばなかつたのでおくれて漸《やうや》く昨四月一日の夕方受とりました　それと浴衣《ゆかた》や石鹼《せつけん》や目刺《めざし》山口の煮豆などいろ〳〵とどきました　ありがたう

夫《そ》れから今度はあまり度々だからと思つて居たのに参謀長　藤井　渡辺　鹿岡《かのをか》　佐薙《さなぎ》など沢山よんで貰つて本当に嬉《うれ》しく御礼を申します　皆んなもとても喜んで　入れかはり立かはり　神谷町のことや山口での話などをして呉《く》れて私も何だか一寸家へかへつて千代子にあつた様の気持になりました

渡辺君はことに神谷町のうちの様子や千代子の健康のことやいろ〳〵親切にして貰つた事などを事精《ことくは》しく三時間も話して十二時過になりました　さうして長官へは古い浴衣だのに私に新しいのをどうしても持つて行けといはれ又雨で靴下をぐちや〳〵にしたら洗濯したり新しいのを沢山頂いたり大変度々御馳走になつたりして恐縮でしたと云ふから夫れは君が三年半も下で一生懸命働いて呉れて居るのを度々話してあるので能《よ》く知つて居つて感謝して居るからだよと言

つたらあんなに能《よ》く気のつく親切な方はありませんねといふてしんみりと感激して居りました　藤井君も押しかけで御馳走になり　夜おそく酔つた一杯機嫌《きげん》で上がり込んで　いつ迄も御迷惑をかけ　おまけに鹿岡と公務の事迄話しはじめたら　いつの間にか　気をきかせて下へ行つて居られるなど　とても気のつく人ですねと感心して居つたから　僕が天皇陛下の外に内心あたまの上がらぬのは　あの人なんだが　そのねうちはあるだらうと云ふと　いやいくら言はれても致方ありません　負けましたといつて　皆で陽気に笑ひました　本当に嬉しかつたよ（中略）梅駒《うめこま》さんも許可が下りて何よりでした　あの家が其まゝ立つて行けば気持がよいわけですね　私のからだは先日言つて上げた通り　血圧は三十代の人と同様とてもよいといふ事です　夫れから手がしびれるといふのは　右の薬指と小指のあたまがほんのわづかしびれる様でしたが　東京へは少し大げさにわざと云つてやりましたので少し問題になつた様です（問題になる様にしたのです）しかし軍医長にヴイタミンBとCの混合液を四十本注射して貰つて　もうすつかり能くなりました（表面はまだ少しいけない様に言つておきましたが）から　本当は少しも心配しないで下さい　又此本当の事は誰にも言はないで何だか暑い処で土も踏まないので少し弱つたらしい位に言つといて下さい　夫れから明日から一寸前線迄出かけて来ます　参謀長黒島参謀渡辺参謀等が一処です　夫れで二週間ばかり御ぶさたしますからそのつもりでね　私も千代子の様子を聞いたので勇ましく前進します　四月四日は誕生日です　愉快です　一寸やるのは

夫れではどうぞ御大事に　御きげんよふ

左様なら
四月二日
五十六
千代子様
」

この手紙には、少量の遺髪と、別紙にしたためた、

「おほろかに吾《われ》し思はばかくばかり
妹《いも》が夢のみ毎夜《よごと》に見むや」

という歌が一首、同封してあった。

「おほろかに吾し思はばかくばかり」というのは、万葉集を繰ってみると、

「おほろかに吾し思はばかくばかり
難《かた》き御門《みかど》を退《まか》り出でめやも」

があって、多分此所《ここ》からの借用であるが、これは巻十一の「正《ただ》に心緒《おもひ》を述ぶ」作者不詳の一群の短歌の中の一つで、あまり有名な歌ではないから、真似にしても、山本は万葉集はずいぶんよく読んでいた。

手紙の中の「鹿岡」は、当時、海軍から情報局情報官兼総理大臣秘書官として出ていた鹿岡円平中佐、「佐薙」は元山本司令部の航空参謀で、このとき軍令部作戦部員であった佐薙毅《さだむ》中佐、「梅駒」は梅野島のあとを引きつぐことになった千代子の朋輩《ほうばい》の新橋芸妓《げいぎ》である。

翌四月三日の朝、山本は随行の各幕僚、副官、艦隊軍医長、艦隊主計長、暗号長、気象長らと共に、右舷舷梯《うげんげんてい》から長官艇に乗り移り、残留の司令部職員や乗組員たちに見送られて、「武藏」を離れて行った。

夏島の水上基地から、飛行艇二機に分乗して、離水後「武藏」の上を一と旋回して別れを告げ、針路を南にとり、その日の午後一時四十分、一行はラバウルに着いた。

草鹿任一、小沢治三郎、三川軍一ら、各艦隊の長官に迎えられて、山本は南東方面艦隊司令部の庁舎に入った。

間もなく、第八方面軍司令官の今村均《ひとし》中将も、挨拶《あいさつ》にやって来た。

今村と山本とは、大正の末年からの、古いブリッジのつき合いで、互いに、

「僕の方が強い」

と言い張っていた仲で、陸軍の軍人の中で山本が最も心を許していたのは、この人であったと思われる。

今村均は、ラバウルへ赴任《ふにん》の途中、前年の十一月二十一日、トラックの「大和」に山本を訪《たず》ねた時、山本が、

「今になって、お互いかくし立てはしていられない。海軍で、ゼロ戦一機が米軍機五機乃至《ないし》十機と太刀《たち》打ち出来ると言っていたのは、開戦当時のことで、ミッドウェーで優秀なパイロットをたくさん亡くしてから、なかなかその補充がつかず、現在でも一対二とは言っているが、敵の補充率がこっちの三倍を上廻っているので、日増しに力の懸隔が出来て、率直な話、難戦の域に入っ

ているんだ」

と言ったのを、よく憶《おぼ》えているという。

半年ぶりに山本に会った草鹿任一の方は、山本の白眼がいやに黄色くどんより濁っているのを見て、まっ先に、

「ああ、こりゃ、大分疲労しておられるな」

と思ったそうである。

草鹿の司令部から少し離れたところに、ドイツ統治時代の総督の住んでいた通称官邸山という、標高三百メートルほどの山があった。山本は、夜は涼しいこの山のちょっとしたコテージに泊ることになった。

第十三章

一

ラバウル所在の各航空隊は、山本長官の来着を待って、その翌日から、ガダルカナル島総攻撃の「い」号作戦を実施する予定であったが、山本の誕生日の四月四日は、猛烈なスコールで、作戦発動は三日繰延べになった。

そして、四月七日から、ガダルカナル島と、その周辺の聯合軍艦船とに対する、戦爆連合の、大がかりな空襲が始まった。

七日、十一日、十二日、十四日と、断続四日間の総攻撃に、ブーゲンビル島方面の前進基地から発進したものを併《あわ》せて、延《のべ》四百八十六機の戦闘機と、百十四機の艦上爆撃機、八十機の陸上攻撃機が参加した。

飛行機が出る時は、山本は必ず、白い二種軍装を着て、帽を振りながら、一機々々これを見送った。

見送りがすむと、南東方面艦隊司令部の草鹿の部屋へ帰って来る。それから、ソファにかけて、草鹿、小沢、宇垣と四人くらいで、作戦の打合せをしたり、雑談をしたり、将棋をさしたり、また病院へ傷病兵の慰問に出かけたり、山本はなかなかじっとはしていなかった。

白眼の濁りも、一時的なものであったかと思われるくらい元気で、相変らず飯もよく食った。ラバウルが自給農耕態勢に入るより、未だ大分前で、果物《くだもの》は豊富であったし、日本からも色んな品物が届いて来ていた。海亀《うみがめ》の肉のすき焼なども試みられた。

草鹿任一の方が、熱帯性のひどい下痢つづきで、絶食に近い状態にあったが、山本は、

「そんなことを言ったって、そりゃお前、適当に食わにゃいかんよ」

と言って、朝、草鹿中将が馬に乗って官邸山のコテージを訪ねて行くと、

「おい、胡瓜《きゅうり》食わしてやろう」

と、自分でそのへんに生《な》っている胡瓜をつんで、すすめたりした。

草鹿は山本から「おいと言われりゃ、へいと言うような間柄」で、

「山本さん、あんたねえ」

などと、何でも打ちあけて彼に話していた。

草鹿の語るところでは、古い海軍の者は少しぐらい階級の上下があっても、たいてい「あんた」とか「君」とかで、「閣下」だの「長官」などとはあまり呼ばなかった。

「あとでは陸軍の真似して『閣下』やなんて言い出したけど、『あんた』でええやないか」

と、草鹿は言っている。

草鹿任一はある日、小沢治三郎と共に、ラバウルにいる兵学校三十七期五人の小さなクラス会を開くことにした。

山本は、それを聞いて、

「俺《おれ》も入れてくれるんだろうな」

とジョニー・ウォーカーの黒瓶《くろびん》を一本さげて、その席へやって来た。

それというのが、明治四十二年、このクラスが兵学校を卒業して遠洋航海に出た時、山本は大尉で、練習艦「宗谷《そうや》」の分隊長であったからで、やがて宴たけなわに、誰かに皆で寄せ書を書こうではないかという話になり、

「それじゃあ、鈴木さんと古賀に出そうよ」

と山本が言い、彼は先ず自分で、鈴木貫太郎に宛《あ》てて、墨で、短い文句を書き、

「元宗谷分隊長　現聯合艦隊司令長官　山本五十六」

と、当時と今の官職氏名を書き入れた。

皆がそれにならって、当時の少尉候補生の階級と、現在の官職と名前とを書きこんだ。

横須賀鎮守府の司令長官をしている古賀峯一宛の寄せ書も出来た。

三十四年前のその遠洋航海の時、鈴木貫太郎は「宗谷」の艦長で、古賀は乗組の中尉であった。

山本は、

「これが届いたら、鈴木さんはきっと、神棚《かみだな》に上げて喜ばれるよ」

と言ったが、この寄せ書が二人のもとへ届いたのは、山本の死の直後になった。

山本はまた、幕僚控室で渡辺安次と将棋をさしながら、短波のラジオでアメリカの放送を聞いていて、開戦の通告がやはり真珠湾攻撃のあとになったらしいこと、アメリカの政府も国民も、それを怒っているらしいことを言っているのに耳をとめ、

「やっぱりそうかなあ。残念だなあ。君が先に死ぬか、僕が先に死ぬか分らんが、僕が先に死んだら、陛下に、聯合艦隊は決して、初めからそういう計画はしておりません、イン・タイムに持って行っているつもりでございましたと、そう申し上げてくれよ」

と、渡辺に言ったりした。

山本がこうして暮しているうちに、「い」号作戦は、一応の成功をおさめて終り、彼のラバウル滞在の日程も、やがて残り少なくなって来た。

彼は、日程の最後に、ガダルカナルの戦線に最も近いショートランド島方面の基地を、日帰りで激励に行って来たいと言い出した。

この巡視計画は、四月十三日に、山本長官自身の手で決裁され、その日の夕刻、同方面の根拠地隊、各航空戦隊、守備隊に宛てて、

「GF長官四月十八日左記ニ依リ『バラレ』『ショートランド』『ブイン』ヲ実視セラル。〇六〇〇中攻（戦闘機六機ヲ附ス）ニテ『ラバウル』発、〇八〇〇『バラレ』着、直チニ駆潜艇ニテ〇八四〇『ショートランド』着（中略）、一四〇〇中攻ニテ『ブイン』発、一五四〇『ラバウル』着。（中略）天候不良ノ際ハ一日延期」

という電報が出された。

ニューブリテン島のラバウルから、南東約三百キロほどのところに、ブーゲンビル島があり、この島の南端にブインの基地がある。ブインから飛行機で、ほんの五、六分南に飛ぶと、ショートランドという淡路島《あわじしま》ほどの島で、そのすぐ東にほとんど飛行場だけの小島バラレがある。それから更に地図を南東にたどると、チョイセル島、ニュージョージヤ島、サンタ・イサベル島を経て、ガダルカナルの島がある。これらがいわゆるソロモン群島である。

この巡視計画にはしかし、不賛成を唱える人がかなりあった。

第三艦隊長官の小沢治三郎が、先ず反対した。山本が諾《き》かないので、小沢は聯合艦隊の黒島先任参謀に、

「どうしてもやめないんなら、戦闘機六機なんかじゃ駄目だ。俺のとこから、いくらでも出すから、君、参謀長にそう言えよ」

と言ったが、参謀長の宇垣は偶々《たまたま》デング熱で寝ていて、小沢のその申出は、宇垣に伝わらなか

った。

陸軍の今村中将は、それより二カ月前の二月十日、糧秣《りょうまつ》無しで長い間戦って来た部下の将兵を見舞うために、山本と同じように、海軍の中攻に乗せてもらって、ブインに飛んだことがある。その日、あと十分でブイン着陸という時に、不意にアメリカの戦闘機の三十機編隊があらわれた。中攻の操縦員は海軍の上等兵曹で、

「退避します」

と、斜《なな》めうしろの席の今村に言うなり、雲の中へ突っこみ、しばらく雲中で旋回をつづけたあと、

「ちょっと出てみます」

と、非常に冷静な態度で雲の上へ出、うまく敵の戦闘機群をかわして、危機一髪ブインに降りた。

今村はその経験を話して、それとなく山本の自重を望んだが、山本は、今村の無事と下士官搭《とう》乗員《じょういん》の処置に満足した様子で、

「そりゃよかった」

と言ったが、やめるとは言わなかった。

ショートランドにいた第十一航空戦隊司令官の城島《じょうじま》高次少将は、四月十三日の電報を見ると、自分の幕僚たちに、

「こんな前線に、長官の行動を、長文でこんなに詳しく打つ奴《やつ》があるもんか。君たちに参考のために言っとくが、こんな馬鹿なことをしちゃいかんぞ」

と言い、山本出発前日の十七日、ラバウルに帰って来て、

「長官、危険ですから、やめて下さい」

と、直接山本にそう言ったが、山本は、

「いや、もうあちこち通知したし、みんな用意して待ってるから、行って来るよ。あしたの朝出て、日帰りで夕方には帰って来るんだから、待ってろよ。晩飯でも一緒に食おうや」

と言って、やはり諾かなかった。

二

山本は、トラックでもラバウルでもずっと白服で通していたが、翌四月十八日の朝は、珍しく、第三種軍装と呼ばれる、草色の新しい略服を着て宿舎から出て来た。

黒島亀人や渡辺安次はラバウルに残ることになり、参謀長の宇垣以下、山本に随行する八人の司令部職員と、見送りの小沢治三郎中将らは、三種軍装の山本と連れ立って車でラバウル東飛行場に向った。

戦闘指揮所の前には、七〇五航空隊所属の一式陸上攻撃機が二機、待っていた。

一番機に山本と、高田軍医長、三和と交替した航空甲参謀の樋端《といばな》久利雄《くりお》、副官の福崎昇の四人が乗りこみ、二番機には、参謀長の宇垣と、北村主計長、友野気象長、通信参謀の今中薫《かおる》、航空乙参謀の室井捨治の五人が乗りこんだ。

一番機の機長兼主操縦員は小谷立飛行兵曹長、名前が「立」なので「リットルさん」と呼ばれていた人、二番機の機長は谷本一等飛行兵曹、主操縦員が林浩二等飛行兵曹。いずれも歴戦の、名搭乗員たちである。

二機の陸攻は、予定通り、六時きっかりに東飛行場を離陸した。あとを追うて、二〇四航空隊所属の零戦六機が、砂塵《さじん》を捲《ま》いて飛び上り、すぐ三機ずつの編隊になって、山本たちの中攻の左右の護《まも》りについた。

それから一時間半後、飛行機は高度約二千でブーゲンビル島の西岸沿いに、濃いジャングルを下に見て飛んでおり、ブインもバラレも、もうすぐ其処《そこ》で、機長から、

「〇七四五バラレ着ノ予定」

と書いた紙片がうしろの席へ廻されて来たその時、護衛の戦闘機が一機、急に増速して前へ進み出たと思うと、翼を振り、手で何かを指して合図をした。

見ると斜め右、高度にして五百メートルばかり下方に、アメリカのP38戦闘機が十数機、南へ向って飛んでいた。

二カ月前、今村均が敵機に出あったのと、ほぼ同じ場所であった。

気づいたP38の編隊は、反転して、全機すぐ増槽《ぞうそう》を捨て、はっきり空戦の気構えを見せながら、二隊に分れ、一隊は急上昇、他の一隊は前へ廻りこんで、一式陸攻二機の進路を扼《やく》する態勢を取った。

陸攻の一番機は、急いで高度を下げ、ジャングルの上すれすれに左へ急旋回して、目前にあるブインの基地に向い、のがれようとし始めたようであった。

P38は、零戦の反撃を全然回避せず、すきを見て、上空まうしろから、それに向って次々に突

撃して来た。

この時のこういう状況は巷間《こうかん》さまざまに伝えられているけれども、こんにち日本側からこれについて生《なま》の証言の出来る人は、護衛零戦隊の生き残り柳谷謙治飛行兵長と陸攻二番機の主操縦員だった林浩二等飛行兵曹の二人だけで、殊《こと》に聯合艦隊司令部搭乗機の内部の模様を語り得る者は林しかいない。あとの二十余人の司令部職員並びに搭乗員は、みな故人になってしまった。

林浩は現在鹿児島県屋久島《やくしま》に健在で、魚屋商売のかたわら一湊《いっそう》の消防団長をつとめている。島ではよく知られたなかなかの人望家で当時の「航空記録」も保存しているが、二十六年の歳月の間にはその記憶に誤りが混入して来ている可能性はあろう。

宇垣纏参謀長が「戦藻録」の中に残したこの日の記述は詳細なものであるが、重傷を負うて助かった宇垣がこれを書いたのは、満一年後の昭和十九年四月十八日であった。したがってこちらも必ずしもすべてが正確だとは言えないかも知れない。「戦藻録」と林浩の話との間には幾つか食い違いがあるが、両方を突き合せながらもう一度初めからおおよその経過をたどってみると、林兵曹が命令簿で十八日の自分の飛行プランを知ったのは前日四月十七日の晩であった。

ただのブイン定期だと思っていると、小隊長の小谷立が入って来て、

「オイ、あしたはちゃんと飛行服を着て、服装をキチンとして出ろよ」

そう言った。

いつも防暑服の上にジャケットだけ着けて気楽に飛んでいた林兵曹は、

「何故《なぜ》ですか？」

と聞き返し、その時初めてリットルさんの小谷兵曹長から、山本長官以下聯合艦隊司令部のお偉方が乗るのだということを教えられた。

七〇五航空隊の一式陸攻群は、山の上のブナカナウの基地にいたので、司令部の乗機に選ばれた三二三号機と三二六号機とは、当日早暁ブナカナウを離陸して一旦海辺《うみべ》の東飛行場まで下りて来た。そしてエンジンをとめてしばらく待機しているうちに山本長官の一行が到着した。高田軍医長と北村主計長だけが白の軍服で、あとは長官はじめみんな第三種軍装を着用していた。これは戦時規定の三種軍装以外で司令部職員が最前線の将兵に会うのは面白くなかろうという参謀長の意見で、前の日そう取り決めたのだが、軍医長と主計長にはそれが通じていなかったのである。

山本もちょっと変に思ったようだが、今さらどうにもならず、一行は二た手に分れてすぐ飛行機に乗りこみ、一番機二番機、つづいて護衛戦闘機隊の順で定刻通り東飛行場をあとにした。

いい天気で視界も良好、快適な飛行日和《びより》であったという。宇垣参謀長は林主操縦員のすぐうしろの機長席に坐っていたが、やがて心地よげに居眠りを始めた。

サブ（副操縦員）の席にいた機長兼偵察員の谷本兵曹が、

「あと十五分でバラレに着きます」

とうしろへ告げに行った時も、宇垣は半分眠っていた。

二番機はたまたま無線の柱が、ビスでも取れたらしくフラッターをおこし、林兵曹は振り向いて、

「支柱がフラッターをおこしましたので、ちょっとおくれます」

と許可を求めたが、宇垣は、

「うん、うん」

と、やはりうとうとしながら答えた。

それから間もなく、護衛の零戦が一機、陸攻一番機のそばへ近寄って行ったと思うと、不意に一番機が機首を下げた。計器を見ると二四〇ノットぐらいまで増速したらしい。

「いやに高度下げて突っこんで行くんじゃなあ」

と、林兵曹は思ったそうである。

「戦藻録」には、

「二番機は一番機の左斜後編隊見事にして翼端相触るるなきやを時に危む位にして、一番機の指揮官席に在る長官の横姿も、中に移動する人の姿もあり〳〵と認めらる。航空用図につき地物の説明を聞き乍《なが》ら気持よき飛行を味ふ」

とあるが、そのあと宇垣が居眠りをしているうちに、無線柱のフラッターでおくれがちになっていた二番機は、それで一層一番機から離れてしまった。

異常を感じて宇垣は眼をさましたのであろう。

「何事? 一同の心に感じたる処、通路に在りし機長に(飛行兵曹長?)『如何したのか』と尋ねたるに『間違ひでせふ』と答へたり。斯《か》く云ふ事が大なる間違にて迂闊《うかつ》千万なりしなり」

と、のちに「戦藻録」に記している。

メイン(主操縦員)の席で操縦桿《そうじゅうかん》を握っていた林の頭上を、突然赤い曳痕弾《えいこんだん》が流れた。

同時に機長の谷本一曹が、

「敵機だア！」

と叫んで林の肩を叩《たた》いた。

驚いてひょいと仰ぐと、天蓋《てんがい》の上方にP38の姿があった。

それからはもう支柱のフラッターどころではない、林は事態の見境がつかなくなった。急降下、九十度以上の急速旋回をして、彼は密林の上すれすれに夢中で機を避退させようとし始めた。

そのころ一番機は、二番機の右約四キロのところを、すでに黒い煙と火を吐きながら速度も落ちて低く飛んでいた。

宇垣は、通路に立ち上っている室井航空参謀に、

「長官機をよく見ておれ」

と命じ、操縦席に向っては、

「一番機につけろ、一番機につけろ」

と怒鳴った。

林は時に足だけ、時に手だけを使って、飛行機をすべらしたり急速旋回をしたり、懸命の避退運動をつづけていたが、これを聞いて一瞬ひやりとし、「困ったな」と思ったという。

敵機は二番機にはあまり向って来ないので、自分の方だけなら何とか逃げ切れそうなのだが、聯合艦隊参謀長の命令では仕方がない。言われた通り、出来るだけ一番機について行くことにした。

しかし何度目かの急転で一度僚機の姿を見失い、再び水平飛行に移った時、もはや空に長官機はおらず、濃い緑の密林から黒煙が高く立ち昇るのだけが見えた。

一番機を仕とめ終ったP38の群は、すぐ二番機におそいかかって来た。林兵曹は、ジャングルの上ではやられると判断し、機首を海へ向けた。エンジンは全開状態にあった。海岸線を五十メートルほど離し、プロペラが水を叩きそうになるくらい高度を下げた時、二番機は操縦装置か昇降舵《しょうこうだ》を撃ち抜かれたようで、急に自由を失ってそのまま海中に突っこんでしまった。

かなりかしいで突入したらしく、片方のエンジンがパアッと吹き飛ぶのが見えた。

林は瞬時意識を失ったようであるが、気づいた時には自分の身体が左の主翼のつけ根で水につかっており、飛行機は半分横倒しで尾部と右主翼だけを高く海上に突き出して燃えていた。位置はブーゲンビル島の西南端モイラ岬《みさき》の少し北であった。

林兵曹は岸をさして泳ぎ出した。

宇垣参謀長もこれに少しおくれて泳ぎ始めたらしい。彼は機上でP38の弾の幾つか命中するのを感じ、これが自分の最期かと覚悟を定めたが、乗機が海へ飛びこみ通路へ投げ出されると同時にまっ暗になった眼の前が、ふッと明るんで、驚いて眺《なが》めると水の上に浮び上っていたのである。

宇垣も林も、衝撃で操縦席の天蓋からほうり出されたもののようであるが、飛行機は炎々と燃えており、ほかの幕僚や乗員たちはどうなったのか全く分らなかった。

木箱が幾つも流れて来る。中で特に大きな鼠色《ねずみいろ》の要具箱にすがりつき、宇垣が足だけ使って泳いでいると、前方に飛行帽をかぶった搭乗員が一人元気に泳いでいるのが見えた。

「オーイ」

と宇垣は呼んだ。

陸岸からはしきりに鉄砲の音がした。それは陸軍の守備兵が彼らを敵だと思って射殺するつもりで撃っていたのである。

「合図をしろ、合図をしろ」

と、宇垣は林に言った。

林兵曹は宇垣の声に気づいて振り向いたが、弾が飛んで来るので水に潜って避けながら、

「オーイ、オーイ」

と呼んで、そのまま岸の方へ泳いで行った。

潮が早く宇垣は横に流されるだけでなかなか岸へ近寄れなかったが、先に引き上げられた林の報《しら》せで、一人の兵隊が裸になって海へ飛びこんで来た。十メートルほどのところまで近づいて来た兵隊は、

「ア、参謀だ、参謀だ」

と頓狂《とんきょう》な声をあげ、こうして宇垣も助け上げられた。

此処《ここ》が海軍陸戦隊の分遣隊のいるモイラ岬そのものであったか、或いはそれより北の別の場所であったか、林の記憶と宇垣の記述とはちがうのだが、陸軍の看護兵に応急手当を受けたという点だけは両者一致している。

宇垣の傷は重かったが、林兵曹の方は軽い打撲傷と口をちょっと切った程度で大したことはなかった。それなのに陸軍の看護兵はまじまじと不思議そうに林の顔を見た。林も相手の顔を見、

どこかで識っている男だなと思った。それは、全くの奇遇であったが、林が海軍に入る前九州の八幡《やはた》で電車の車掌をしていたころの同僚の車掌だったのである。

林浩の記憶にしたがえば、昔電車の車掌だった看護兵に手当をしてもらってから、二人はトラックでモイラ岬へ送られた。

艦隊主計長の北村少将は、傷を負うて一人で泳いでいるところを海軍の大発に発見救助されて、直接モイラ岬へやって来た。

北村は咽喉《のど》に穴があいていて、宇垣が、

「主計長！」

と呼びかけても、

「しっかりせよ」

と言っても、「アーン」「アーン」としか返事が出来なかったそうである。

二番機に乗っていた者のうち助かったのは結局この三人だけであった。一時間ばかりのち、ブインの第一根拠地隊軍医長で宇垣とは同じ岡山県出身の田淵《たぶち》義三郎少佐らが駆潜艇に乗って救援にやって来、応急の処置をしてもらったあと、その駆潜艇で彼らはブインに着き、宇垣と北村は根拠地隊の病室に運びこまれたが、傷の浅かった下士官の林はその日のうちにラバウルへ送り還されることになった。

夕刻ラバウル東飛行場に帰着すると、林はそのまま第八海軍病院に隔離された。それはむろん治療の目的からではなく、情報が洩《も》れるのを防ぐためであった。しかし病院内で一応の状況聴取が行われたあと、格別のとがめは無かったということである。

彼が持っている「航空記録」を見ると、昭和十八年四月十八日、日曜日、三二六号機でRRF(ラバウル)よりRWP(ブイン)にいたる片道二時間の飛行が記録されて、あとは六月十五日の飛行再開まで空白になっている。

その間に林は、南東方面艦隊司令長官草鹿任一中将の名前で見舞金として金二十円を支給された。

三

ラバウルに残っていた黒島渡辺両参謀、草鹿任一、小沢治三郎らが、ブインからの電報と帰って来た護衛戦闘機の報告とによって山本の遭難を知ったのは、その日の昼ごろで、長官の生死は不明であった。

「　(発)共符

(着)大臣総長

機密第一八一四三〇番電

発　南東方面艦隊長官

甲第一報

聯合艦隊司令部ノ搭乗セル陸攻二機、直掩《チョクエン》戦闘機六機ハ本日〇七四〇頃QBV上空附近ニ於《オイ》テ敵戦闘機十数機ト遭遇空戦、陸攻一番機（長官《A》軍医長《C》樋端参謀《E》副官《F》搭乗）ハ火ヲ吐キツツQBV西方一一浬《カイリ》密林中ニ浅キ角度ニテ突入、二番機（参謀長《B》主計長《D》気象長《G》通信参謀《H》室井参謀《I》搭乗）ハ『モイガ』ノ南方海上ニ不時着セリ、現在迄ニ判明セル所ニ依《ヨ》レバ《B》《D》（何《イヅ》レモ負傷）ノミ救出セシメ、目下捜索救助手配中

（本電関係ハ爾後《ジゴ》甲情報ト呼称シ職名ハ括弧《カッコ》内羅馬《ローマ》字ニテ表ハスコトトス）」

という電報が発せられたのは午後二時三十分、電報番号の「一八一四三〇」は十八日十四時三十分の意味である。それから「共符」というのは、発信者名を秘匿するための共通呼出符号のことで、たとえて言えば「JOAK」や「JOBK」に対する「NHK」がやや共符に近い。本文第一行目の「南東方面艦隊長官」がほんとうの発信者である。

この電報を海軍省構内の東京通信隊が受信したのが十七時八分、暗号訳了が十九時二十分で、扱いは「軍機」となっていた。文中の「モイガ」は多分「モイラ」の訳しちがえであろう。

当時航空本部部員で軍令部の副官を兼務していた相良《さがら》辰雄の書いたものによると、退庁後で人影の無い大臣官房に、軍務局員浅田昌彦中佐が異常に緊張した面持で入って来、残っていた先任副官の柳沢蔵之助大佐に一通の軍機電報を手渡した。それを読む柳沢副官の顔はみるみる深い憂愁にとざされ、やがて省内の空気があわただしくなって、嶋田海相、沢本海軍次官、永野軍令部総長、伊藤軍令部次長、福留第一部長ら海軍の首脳部が、夜半続々とひそかに登庁して来たという。

ラバウルでこの第一報を東京へ打つ手配をしたあと、戦務参謀の渡辺安次はすぐにも現地へ飛んで行くつもりであったが、飛行機の整備がおくれたのと烈《はげ》しいスコールが来たのとで、彼の出発は翌日に延期された。

南東方面艦隊軍医長の大久保信大佐と共に十九日の朝八時すぎ陸攻でブインに着いた渡辺は、すぐ椰子《やし》林の中の士官寝室へ駈《か》けつけた。

宇垣の怪我《けが》は右腕の橈骨《とうこつ》動脈切断複雑骨折というかなりの重傷であったが、なかなか剛毅《ごうき》な男で、化膿《かのう》止めの注射を何本も打ってもらいながら、

「これで俺《おれ》のアールもなおるかな」

と、——「アール」というのは海軍士官ならたいてい誰でも経験しているある種の病気の隠語で、そんな冗談を言ったりしていたそうである。しかし渡辺の顔を見るとさすがに宇垣は眼に涙をいっぱいうかべ、軽便寝台の上から包帯だらけの姿で、

「長官、カモー岬のノーイースト四・五マイル。すぐ行け、すぐ行け」

と、それだけを言いつづけた。

ただし、宇垣の言葉の中の「カモー岬」というのは印度支那半島南端の地名で、ブーゲンビル島には「カモー岬」というところは無い。渡辺はそう記憶しているが、渡辺の記憶ちがいでなければ熱のある宇垣が「モイラ岬」のことを咄嗟《とっさ》に言いちがえたのであろう。

渡辺参謀は九四式水上偵察機を出させ、それに乗って空から現場へ向った。一番機の突っこんだ場所は、焼けて密林の色が変っているのでよく分った。

彼は用意して来たゴムまりを割って、
「渡辺参りました。ハンカチを振って下さい」
と走り書きしたものを入れ、それを更に細長い網袋におさめて報告球を作ると、十五、六個現場に投下した。

地上からは何の返事も無かった。それでもなお彼は、樹立《こだち》が深くて山本の振るハンカチが見えないのかも知れないなどと考えながら、水偵をジャングルの上低く何度も何度も旋回させた。飛び下りたいような気持であったと、渡辺は語っている。

やがてあきらめて海上へ出、待っていた掃海艇のそばへ水上偵察機を着水させた。かねて打合せの通り、両舷直約六十名の兵員を出してもらい、捜索隊を編成し、渡辺が指揮をとって端艇で小さな川の川口に上陸したのは、この日午後かなりおそくなってからであった。

川は蛇《へび》のように曲りくねってブーゲンビルの密林の奥に通じていた。一行は食糧や衣類や医療品を積み、ボートで川を溯《さかのぼ》るつもりであったが、水が浅いのと倒木が水路を塞《ふさ》いでいるところがあるのとで、途中でボートを捨て、右岸と左岸の二隊に分れ、間もなくそれも前進困難になって、みんないっしょに川の中を歩いて上流に向った。

この川が何という川であったかは、誰も覚えている者がない。

ブインの基地の背後には、タバゴ山というかなりの高山がそびえていて、そこに源を発するたくさんの川がモイラ岬の西北で海にそそいでいる。現在ブインのオーストラリヤ政庁支所の壁に貼《は》り出してある大きな地図で見ると、渡辺たちが溯った川はおそらくワマイ川であろうと思われる。海岸からワマイ川沿いに山本機のところまで、距離はそんなに遠くないのだが、なにぶん昼なお暗いとか千古斧《おの》を入れぬとかいう形容がそのままの深い密林の中で、しかもこの川は屈曲部が非常に多い。渡辺は川の幾つ目の屈折点より東へ何キロと、空からあらかじめ見当をつけておいたのだが、それで方角をまちがえたのであろう、蚊に食われながら夜ふけまで行軍をつづけてなお現場へ到達することが出来なかった。夜半すぎには全員へとへとになって、そのあたりに腰を下ろすなり寝こんでしまった。

四

捜索隊は陸路直接ブインからも出ていた。ブイン駐屯《ちゆうとん》の佐世保第六特別陸戦隊は、医務班を中心とする一隊を編成し、古川という特務少尉を指揮官として、早く十八日の午前十一時ごろから捜索に出したが、その日と翌十九日いっぱいかかって、やはり長官機を発見することが出来なかった。

結局これを見つけたのは、陸軍の斥候隊であった。

ブーゲンビル島には陸軍の第十七軍司令部があり、十七軍所属の各隊が島のあちこちに陣取っていたが、その中に「明九〇一九部隊」と呼ばれる部隊があった。これは都城《みやこのじよう》の歩兵二十三聯隊で、その歩兵砲中隊第一小隊長浜砂盈栄《はますなみつよし》という人が山本機を発見した斥候隊の長である。

浜砂は昭和十二年八月、日華事変が始まってすぐの応召で、戦地を転戦してすでに六年、その間に兵から少尉になったが、この当時はブインの西約三十キロのアクという土民部落の近くに幕営してトロキナ岬に通じる軍用道路の建設作業に従事していた。

十八日は日曜日であったから、武器被服の手入れということで休養していると、朝八時前突然超低空で空中戦が始まった。爆音と機銃音とが密林にこだまし、双胴のP38と海軍の零戦とが数機、樹上をかすめて追いつ追われつして行った。

浜砂少尉も兵隊たちもみんな立ち上って、

「やれッ、やれエ！」

と味方戦闘機に声援を送っているうちに、遙《はる》か向うのジャングルに大きな黒煙が上った。

「やったやった、今の奴がゼロ戦にやられた」

と、陸兵たちは手を叩いて喜んだという。

それから何時間かのち、半キロほど先にある聯隊本部から歩兵砲中隊に命令がとどいて来た。その命令を受けた中隊長の市川という大尉が、さらに第一小隊の浜砂少尉に口頭で命令を下した。

「海軍のえれえ人の乗っとる飛行機が落ちたげなから、お前将校斥候一組編成して捜しに行け。さっき見とったから、お前飛行機の落ちた方角知ッとっじゃろが」

浜砂は「海軍のえれえ人」とはどんな人だろうと思ったが、とりあえず自分の小隊から久木軍曹以下十人の下士官兵を選び出し、長以下十一名の斥候隊を組織して磁石一つをたよりにジャングルへ分け入ることにした。

密林の中は芭蕉《ばしょう》、棕櫚《しゅろ》、籐《とう》かずら、そのほか名前も分らぬ熱帯樹がいっぱいに生《お》いしげり、薄暗く、それに山とか土手とか目標になるような物が何も見えないから、一旦来た道を失ったら帰れなくなる。ナイフで木の皮をはいだり木の枝に物を吊《つる》したりして目印をつけながら浜砂斥候隊は進んで行った。

そうして黒煙を見た方角へ、一日中密林の中を捜し廻ったが飛行機を発見することは出来ず、日没近くなってアクの部隊へ帰って来た。

聯隊本部へ報告に行ってみると、海軍の捜索隊も未だ発見出来ずにいるそうだからあしたもう一度出ろという命令である。

それで彼らは翌日再び、ジャングルの中の難行軍を試みることになった。これが渡辺たちのブインに着いた十九日の朝であった。

十一時ごろ浜砂斥候隊の上空に一機の友軍機が飛来し、ちょっとひらけた場所を見つけて持参の日章旗を振っていると、空から通信筒が投下されて来た。墜落機の位置が記してあるのかと思ってあけてみると、

「機体発見セシヤ？　生存者アラバ白布又ハ国旗ヲモッテ円ヲ描クゴトク振リ通知セヨ」

と紙に書いてあった。

この友軍機は、もしかしたら渡辺参謀の乗った九四式水偵であったかも知れない。

浜砂隊はさらに密林の中をさがし歩き、夕暮近くなってきょうも駄目かとあきらめかけていた時、一人の兵隊が、

「小隊長、ガソリンの匂《にお》いのするごとあるな」

と言い出した。

鼻をくんくんやってみると、確かにかすかなガソリンの匂いがしている。

当時ブーゲンビル島の熱帯熱マラリヤはひどいもので、頭がおかしくなってドラム罐《かん》と相撲《すもう》をとったりする兵隊もあった。浜砂隊でもマラリヤにやられていない者は一人も無く、ジャングルの中の捜索行は実に苦しかったようだが、一同はそれで元気を取り戻し、匂いのする方へ匂いのする方へと進んで行った。

間もなく前方に、何か土手のようなものが見えて来た。

「へんな物の見ゆる。あげなとこに土手は無いはずじゃ」

と言いながら近づいてみると、それが墜落した一式陸上攻撃機の大きな垂直尾翼であった。主翼がありプロペラがあり、ふとい胴体は日の丸のマークの少し前で折れて、其処《そこ》から操縦席にかけては焼けただれて姿をとどめていなかった。まわりに死体が散乱していた。

一人、草色の服を着、胸に略綬《りゃくじゅ》をつけ、白手袋をはめた左手で軍刀を握り、右手を軽くこれに添えて、飛行機の座席にベルトをしめたまま、林の中に放心したように坐っている将官があった。わずかに首を垂れて、将官は何か考えごとでもしているような姿であったが、見ると死んでいた。そういう状態で投げ出されているのは、その将官が一人だけであった。

軍刀を握った左手の白手袋は、人差指と中指のところが糸でくけてある。ベタ金の階級章には桜が三つついていて大将だが、三本指の海軍大将――。

浜砂少尉《しょうい》は何かで、聯合艦隊司令長官山本五十六大将は昔日露戦争の時、怪我《けが》をして指を二本なくし、傷痍《きしょう》軍人徽章第一号の持主だという話を読んだことがあるのを思い出し、

「海軍のえれえ人というて、こりゃ山本さんじゃなかろかい」

と、初めて気がついた。

山本の失われた左手の指については、長い間ロシヤの砲弾が命中したためだというのが定説になっていたが、事実はこの物語の初めに書いた通り、軍艦「日進」の八インチ主砲の膅発《とうはつ》によるものであったらしい。

昭和十七年五月十五日の朝日新聞が、「近づく海軍記念日に贈る、山本司令長官の初陣秘話」と題してこのことを大きく扱っている。

話の提供者は山本と一緒に「日進」に乗っていた市川恵治という退役海軍将校で、

「いや、御本人の山本大将でさへいまでも敵弾とばかり思つてゐられるかも知れないよ」

と前置きして、膅発の模様を詳しく語ったとある。

それが出たのは山本の戦死する一年一ヵ月前で、浜砂は或いは大陸戦線か何処かで読んだこの朝日の記事を頭にとどめていたのであろう。

遺体の胸のポケットをさぐって立派な手帳があるのを取出してみると、果して「山本五十六」の署名があり、中に明治天皇と昭憲皇太后《しょうけんこうたいごう》の歌がたくさん書き記してあった。

しかし死者を山本大将と確認しても、どういうものか「はあ」と思った程度で、誰もそれほど驚きはしなかったそうである。

それより、浜砂たちは落し紙にもひどく不自由している時で、山本の服のポケットからまっ白な塵紙《ちりがみ》の厚い束と白いきれいなハンカチが出て来たのがひどく印象的であった。

「海軍の司令長官ともなると、ええ紙使うとってじゃなあ」

と斥候兵たちは言った。

山本は黒い飛行靴をきちんとはいていたが、帽子は何処かへ飛んで無く、軽く眼をつぶって半白のいがぐり頭をむき出しにしたその風貌《ふうぼう》が、小学校の読本で見た北条早雲の挿絵《さしえ》に似ていると浜砂は思ったという。

山本の遺体は攻撃機の胴体の左がわにあり、そのすぐそばに白服を着た年輩の軍医が仰向けに大の字になって死んでいた。これは艦隊軍医長の高田六郎少将である。その横にもう一体、それから飛行機の胴をはさんで反対側の右前方にボタンを全部はずして仰向けになった中佐参謀の死体があった。これは樋端航空甲参謀であったと思われる。ほかに、焼けて折り重なるようになっている遺体が幾つかあった。機長の小谷立兵曹長もその中にいた。

誰の身体にも未だ蛆《うじ》はわいていなかったが、それぞれ死顔が大分腫《は》れ上ってむくんでいる中で、山本だけがもっとも端麗な姿をしていた。

これは不思議なことだが事実であったらしい。そのためのちに色んな臆説伝説が生れて来ることになる。山本は生けるが如くであったとか、いや実際生きていて機外に出てから自決をしたのだとか、眼をカッと見ひらいていたとか、どんな姿勢をしていたとかいう類《たぐ》いの見て来たような話で、それが戦後さらに色々なかたちに拡散し、アメリカ人の中などには逆に、撃墜された飛行機の中の人間がそんなにきれいな姿でいるわけはない、日本人が山本を神格化するための作り話だろうと言わんばかりの調子でものを書いている者もある。

しかし一番機遭難の現場をそのままの状況で目視した者は、実際は浜砂斥候隊の十一人しかいない。何故《なぜ》なら彼らはすぐまわりの木を切って、飛行機自体が切り拓《ひら》いた空地に遺体の仮安置所をこしらえ、山本以下十一体をすべて其処へ移してしまったからである。遺骸《いがい》は芭蕉の葉でおおわれ、海軍食器に汲《く》んだ密林の中の湧《わ》き水が供えられた。

焼け残った陸攻の後部胴体の中はがらんとして、床に瀬戸引の海軍食器だけが散らかっていた。浜砂斥候隊の兵士たちは、その後戦争の終るまでにほとんど死んでしまったらしく消息が分らないが、隊長の浜砂盈栄だけはこれより四ヵ月後に都城の留守部隊に転属を命ぜられ、無事日本へ還って来て生き残った。彼の内地転勤は、或いは山本機発見の功によるものであったかも知れない。

浜砂は現在宮崎県西都《さいと》市大字《おおあざ》中尾という、九州電力一ッ瀬ダムの近くで小さな店屋を営んでいる。彼が当時聯隊本部を通じて聯合艦隊司令部に提出した報告とこんにち語るところとはほぼ一致していて、やはりこれが一番真実に近いものと考えなければなるまい。

山本の死体に自決した様子は見あたらなかった。ただ、突入炎上したあと、一番機にもし生きていた者があったとすれば、それは艦隊軍医長の高田六郎少将である。発見された時高田は山本のすぐかたわらに倒れていた。そして高田の身体にはほとんど傷が無かった。軍医長という職掌柄、彼が山本長官の遺骸をそこなわずに残したいと思い、意識朦朧《もうろう》としたまま適宜の処置をすませて事切れたのだとしたら、山本の死姿がきれいだったのはよく納得出来るわけであるが、これはむろん一つの想像に過ぎない。

この時山本が握っていた軍刀は、当時在世の、新潟県新発田《しばた》の刀工天田貞吉という人の打ったもので、山本はこれを兄の季八からもらった。山本はほかにも刀を七、八本持っており、中には名刀と言われるものもあったようだが、特にこの新しい刀を身につけて前線へ出たのは、くれたのが亡くなった兄で、刀鍛冶《かたなかじ》の名前が亡父と同じ貞吉で、いつも三人一緒という気持からであったらしい。

五

幕僚の中には、浜砂たちがちょっと欲しいなと思うような洒落《しや》れた小型拳銃など持っていた者もあったが、山本は軍刀と手帳とハンカチ塵紙以外はほとんど何も所持していなかった。日帰りのつもりだったからである。

浜砂隊が一応遺体の取り片づけを終るころには、もう今帰らねばジャングルの中で日が暮れてしまうという時刻になっていた。

飛行機の残骸も山本たちの遺骸も大部分の遺品もそのままにして、彼らがアクへ通じる本道まで抜け出してみると、ちょうど其処に疲れ果てた海軍の小部隊がぐったりとなって休んでいた。これが多分、ブインの佐六特（佐世保第六特別陸戦隊）が出した捜索隊であったと思われる。

山本機発見の報を聞いて海軍の捜索隊長は非常に喜び、今夜は此処で炊爨《すいさん》露営して明早暁現場へ向いたいから案内してくれということであった。

それで翌四月二十日の朝、浜砂たちは海軍部隊と合同して三たび密林の中へ分け入った。

同じころ、川のほとりで眼をさました渡辺参謀の一行も、再び長官機を求めて歩き始めたが、現場へはやはりなかなかたどりつけず、顔や手は蚊に食われて皆一面に腫《は》れ上り、苦しい行軍をつづけているうち、上空に飛来した連絡機が翼を大きくバンクさせて「機体発見、遺骸収容完了」の合図をした。

渡辺の捜索隊は集合地点の川口へ引返すことになった。

ブインから出た海軍側捜索隊は担架を用意して来ていた。浜砂隊は現場までの案内をし、遺体搬出の手助けをしてから、彼らと別れアクの部隊へ帰った。

部隊長からの要求があって、浜砂は三日間にわたる捜索行の、地点、時刻等詳細な報告書を作り、図面を添えて提出した。これは「明九〇一九」部隊から聯合艦隊司令部へとどけられ、しばらく後に彼は渡辺から、

「謹啓
陳者《のぶれば》過日の航空機事故者の捜索救出に際しては密林地帯中炎天下に在りて万苦を排して御協力を忝《かたじけな》ふし云々《うんぬん》」

という墨でしたためた礼状をもらった。

この手紙の最後にはしかし、

「尚《なほ》本件に関しては大本営より発表ある迄《まで》厳秘に附せられ居り候間可然《しかるべく》了知の上機密漏洩《ろうえい》等の事なき様御配慮を得度
敬具

聯合艦隊渡辺参謀

歩兵第二十三聯隊浜砂少尉殿　」

と念がおしてあって、「山本」という字は一つも書いてなかった。

なお、小さなことだがアク（Aku）という地名は現地の日本軍の間では当時「アコ」と呼ばれていた。それから、土民が浜砂斥候隊を現場へ案内したという通説があるが、浜砂の話によればこれは誤りである。捜索行の間土民の姿はまったく見かけなかったし、厚くたまった熱帯樹の落葉の間から水がジクジク滲《し》み出して来るような、道も何も無い湿地帯で、土民といえども平素往き来するところではなかった。

遺体は全部収容されたが、飛行機の方は放棄された。それでこの一式陸攻三二三号機は、二十六年後の今もブーゲンビル島のジャングルの中に在る。機番号は消え、プロペラは苔《こけ》むし、胴に日の丸の赤い色だけをわずかにとどめて、熱帯の樹木におおわれて残っている。ポート・モレスビー、ラバウル経由の定期航空便でブインまで行き、アクかアクのとなりのコポという部落の土民の青年たちに頼めば、場所を知っていて陽気に日本の歌を歌いながら連れて行ってくれる。ただし、往時ほどたくさん蚊はいないし毒蛇《どくじゃ》や猛獣もいないが、あんまり楽な史《し》蹟《せき》めぐりというわけにはいかない。

ブインの佐六特の捜索隊がワマイ川の川口で山本ほか十名の遺骸を渡辺に引渡したのは、二十日の午後四時ごろであった。

迎えに来た第十五号掃海艇の前甲板に天幕を張って、十一の遺体はその下に並べられた。モイラ岬を廻ってブインの桟橋までの航海中に、渡辺と大久保軍医大佐の二人だけがテントの中へ入って、一応の検屍《けんし》をすませた。

山本の下顎部《かがくぶ》からこめかみへ抜けた弾のあとを見て、大久保は、

「これだけで即死です」

と言った。

時計は七時四十五分でとまっていた。飛行機がジャングルに突入する前の、はっきり機上での戦死であった。

この時山本の三種軍装の大将の襟章《えりしょう》が、片方失われていたという。「大和ホテル」「武蔵御殿」と言われた聯合艦隊司令部から来て初めてメラネシヤ土民を眼にした渡辺は、「尻を見たらシッポが生《は》えてそうな」感じがしたようで、彼らが盗んで行ったのではないかと思ったらしいが、前述の通り山本の遺体を見た原住民は一人もいない。襟章がもし最初発見の時左右ともついていて、あとで片方無くなったのだとすれば、浜砂隊か海軍の捜索隊の誰かがこっそり記念に持って行ったものであろう。

棺におさめた十一の遺骸はブインの第一根拠地隊の庁舎前にテントを張って、その中に安置され通夜《つや》が行われた。そして翌日、車で十五分ほど離れた佐六特の農場で茶毗《だび》に附せられた。

ブインで山本五十六の検屍をし、正式の死体検案書を作成したのは第一根拠地隊軍医長の田淵少佐であった。

田淵は十八日の朝、きょうは山本長官がブインに来られる、着かれたら先《ま》ず病舎を訪問して傷

病兵の慰問をされる予定だというので、病舎へ行って整理清掃の監督をしていると、根拠地隊の富田捨造先任参謀から、

「熱傷患者の治療の用意をしてすぐ本部へ来るように」

との伝言がとどいた。

おかしいな、何か事故でもあったのかなと思いながら庁舎へ帰ってみると、富田が、

「軍医長、実はえらいことが起った。長官機がやられたんだ。参謀長以下の二番機はモイラ岬の近くの海へ突っこんで、宇垣さんは救出されたらしい。すぐ行ってくれ」

と言い、それで田淵は若い軍医を一人と佐六特の兵隊数名を連れて、駆潜艇でモイラ岬へ向ったのである。

一方、佐世保第六特別陸戦隊の主計長新川正美大尉は、六特から捜索隊を出すにあたって、土民を案内に立てることを主張して却《しりぞ》けられていた。

新川主計大尉は宣撫《せんぶ》主任という役を兼ねていて、現地の酋長《しゅうちょう》たちをよく知っており、ジャングルの中へ落ちた飛行機を見つけるには土民の助けを借りるのが一番早道だと思ったのだが、これは極秘事項だからということでやめになったのであった。

田淵義三郎は駆潜艇でモイラ岬へ着き、宇垣参謀長と北村主計長の応急手当をし、彼らをブインへ送り還したあとも現地にとどまっていた。

それは、もしかしたら一番機にも生存者があるかもしれない、水上偵察機が、

「長官機ノ遭難地点ハ、ワレ急降下ヲ以テ之ヲ示ス」

と言って来ており、海岸側へ救出されて来る者があったらその手当をしなくてはならぬと考えたからである。

しかし螢《ほたる》の飛ぶのを見ながらわびしい気持で夜通し待っていても、捜索隊はなかなか現場へたどりつけないようだし生存者の見込みも無いらしいというので、彼は翌十九日にブインへ引返して来た。

そして二十日の夕刻、十一の遺骸が第一根拠地隊へ収容されて来るのを迎えたわけであるが、そのうち田淵が検屍をしたのは山本司令長官、高田軍医長、樋端航空甲参謀、福崎副官、小谷機長と、准士官以上の五体だけであった。あとの下士官兵搭乗員六人は誰が検屍をしたのか分らない。

立会人は板垣《いたがき》征四郎の弟で第一根拠地隊司令官の板垣盛少将、南東方面艦隊軍医長の大久保信大佐、第八艦隊軍医長内野博大佐、聯合艦隊戦務参謀渡辺安次中佐の四人であった。

山本以下の死屍を田淵少佐が検《あらた》めながら口述するのを、一根附の福原公明軍医中尉が記録し、それを池田という衛生兵曹長が浄書し各々五通の死体検案書と死体検案記録とが作られた。

それによると山本の身体には、左下顎《か》角《がくかく》から右外皆部《がいしぶ》へ抜ける小指頭大の機銃弾のあとと、左肩胛骨《けんこうこつ》の中央部に人差指頭大の射入口とがあって、後者は射管（弾の通った道）が前右上方に向いたまま出口が無く、盲管になっていた。渡辺も指を差し入れてさぐってみたが、弾には触れることが出来なかったという。シャツは左半分が血に染まっていた。服にはちょっと火のついたところと二三ヵ所L字型の裂け目とがあった。飛行靴の片方がわずかにいたんでいたが足に傷は無かった。顔にはすでに蛆《うじ》が数匹這《は》いまわっていたけれども、未だずいぶんきれいで、新聞の写真で見る通りの山本長官であった。

この死体検案書並びに死体検案記録は、現在岡山県西大寺《さいだいじ》で外科医院を開業中の田淵義三郎が大切に保存している。

「　死体検案書

一、氏名　山本五十六

二、出生年月日

三、所轄官職　海軍大将

四、戦死傷死病死
自殺変死中毒等ノ別　戦死

五、傷病名　顔面貫通機銃創背部盲管機銃創

六、発病年月日　昭和十八年四月十八日

七、死亡年月日時　昭和十八年四月十八日午前七時四十分

八、死亡ノ場所　『ソロモン』群島方面

右証明ス

昭和十八年四月二十日

海軍軍医少佐　田淵義三郎（印）」

「一　死体検案記録

聯合艦隊司令長官海軍大将　山本五十六

右者昭和十八年四月十八日午前七時四十分頃『ソロモン』群島方面ニ於《オイ》テ搭乗機敵戦闘機ノ攻撃ヲ受ケ不時着即死同月二十日午後四時遺骸ヲ運搬シ来レルヲ第十五号掃海艇上ニ於テ第一根拠地隊司令官海軍少将板垣盛聯合艦隊参謀海軍中佐渡辺安次南東方面艦隊軍医長海軍軍医大佐大久保信第八艦隊軍医長海軍軍医大佐内野博立会ノ上検案スルニ第三種軍装ヲ着用シ長袴《チョウコ》ノ左膝蓋部《シツガイブ》左大腿部《ダイタイブ》並ニ上衣背部ニ夫々《ソレゾレ》L字型ノ裂目アリ上衣左前下部ニ拇指《ボシ》圧痕大《アッコンダイ》二個ノ焼痕ヲ認ム航空靴ハ右側先端ニ破孔アルモ同足部ニ損傷ヲ認メス着用セル白手袋ニ血痕ノ附着ナシ『ワイシャツ』左半分ハ血ニ染ム

遺骸ハ一般ニ軽度膨化《ボウカ》シ軀幹《クカン》ニ尚死斑《シハン》ヲ認メ顔面ノミ既ニ腐敗現象ヲ伴フ身体ニ次ノ如キ創面アリ

(一)左肩胛骨略中央部ニ示指頭大ノ創面アリテ射管ハ内前上方ニ向フ

(二)左下顎角部ニ小指頭大ノ射入口右外眥部《ガイシブ》ニ拇指圧痕大ノ射出口ヲ認ム

右ニ依リ顔面貫通機銃創背部盲管機銃創ヲ被《カウム》リ貴要臓器ヲ損傷シ即死セルモノニシテ死後推定六十時間ヲ経過ス

昭和十八年四月二十日

第一根拠地隊軍医長海軍軍医少佐　田淵義三郎」

これは公文書であるから煩瑣《はんさ》なかわり詳細克明に事実を伝えているように見えるかも知れないが、よく読んでみると、これまで私が記したことと少しちがっている部分がある。どちらが誤りかというと、奇妙な話だが公式の死体検案記録の方が誤りなのであって、田淵義三郎自身がそのことを証言している。

検案記録には「第十五号掃海艇上ニ於テ（中略）検案スルニ」とあるが、田淵軍医長はこの時十五号掃海艇には乗っておらずブインで遺骸の到着を待っていたのであって、その場にいない者が検屍が出来るわけがない。それから「死後推定六十時間ヲ経過ス」は、初め「七十時間」と書いてあったのを「一字訂正」として印を捺《お》し、「七」を「六」にあらためてある。実際にこの死体検案記録がとられたのは山本の戦死から約七十二時間後で、これも「一字訂正」をしない前の方が多分正しいのである。つまり上からの命令で体裁をととのえるための作為がなされているのであって、「戦史に関して公式記録を頭から信用してかかることは非常に危険だ」と高木惣吉が言う、これはその顕著な一例であろう。

あとの人々についての検案書検案記録は省略するが、樋端航空甲参謀は頭蓋底骨折で、全身がすでに腐敗していた。

福崎副官と小谷機長とは「全身第四度熱傷」、炭化していてほとんど人間のかたちをとどめておらず、飛行靴のネームなどからようやく誰か見分けることが出来た。

不思議なのは高田軍医長で、彼の死体検案記録には、

「上半身熱傷並ニ頭部激突ノ跡ヲ確認シ得タリ依テ頭蓋底骨折ヲ惹起《ジャツキ》シ貴要臓器ノ損傷ニ因《ヨ》リ即死セルモノト認ム」

と記してあるが、これは山本の記録以上のフィクションで、

「どうしてこれで死んだのかと思うくらい、ほとんど完全に無傷でした」

と田淵義三郎は言っている。

田淵の口述にしたがってこれらの記録をとった軍医中尉の福原公明は、これより四五日前、い号作戦の戦傷者と一根の病舎にいる重病人とを後送かたがた、しばらく休養をして来いという軍医長の命令で、池田衛生兵曹長と二人ラバウルへ出張していた。

仕事をすませ二三日遊んで、十八日の朝の飛行機で帰任する予定にしていたところ、

「十八日の便は偉い人が大勢乗られるから、お前たちは翌日に延ばせ」

と言われ、それで命が助かって十九日の朝ブインに帰って来、初めて長官機の遭難を聞いたのである。

福原は広島の出身で、中学のころから江田島の海軍兵学校へは何度も見学に行ったことがあった。参考館で見た日露戦争の勇士の血染めの軍服は、彼の印象に強く残っていた。

山本の服もシャツも、焼いてしまえば灰になるだけで何だか惜しい気がする。出来れば歴史的な記念物として残して兵学校にでも届けたいと思い、かつ自分でもう一度背中の盲管の射管を確かめたく思って、陸戦隊の農場で火葬の前、彼はかがみこんで山本の着衣を脱がそうとした。

すると、

「もうそれ以上さわるな！」

といきなり大声でどなりつけられた。顔を上げてみると大男の渡辺戦務参謀が血相を変えて立っていた。

大将の襟章を一つ記念に残すことだけがやっと認められたが、これはその後何処《どこ》へ持ち去られてどうなったか分らないままである。

山本の火葬場は一つだけ別に穴が掘ってあった。道路をへだてて反対側に、あとの十人の火葬場が設けられていた。それぞれの穴の中に薪《まき》が積まれ、棺を置いた上にまた薪が積まれ、ガソリンをかけて火がつけられた。

なおこの時聯合艦隊の長官幕僚、機長の小谷立兵曹長とともに茶毗《だび》に附せられた下士官兵は、操縦員大崎明春飛行兵長、偵察員田中実上等飛行兵曹、電信員畑信雄一等飛行兵曹、同じく上野光雄飛行兵長、攻撃員小林春政飛行兵長、整備員山田春雄上等整備兵曹の六人であった。

火葬場に来ていた一行は、火が充分にまわり切るのを見届けてから、番兵だけ残して一旦ブインの根拠地隊に引揚げた。骨上《こつあ》げは午後の三時ごろになった。

渡辺は未ださめ切っていない穴の中へ飛びこみ、パパイヤの枝を箸《はし》にして山本の骨を拾い始めた。偶然喉仏《のどぼとけ》が一番初めに見つかったそうである。骨壺《こつつぼ》は無かったが、分厚い木で作った骨箱が用意してあって、底にパパイヤの葉を敷き、山本の骨はその上におさめられた。

あとの十人のうち樋端参謀は渡辺の同期生であった。子供に持って帰ってやるのだからと思い、渡辺は樋端の骨も丹念に拾った。

骨上げのあと、穴は全部埋められて土饅頭《どまんじゆう》が築かれた。山本の土饅頭の墓のほとりには彼の好物であったパパイヤの木が二本植えられた。この墓はその後終戦時まで海軍部隊の手で大事に護《まも》られていたが、パパイヤの寿命は二十年足らずの由で、今ではブインを訪れてみてもそれが何処に在ったのかもう分らない。

連日、文字通り無我夢中で働いて来た渡辺中佐は、三種軍装の全身汗水漬《あせみずく》で、ほとりの小川に靴をつけたら靴の鋲《びよう》がジュッと音を立てたと思ったというほどで、その晩基地の司令官がとっときのビールを振舞ってくれたのが、何ともいえず美味《うま》かったが、そのあと急に身体の節々が痛み出した。椅子に坐っているのがつらくなり、それでも我慢して夕食を食っていると、ひどい寒気がおそって来た。密林の中で蚊に食われたためのデング熱であった。

ギプスをはめて寝かされていた宇垣参謀長は、山本の火葬には立会わなかったようであるが、

「俺が悪かった、俺のミスだった」

と、しきりに言っていたそうで、渡辺はこの時、

「宇垣さんはきっといつか自決するつもりだな」

と思ったという。

これより二年四カ月のち、昭和二十年八月十五日、日本敗戦の日、第五航空艦隊司令長官の職に在った宇垣が、山本にもらった脇差《わきざし》一振りを手に、部下の彗星《すいせい》艦爆十一機をひきい、沖縄へ最後の特攻攻撃をかけて還らなかったのは、広く知られている通りである。

渡辺は熱が高かったが、翌日それをおかし、宇垣参謀長、北村主計長、大久保軍医大佐、戦務

参謀附で来た大笹という主計兵曹ら一行と共に、十一の遺骨を守って飛行機でラバウルへ帰って来た。

山本が霞ヶ浦海軍航空隊の副長時代大尉の分隊長で、飛行機の寿命延長策を研究して激励を受けた本多伊吉大佐は、この当時南東方面艦隊兼第十一航空艦隊機関長としてラバウルにいたが、山本長官たちの遺骨が二十二日の午後ラバウルに着いた時の模様をはっきり憶《おぼ》えているという。十一の遺骨は木箱におさめて白布で包まれ、職名階級氏名無しの、符号だけで区別してあった。

山本の戦死はラバウル所在各部隊にも極秘にされていて、当夜は司令部前の半地下室で限られた司令部職員のみで通夜が行われた。淡い電灯の下の霊前に蠟燭《ろうそく》が二本ともされ、二本のサイダー瓶《びん》に熱帯の美しい花がさして供えてあった。

骨になった山本は、翌四月二十三日、草鹿任一、小沢治三郎、本多伊吉ら大勢の見送りを受けて、ラバウルからさらに飛行艇でトラック島泊地の旗艦「武蔵」に帰って行った。

山本の遺骨の箱は、「武蔵」の長官室に安置された。渡辺戦務参謀はそのあとぶっ倒れて、それからまる十五日間起《た》つことが出来なかった。

第十四章

一

山本戦死の最初の衝撃からさめた時、ラバウルの南東方面艦隊でも聯合艦隊の司令部でも、責任者の頭にすぐ浮んだのは、暗号が読まれていたのではないかという疑いであった。

南東方面艦隊司令長官の草鹿任一は、山本の遭難の前にも、今村均を乗せた陸攻の経験をふくめて、二、三度、暗号が読まれ情報が洩《も》れているのではないかという不安を感じ、味方暗号担当の軍令部第四部に電報で注意を促したことがあったが、こういうのは担当者の自負と称すべきか、官僚的セクショナリズムと称すべきか、そんなことは絶対にあり得ないというのが、軍令部からの草鹿に対する返答であった。

参謀長の宇垣も、山本と一緒にブインへ発《た》つ前、

「日本の暗号が解かれているなんて、そんなことあるもんか」

と言っていたという。

それでこの時も、疑問は大いに感じながら結局ほんとうの事は分らず、偶然の不運であったろうとして事は処理されてしまったが、戦後になってアメリカ側から明らかにされたのは、やはり、

暗号解読による山本搭乗機の待ち伏せの成功という事実であった。

待ち伏せ攻撃を担当したのは、ガダルカナル島ヘンダーソン基地のアメリカ陸海軍海兵隊混成の航空部隊で、司令官はマーク・ミッチャー少将、P38隊の指揮をとったのは、ジョン・ミッチェルという少佐、山本の乗った一番機に直射を浴びせて撃墜したのは、P38十六機のうち、トーマス・ランフィヤー大尉の飛行機であったということになっている。

マーク・ミッチャーはドゥーリットル東京空襲の時の空母「ホーネット」の艦長で、少将に進級してから、ソロモン航空戦の立役者として名高くなった。

四月十七日の午後、ミッチャー少将は、ガダルカナル島の基地で、ニミッツからハルゼーを経由して来た一枚の最高機密電報を見たが、それには、日本の山本提督が翌十八日の朝、ラバウルを発ってバラレに着き、駆潜艇でカヒリ（カヒリはブインの海岸地区の地名であるが、日本側では総称してブインと呼んでいた）に赴《おもむ》くこと、バラレ着は九時四十五分（日本時間、七時四十五分）の予定であること、山本は時間に厳格な人で、この予定表通り行動するであろうこと、その他、山本の搭乗機の機種、護衛戦闘機の数まで、詳細な情報とともに、「あらゆる方法を尽してこれを討ちとれ」ということが記してあり、海軍長官フランク・ノックスの署名があった。

一説によると、ハワイにいたニミッツ大将は暗号解読によるこうした手段で敵将を殺すことをあまり快く思わず、判断を一旦ワシントンに委《ゆだ》ねたと言われる。

ニミッツはハルゼーとは性格のちがう提督であった。ウイリアム・ハルゼーが大西瀧治郎だとすればチェスター・ニミッツは米内に近かった。そこからこういう伝説が生れて来たのであろうが、いくら穏健理智的な軍人でも、食うか食われるかのいくさの最中にそう紳士的にばかりはなっていられまい。実際にニミッツが惧《おそ》れたのは、この作戦によってアメリカの暗号解読作業の手のうちを日本に見すかされることであった。それで初め賛否両論の間に立って彼は迷っていたが、日本側の疑念をはぐらかす適当な方法があり、かつ万一あとで暗号を変えられてもアメリカはそれに対応出来るという見通しが立ったので、決断を下したのである。

それに彼は、殺すのを惜しいと思うほど山本のことをよく知ってはいなかった。山本が三国同盟に命を張って反対していたこと、対米英戦争に関しても強硬な反対論者であったことをニミッツが知り、その真価を認めたのは、戦争が終ってからである。

命令を受けたマーク・ミッチャー少将は、すぐ作戦計画を練り、準備にとりかかった。

それではしかし、山本の巡視日程を書いた日本海軍のどの暗号電報が、如何《いか》にして解読されたかということになると、真珠湾、ミッドウェー同様、これまた長い間の謎《なぞ》であった。ニミッツの海戦史にも、暗号の解読によって情報を得、計画通り正確にこれを撃墜したとだけしか記してない。

ヘンダーソン基地のP38は、山本を仕とめた翌日から、如何にもそれが偶然であったかのように、暗号などは全く関係が無かったかのように、用も無いのに編隊を組んで、十八日の朝と同じブーゲンビル島の空域を、何度も行動して見せた。逆にラバウルの南東方面艦隊司令部では、草鹿任一長官が前線視察に出かけるという嘘《うそ》の電報を暗号に組んで発信してみたりしたが、アメリカ側は何の反応も示さなかった。

戦後、この問題に取り組んだ旧海軍の関係者たちが得た結論は結局次のようなものである。

山本司令長官のブイン、ショートランド行きを記した電報は、調べてみると計六通出ている。そのうち一通は、山本の飛行機が着くはずだったバラレ所在の陸軍守備隊が、ブーゲンビル島の第十七軍司令部に、そのことを報告したものであった。

海軍側の責任者としては、やられたとすれば陸軍の暗号がやられたのではないかと思いたいところで、戦後ある人が、米海軍の情報関係の将校に、

「せめて、アーミーの暗号を読んだのか、ネイビーの暗号を読んだのか、それくらいは教えてくれてもよくはないか」

とただしたところ、相手は机の上に、黙って「N」と一字書いたという。

それで、一番目の、陸軍守備隊の打った電報に対する嫌疑《けんぎ》はまず消えてしまった。

次は、ラバウル東飛行場の基地指揮官が、バラレの基地指揮官あてに、陸攻二機零戦六機の出発を報《しら》せた、当日午前六時五分の電報である。

それから、山本長官搭乗機の機長が、飛行中、バラレの基地を呼んで、「〇七四五着予定」を告げた電報である。

この二通は、簡単な航空暗号で出されているので、読もうと思えば読めたかも知れないが、前の日からの準備には間に合わない。

四通目は、さきに書いた、城島少将が見て怒ったという、四月十三日の長い、最も詳細な電報である。これは「呂暗号」と同様の、五桁《けた》の乱数を使った「波暗号」で出ている。そして「波暗

号」の乱数表は、四月一日に変っている。

改変したばかりの無限乱数が、十日や二週間ですぐ解けてしまうというのは、前述の通り、現物を盗まない以上暗号の常識として不可能で、軍令部四部が、「絶対にそんなはずはない」と言い張るのは、必ずしも理が無いわけではないのであった。

五通目は、四月十六日に、聯合艦隊司令長官の名前で、東京の軍令部総長その他に宛《あ》てて出された「い」号作戦の戦闘概報である。これの末尾に、

「四月十八日『ショートランド』方面実視ノ後、四月十九日将旗ヲ『武蔵』ニ復帰ス」

という一行があった。この電報の使用暗号が何であったかは分らないが、聯合艦隊の長官名で出される戦闘概報にはもっとも程度の高い暗号を使うのが慣例になっている。

暗号が解かれたというと、日本海軍の暗号は、手もなく悉《ことごと》くアメリカに筒抜けであったように一般に解釈され勝ちであるが、——そして、そうでなかったと言い切ることは出来ないけれども、彼らも必ずしもすべてを読み得ていたわけではないだろうという証拠は、幾つか挙《あ》げることが出来る。その一番手近な例は、この時から三カ月半後の、キスカの無血撤退であろう。

昭和十八年の七月二十九日、キスカ島の海軍部隊が、霧にかくれて、全員無事撤収を終って半月後、米軍は、戦艦以下延《の》べ百隻に近い水上部隊を以て、猛烈な艦砲射撃を加え、同士討ちで多くの戦死傷者を出したりしたあと、この島に上陸して来、数匹の犬以外、誰も残っていないことを知った。日本海軍の暗号を全部読んでいたものなら、こういうことは起らなかったはずであった。

乱数表を変えた「波暗号」その他の高度の暗号が読まれていなかったものとすれば、最も怪し

いのは、最後に残る一通の電報になる。

ショートランド島から更に三百キロばかり南東に、サンタ・イサベル島のレカタという水上機基地があった。サンタ・イサベル島の南は、すぐもうガダルカナルで、此処《ここ》は、当時最前線中の最前線である。

レカタはショートランドの分遣隊であるが、すでに交通の自由は失われ、緊急書類は飛行機から落し、糧食は潜水艦で運んでいる状況で、山本もむろん、レカタまで足をのばす予定は無かった。

ラバウルの南東方面艦隊司令部からの、山本巡視日程を記した四月十三日の暗号電報を受け取った時、ショートランドの基地では、誰かが、

「レカタの奴らにも、知らせてやろうじゃないか。レカタの連中も苦労しているから、長官が来ることを教えて、士気を上げてやろうや」

と言い出した。

別の誰かが、

「しかし、あすこは飛行機用の暗号書しか持ってないから、それで電報を打つより方法が無いが、いいのか」

と言った。

ショートランドからレカタへのその電報は、結局出たらしい。出されたとすれば、これは強度のずっと低い暗号によったもので、アメリカ側がすぐ解読しても不思議はなかった。

それに、日本軍の占領したソロモン群島の島々には、アメリカが二百五十組からのコースト・ウォッチャー（沿岸監視隊）と呼ばれる工作員を潜入させて、土民を組織し、情報の採集につとめていた。怪しい微勢力の電波が、島のあちこちから始終出ていることは、日本海軍も知っていた。

ブーゲンビル島の東岸キエタには、佐六特の分遣隊があって、指揮官の兵曹長が太郎、次郎と名づけた華僑《かきょう》のボーイを二人使い、土民の酋長《しゅうちょう》とも連絡を取りながら情報を得て暮していたが、この兵曹長は、

「日本海軍のナンバラ・ワンがブインにやって来る」

ということを、事前に逆に酋長から教えられたという。

土民や華僑や宣教師を使ったコースト・ウォッチャーの情報活動と、ショートランドからレカタへ打った六通目の味方電報とが、結果として山本を死に到らしめたのではないかというのが、日本側としてはこれまでせい一杯の推理だったのであるが、一昨年デーヴィッド・カーンの「The Codebreakers」が出版されて、このすじだてを根底からひっくりかえしてしまった。

カーンの著書によれば、アメリカ太平洋艦隊司令部の無線諜報班《ちょうほうはん》は、コースト・ウォッチャーにも頼《たよ》らず、末端部の電報にも目をくれず、もっともオーソドックスな「NTF（南東方面艦隊）機密第一三一七五五番電（十三日十七時五十五分発信）」を解いたのである。

「GF長官四月十八日左記ニ依リ『バラレ』『ショートランド』『ブイン』ヲ実視セラル云々《ウンヌン》」

というあの長文の電報である。

カーンは、艦隊無線班がＩＢＭカードにパンチされていた乱数表を用いて、四月一日に変ったばかりの新乱数の大部分を解明したと記しているだけで、作業の詳細はよく分らないが、本には日本海軍の五桁の数字暗号書（多分『波』暗号の発信用基礎暗号書の写し）のある一頁《ページ》のはっきりした写真まで載せてあり、彼らがこの電報を読んだことは、ほとんど疑う余地がない。

ショートランドでこの「ＮＴＦ機密第一三一七五五番電」を見て怒った城島高次が、結果的には危険を一番よく察知していたということになろう。

それから、ニミッツが日本側の疑念をはぐらかす適当な方法を見出したときに書いたのは、実は、「山本の前線巡視計画はコースト・ウォッチャーにキャッチされたのだ」と日本が思いこみそうな、そういう噂《うわさ》を日本軍の占領地区にわざと流すことであった。佐六特のキエタ分遣隊の兵曹長に、

「日本海軍のナンバラ・ワンがやって来る」

と話した酋長には、おそらく裏からの手がまわっていたのであろう。

二

しかしながら、日米戦の戦史には分らない部分がほかにもいっぱいある。僅《わず》か二十数年前のことなのにとも言えるし、戦争が終ってもう二十数年も経《た》ったのにとも言えるが、謎の幾つかは結局謎のままに終るかも知れない。生き残った関係者は次々に鬼籍に入りつつあるし、公式の記録として残されたものだからといって頭から信用してかかっては危険だということは、前述の通り

高木惣吉らの強く指摘するところである。

それらの謎の中でも特に注目される一つは、誰が山本長官搭乗の陸攻三二三号機を撃ち落したのかという問題であるが、従来これはアメリカ陸軍航空部隊のトーマス・ランフィヤー・ジュニア大尉とされ、日米両側ともに疑念をさしはさむ者は一人も無かった。

その上ランフィヤーは「リーダーズ・ダイジェスト」の懸賞募集の体験記に応募して当選し、この一文は日本版では一九六七年の一月号に「私は山本五十六を撃墜した」という題で発表されて、アメリカ側から見た当日の戦闘の模様が一応明らかになった。

これを読めば、今まで山本機を邀撃《ようげき》したP38が或いは二十四機、或いは十八機、十六機と言われていたのも、正しくは十六機であったと分る。十八機で出撃したのだが、中の二機は故障ですぐ引返してしまったのであった。

しかし、ランフィヤーが手記の中で、攻撃に移るや忽《たちま》ち零戦一機を撃墜し、さらにそのあとアメリカ戦闘機隊が数機のゼロを撃ち落したように書いている、これは誤りである。

二〇四航空隊の六機の護衛戦闘機は、実際には一機もおとされなかった。遅れてブインの基地から救援攻撃に出た零戦隊との戦闘なら話は別になるかも知れないが、ランフィヤーの手記はそういうニュアンスでは書かれていない。護衛戦闘機の搭乗員は名前も全部判明していて、隊長が第一小隊一番機の森崎武中尉、二番機が辻野上豊光一等飛行兵曹、三番機杉田庄一飛行兵長、第二小隊一番機が日高義巳上等飛行兵曹、二番機岡崎靖二等飛行兵曹、三番機柳谷謙治飛行兵長の六人である。

このうち森崎、辻野上、杉田、日高、岡崎の五人は戦争が終るまでに亡《な》くなったが、柳谷だけはムンダ方面の戦闘で右手首切断の重傷を負い、病院船で呉《くれ》へ帰って来て生き残った。雑誌「丸」の主宰者高城肇《たかぎはじめ》が東京に現存の柳谷謙治飛行兵長をたずねあて、「六機の護衛戦闘機」という本を昨年（一九六八年）出版したが、これを読んでみても日本側の護衛戦闘機に被害の無かったことは明らかだと思われる。

護衛零戦隊の戦闘記録も残っていて、それは、

「〇五四〇ラバウル発。
〇七一五P38二十四機ト空戦ニ入ル。
〇七四五一機バラレ着、五機ブイン着。
一二〇〇ブイン上空集合。
一三五〇ラバウル着。
戦果撃墜六。内辻野上二機、杉田二機、日高、柳谷各一機。
味方護衛戦闘隊ノ被害ナシ」

となっている。

ただしこの戦闘記録は、「味方護衛戦闘隊ノ被害ナシ」という一項を除いては遺憾ながら間違いだらけで、ラバウル発の時刻、空戦に入った時刻は早過ぎるようだし、P38を二十四機としたのは誤認であるし、「戦果撃墜六」は特に大きな誤りである。

アメリカ側も味方の被害状況ははっきりしていて、P38十六機のうち落されたのは一機、レイ

モンド・ハイン中尉の搭乗機だけであった。

「13th Fighter Command Detachment」「Subject : Fighter Interception」「Date : April 18, 1943」「Time : Take off 0725—Return 1140」という米軍の公式記録が存在しているので、当日のP38戦闘機隊の編成だけ記しておけば、直接攻撃担当 (Attacking Section) が、トーマス・G・ランフィヤー・ジュニア大尉、レックス・T・バーバー中尉、ベスビイ・F・ホームズ中尉、レイモンド・K・ハイン中尉の四機、掩護《えんご》部隊 (Cover) が、指揮官のジョン・W・ミッチェル少佐、ダグラス・S・カニング中尉らの十二機である。


しかしこういう公式文書のものものしさにもかかわらず、戦闘の模様や戦果を正確に伝達するのは実際はよほどむつかしいことのようで、現在ブイン近辺の原住民たちが、

「ジャングルの中には日本の大きな飛行機が一つとアメリカの小さな飛行機が一つあるだけだ」

と言っていることの方が、日米両国の色んな記録よりもむしろ正確なように私には思われる。

日本側が一機しか落していないものを六機撃墜と思いこみ、アメリカ側が一機も落していないものを何機か落したように思いこんだのは、戦場の心理としてやむを得ないのかも知れないが、最近になって、彼我《ひが》の戦闘機の撃墜数などより、そもそも山本五十六搭乗の一式陸攻一番機を仕とめたのは誰かという疑問が一人のアメリカ人から提出された。


それはランフィヤーの体験記が「リーダーズ・ダイジェスト」の懸賞に当選してから間もなく、一九六七年春の「Popular Aviation」というアメリカの航空雑誌に米空軍のベスビイ・ホームズ中佐が発表した「Who Really Shot Down Yamamoto?」(誰がほんとうに山本を撃ち落したか?)

という小論文である。

ベスビイ・ホームズは、右の米側記録にある通り当時中尉で、ランフィヤーやハインと共にブーゲンビル島上空に直接山本機を迎え撃ったP38「ライトニング」の搭乗員であった。彼は一機の「ベティ」(一式陸攻に対するアメリカ側の呼称)を自分が海中に撃墜したのを確認して帰途についたが、乗機に被弾があり燃料が足りなくなってラッセル島に不時着をしなくてはならなかった。それでガダルカナル島ヘンダーソン基地への帰還が仲間より数日おくれたが、帰ってみると二機の「ベティ」撃墜の殊勲者としてトーマス・ランフィヤー・ジュニアとレックス・バーバーの二人の名が、日本流に言えばすでに武勲上聞に達していた。

ホームズは自分が「ベティ」一機を海中に撃ち落したのを確認しているという。しかしそれでは「ベティ」が三機いたことになってしまう。二機しかいなかったのが事実ならば、ランフィヤー、バーバー、ホームズのうち誰か一人が嘘乃至《うそないし》まちがいの報告をしたと考えなければ計算が合わない。

ホームズはヘンダーソン基地で大いに憤慨し、一度は仲間と激論もしたらしい。

戦争が終ってから日本側の記録を見てみると、海中に落ちたのは宇垣参謀長の飛行機で、自分が山本機を撃墜したのでないことはあきらかになったが、それではほんとうに山本機を落したのは誰なのか——というのが彼の書いたものの趣旨である。

「眠った犬はそっとしておけ」という諺《ことわざ》にしたがって、自分は戦後二十数年間沈黙を守って来たが、最近山本提督戦死の時のことがまた各方面で取沙汰《とりざた》されており、歴史学者の書いたものにも重大な誤りが見出されるので敢《あ》えて沈黙を破る気になったのだと、ベスビイ・ホームズ中佐は言っている。

真相は要するに分らない。もう一人のレックス・バーバーが健在か、何か書いたものがあるか、それも分らない。

ただ、これについては一つ余話のようなものがある。

私事にわたるけれども、一九六七年の三月、私はヨーロッパからアメリカ経由で日本へ帰る途中、山本機を撃ち落したトーマス・ランフィヤー・ジュニアに会って話を聞きたいと思い、紹介してくれる人があってあらかじめ手紙を出しておいた。ちょうどベスビイ・ホームズの文章の載った「Popular Aviation」三四月合併号がアメリカの本屋の店頭に出たころだと思うが、その時はホームズの記事のことは知らなかった。

ランフィヤーは現在、加州サン・ディエゴの近くの La Jolla という町に住むビジネスマンで、始終仕事で東部との間を往き来している。

ロサンゼルスに着いてみると、空港の日本航空カウンターに私あてのランフィヤーの返事が待っていた。

内容はたいへん好意的なもので、喜んで会うということ、火曜日にロサンゼルス経由でまたニューヨークへ向うので、月曜日の晩自宅へ電話をくれれば打合せが出来て好都合だということがしたためてあった。

運よくその日が指定の月曜日であったから、私はホテルから La Jolla へ電話をかけ、翌日午後六時にホテルで向うからの電話連絡を待つという約束をした。

ランフィヤーは夜の飛行機でロサンゼルスからニューヨークへ発つので、夕刻以後は少し時間が空《あ》く、その間に何処かで会おうというのであった。

それで火曜の夕方待っていると、六時ちょうどにランフィヤーから電話がかかって来たが、それは意外にも、

「急用でこちらを発てなくなったので、会えない」

という、La Jolla の自宅からの断わりと詫《わ》びの電話であった。

私は彼の声だけ聞いて、甚《はなは》だ残念に思いながら日本へ帰って来たのであるが、それから間もなく「Popular Aviation」のホームズ中佐の記事をみつけ、ランフィヤーは何らかの理由で私に会いたくなかったのではあるまいかと、ちょっと不思議に思った。

そしてある時、山本の友人であり通訳であった溝田《みぞた》主一にこの話をした。すると溝田が、

「僕も同じような経験をしている」

と言い出した。

溝田も、山本を殺したという男に一度会ってみたいと思い、四五年前アメリカへ渡った時、スタンフォード大学同窓のアメリカ人の友人と一緒にラ・ホイヤ（La Jolla はラ・ホイヤと発音するのだそうである）へドライブし、トーマス・ランフィヤーと三人でゴルフをすることになった。ランフィヤーはラ・ホイヤのゴルフ・クラブのメンバーで、必ず行くという約束であったが、待てど暮せどついにあらわれなかったというのである。

要するに溝田も私もどうやらランフィヤーにすっぽかされたらしいのだが、これだけの事実を以て彼が山本機撃墜に関しまちがった報告をしているという証左にするわけにはむろんいかない。

その後溝田のもとへは、トーマス・ランフィヤー・ジュニアから手紙がとどいている。ゴルフの一件はちがったゴルフ場へ行って待っていたので会えなかった、たいへん失礼したということで、私の名前も挙《あ》げて、近いうち日本へ行って二人に会いたいと書いてある。

会って色々話を聞けば私たちが果してすっぽかされたのかどうか、すっぽかされたとしたら何ゆえか、ひいては山本機撃墜の真相まで察しのつくところがあるかも知れないが、今のところは、偶然とすれば奇妙なこの二つの偶然を、並べて記しておくことが出来るだけであろう。

三

トラックの「武藏」には、四月二十五日の午後、古賀峯一大将が、後任長官として着任した。山本の死は、部内にもかたく秘せられ、古賀の赴任は、横須賀鎮守府司令長官の南方視察というふれ出しで、壮行会の時にも、名札が「横鎮長官」のままであった。

古賀は、かつて河合千代子に、

「山本の将来を思って、辛《つら》いだろうが別れてやってくれ」

という話を持ちかけ、千代子に、

「古賀さんの言うこと、分らないじゃないけど、今どき新派悲劇は流行《はや》らないわよ」

と、あとで笑われたという堅人であったし翌昭和十九年の三月、聯合艦隊司令部をひきいてパラオからフィリッピンのダバオへ向う途中、乗っていた二式大艇が嵐《あらし》にまきこまれ行衛《ゆくえ》不明になって、あまり華々《はなばな》しいいくさもしないままに山本のあとを追うてしまったので、一般にはあまりパッとしない印象を与えているようだが、山本とは仲のいい古い友達でその志操も米内山本と全く同じであった。

「五峯録」におさめられている堀悌吉あての手紙を見ると、古賀は聯合艦隊へ出てから山本以上の烈《はげ》しい言葉で中央の無策無定見を罵《ののし》っている。

「小生不相変《あひかはらず》にやつて居ます　遠い所に居ても山本兄の心情はよくわかつて居た積りなりしが目下心に沁《し》みてわかる様な気が致します、河馬《かば》男女川《みなのがは》の無方針無分別誠に残念に不堪《たへず》候　二階の無知無気力亦《また》何をか云はんやです」（昭和十八年八月二十六日付）

「男女川は思惟《しい》能力を失ひたるに非《あら》ずやと思はれ候　河馬亦空中浮遊の情態衷心深憂に不堪ものの有之候　ずべ氏亦御覧之通、（中略）只々《ただただ》身命を抛《なげう》つて聖明に応《こた》えんと存ずるの外なし去十五年破戸漢《ごろつき》と乞食《こじき》と親類関係を結びムッシュー、ル、ミニストルになつて得意顔をし或は今日鉄社長で得意顔せる小ソロの売国屋（？）は論外とするもプランスを上に戴《いただ》き右の三軒長屋入りの責任者たる鮭頭《さけあたま》氏の如き奴がまだ居るかと思ふと妙に存じます（中略）之は内輪の事にて申上ぐべき事でないと存候も自分でグランドケレルを作つて居ながら命のある限りやるなど云ふ責任感など薬にしたくもないこんな奴原が三軒長屋入りをしたかと思ふと

何とも云へぬ心地致候　近く善五郎親分のあとに行くと云ふ話しもありあとで余り大きな顔させぬ様覚へて居て下さい
本紙一寸思付いてかきました　必御火中被下度候」（十八年十一月十日付）

「二階」は軍令部のこと、「破戸漢」と「乞食」はむろんヒットラーのドイツ、ムッソリーニのイタリヤの意味である。「河馬」「男女川」「ずべ氏」「鮭頭氏」、それから此処に引用しなかった手紙に「長面君」などというのも出て来るが、これらが誰をさすかは、当時の海軍上層部の写真でも取出して眺《なが》めれば容易に想像がつこう。

古賀が聯合艦隊へ赴任の挨拶《あいさつ》に、鈴木貫太郎の家を訪れたら、山本の言った通りラバウルでの寄せ書が神棚《かみだな》に上げてあった。

古賀のところにも、同じような寄せ書がついたばかりであった。「五峯録」にはこれもおさめてあって、

「南東第一線に於て級会を開き候補生当時の追憶談に花を咲かせ申候
遙《はる》かに閣下の御健祥を奉祈上候
　第三十七期生
名誉会員　山本五十六
　草鹿任一
　小沢治三郎

鮫島具重
武田哲郎
柳川教茂」

と六人の署名があり、日付は四月十三日、山本の前線巡視計画がラバウルから電報で出されたその晩になっている。

その前、山本の誕生日の四月四日、古川敏子は古賀に招かれて、横須賀へ遊びに行ったことがあった。

鎮守府の庭に椿《つばき》と桜が満開で、敏子が、

「これ、押花にして、山本さんに送って上げようかしら」

と言うと、古賀が、

「そりゃ、押花より塩漬《しおづ》けにして送ってやったら、山本が食うよ」

と言った。

手が震えるとか、脚にむくみが出たとかいう手紙が来ていることを敏子が話すと、古賀は知っていて、

「うん、それを理由に、山本をもう日本へ帰した方がよくはないかと思って、嶋ハンに言ったんだが、あいつはグズで、なかなか事が運ばない」

と言っていたそうである。

それから一週間後、山本と昔の「宗谷」の候補生たちからの寄せ書が届いたと思ったら、忽《たちま》ち

こういうことになるとは、古賀は想像もしていなかったであろう。

山本の戦死確認の電報が海軍省に入ったのは、四月二十日で、その事実は、古賀峯一、堀悌吉をふくむ、極く少数の人にしか知らされなかった。遺族が知ったのも、もっとのちであった。

その日、榎本重治は、省内の自分の部屋で仕事をしていたら、いきなり入って来た堀悌吉が、自分の右手で左手の指を二本握り、一と言、

「これが」

とつぶやくように言った。

榎本がハッとして、

「山本さんがどうかしたんですか?」

と聞くと、堀は両眼を閉じて、のけぞるような身ぶりをして見せ、多くを語らず、部屋を出て行ってしまったという。

「必要の場合」堀が受け取ることになっていた、次官室金庫の中の袋はそれから約一カ月後の五月十八日、沢本次官から堀に渡された。

袋の中には、きれいな百円札で金が千六百円、それからこの物語では第七章に書いた、山本が次官時代の「述志」が一通、昭和十六年一月の、ハワイ作戦と聯合艦隊長官更迭問題に関する覚書が一通、十二月八日、開戦の日にしたためた別の「述志」が一通入っていた。開戦の日の「述志」には、

「此度は大詔を奉じて堂々の出陣なれば生死共に超然たることは難からざるべし
ただ此戦は未曽有《みぞう》の大戦にしていろいろ曲折もあるべく名を惜み己《おのれ》を潔くせむの私心ありては
とても此大任は成し遂げ得まじとよくよく覚悟せり
されば
大君の御楯《みたて》とたたに思ふ身は
名をも命も惜しまさらなむ」

とあった。

「武士《もののふ》は名をこそ惜しめ」というのが、日本の古来からの教えであるが、「名を惜み己を潔くせむの私心ありては」と山本が言っているのは、やはり余程思いつめての、彼の一つの覚悟であったと思われる。

「あれは、山本さんが自分に言い聞かす思いで書いたんや。最高指揮官というものは、こっちにするかあっちにするか自分で決めんならん場合がしばしばある。それは当然やけども、その時こっち採って失敗して、後世あっちやればよかったのにと言われやせんか、そんなことチラとでも思うたらいかん。自分の名を惜しむ気持がちょっとでも出たらいかん。批判はいつでも結果論で、僕らかて『そんならお前やったらやれるか？』と言いたいことがようある」

と、草鹿任一は言っている。

ただ、山本の歌にいつも難癖をつけるようだが、「惜しまさらなむ」の「なむ」は、この場合、未然形につづいていて、これを文法通り解釈すれば、「みんな、名も命も惜しまないでもらいたい」という意味になる。前段の文意から推せば、山本は自身の覚悟を歌いたかったので、「惜しまずありなむ」のつもりだったのであろう。

一方、トラックの「武藏」の、長官私室の抽斗《ひきだし》からは、

「征戦以来幾万の忠勇無双の将兵は命をまとに奮戦し護国の神となりましぬ
ああ我何の面目かありて見《まみ》えむ大君に将《はた》又逝《ゆ》きし戦友の父兄に告げむ言葉なし
身は鉄石に非《あ》らずとも堅き心の一徹に敵陣深く切り込みて日本男子の血を見せむ
いざまてしばし若人ら死出の名残《なごり》の一戦を華々《はなばな》しくも戦ひてやがてあと追ふわれなるぞ
昭和十七年九月末述懐　山本五十六誌」

という、一通の、遺書と見られるものが出て来た。

これを読んで、参謀たちが胸を突かれる思いのしたことはよく分るし、山本の思いもよく分りはするが、この一文にはいささか、彼が麻雀《マージャン》や将棋の時いつも好んで口ずさんでいた壮士節のような調子があって、山本は畢竟《ひっきょう》詩人の型からはかなり遠い人であったように感じさせられる。詩人というなら、「戦藻録」にたくさん俳句を残している宇垣纒の方がずっと詩人であろう。

長官室の中には、堀悌吉から山本宛の手紙も一通残っていた。

「今朝早く浦賀に出掛けようとしてる処に渡辺君が急にたつことになつたと聞いて往復の列車

内で此の鉛筆書きの手紙を書く
今年は寒さが続いて雨量が少い為か桜が遅れて居て蕾《つぼみ》はまだ固い　しかし一別以来二回目の花盛りも十日位に迫つて来た　戦時下の世相に於ては何となく淋《さび》しいことだらう、君のあの変拍子も脚気《かつけ》のせいだそうだが早く御平癒《ごへいゆ》を祈つてる(略)御留守宅は無事だ　建て増しも略《ほ》ぼ出来たし旧《ふる》い部分のひどい処を修繕させて置く　義正君も四竈に移つて元気に勉強して居る　大に頑張《がんば》つて此の頃の一ケ月は過去の一年に相当すると述懐して居た　うちの正も義正君の変り方に敬服してるやうだ(略)古賀君は非常に淋しがつて居て遇《あ》へば誰にも話せぬ話をして腹のふくれるのを緩和して居る
国内一般状勢はよくわからぬが、議会も無事にすんで政界も一先《ひとま》づ安定した処だらう、勿論《もちろん》詳しいことは知らぬ、又知らうともしない(略)
東京空襲も早や一年となつた、盛に訓練をやつて居るが、一般に時局が如何に逼迫《ひつぱく》して居るかを充分に考へてるものも少いやうだ、色々前途を想像して居るが、あまり景気の良い構図も出来ない(略)
チンドン屋も街上から影を没すれば何となく淋しいけれども、ホントに真面目《まじめ》に考へる様になつたとすれば結構だ、楽観、焦慮、悲観、自棄……と云ふ風に移つて来ては大変だ
東京湾寄港取止めからやがて一年になる、そろ〳〵御忙しいことと察してる　偏《ひと》へに自愛自重を惟《こ》れ祈る
列車も品川を通つてもう新橋につく、これで筆を擱《お》く

三月二十七日

悌」

五十六様

文中の「古賀君」は古賀峯一。「チンドン屋」は大本営報道部のことであろうか。「東京湾寄港取止め云々《うんぬん》」は、前の年の六月、ミッドウェー作戦がうまく行ったら艦隊は横須賀に入る予定で、堀も山本も再会を楽しみにしていた、そのことである。それから「一別以来二回目の花盛りも十日位に迫つて来た」というのは、大した意味もなく書かれた文章だろうが、まるで山本の死を暗示しているようにも見える。

この書簡は日付から推しても、「渡辺君が急にたつことになつたと聞いて」と書いてあるのを見ても、渡辺戦務参謀が千代子の手紙といっしょに四月一日にトラックの「武蔵」に持ち帰ったものと思われる。

しかし、山本がまさか女の手紙に夢中になって友達の分を忘れたわけではあるまいが、なぜか披《ひら》かれていなかった。

それで未開封のまま、のちに遺品とともに堀に返却された。

「武蔵」は山本以下の遺骨とこれら遺品類とを乗せて、五月十七日朝十時、トラック島春島錨地《びょうち》を出港した。そして五月二十一日東京湾に入り、木更津《きさらづ》沖にひそかに錨《いかり》を下ろした。

従兵長の近江兵曹が、長い海軍生活で、最もしみじみとした航海は、山本の遺骨を護《まも》ってのこの四日間のそれであったという。

田結穣の一人息子田結保中尉も、甲板士官として「武蔵」に乗っていた。彼はのちに重巡「筑

摩」の分隊長でレイテの海戦に戦死をとげたが、この時家に帰って来て、

「山本さんの遺骨に将棋盤が供えてありましたよ」

と話したそうである。

ただし一般の乗員には、トラック出港時にも山本の死は未だ伏せてあった。吉村昭の「戦艦武蔵」によると、艦内にはしかし疑惑が生じ始めていた。長官室附近の通路が通行禁止になっているのをいぶかしむ者もおり、宇垣参謀長の包帯姿を見た者、白い遺骨箱を見た者が何人もおり、長官室のあたりから線香の匂《にお》いがして来ると言う者もあった。

それで有馬馨《ありまかおる》艦長が古賀の許しを得た上で、航海中に副長の加藤憲吉大佐より山本長官戦死のことが総員に発表された。

なお「戦艦武蔵」には、山本の遺骨は長官室のとなりの作戦会議室の祭壇の上に安置されていたと書いてあるが、これは古賀新長官着任の時に長官室から移されたものではないかと想像される。

遺族のもとへ海軍省から山本戦死の報《しら》せがとどけられたのは、五月十八日であった。前の日堀悌吉は親戚《しんせき》代表として大臣の嶋田繁太郎に呼ばれ、

「あした遺族のところへ使いが行くが、一つ取り乱すことの無いように」

とふくめられたという。

堀がその時、

「これは、神谷町にも言っていいんだろうネ？」

と聞くと、嶋田が、

「いいだろう」

と答えた。

五月十九日、堀は三十間堀の中村家《や》へやって来た。

すぐ梅龍に会わせてほしいという、その憔悴《しょうすい》した様子が只事《ただごと》でなく、中村家の敏子が、

「堀さん、何かあったんですか？　山本さんが……」

「どうしたの？　山本さんが倒れたの？　もしや山本さんが倒れたの？　それとも死んだの？」

と畳みかけて聞くと、

「死んだんだ。しかしこのことは私が言うまで梅龍にも決して話さないでくれ」

と、堀は言った。

千代子はちょうど夏場所八日目の大相撲《おおずもう》見物に両国へ行っていて、神谷町の家を留守にしていた。帰宅してみると、堀から電話で明朝九時に訪《たず》ねて行くという伝言があったと、小女が言う。何の話だろうと思って、翌日彼女が待っていると、色青ざめた堀が入って来、

「今から申上げることがあるから、心の準備をして下さい」

と、顔を強張《こわば》らせて前置きした上で、一と言、

「山本が戦死しました」

と言った。

千代子は気が遠くなりかけたが、辛《かろ》うじて耐えた。

一般国民への大本営発表は、翌五月二十一日、「武蔵」東京湾入港当日の午後に行われた。

「聯合艦隊司令長官海軍大将山本五十六は本年四月前線に於て全般作戦指導中敵と交戦飛行機上にて壮烈なる戦死を遂げたり

後任には海軍大将古賀峯一親補せられ既に聯合艦隊の指揮を執りつつあり」

というのが、その全文であった。

同じ日、情報局から、山本に、大勲位、功一級、正三位、元帥の称号、国葬を賜うという発表があった。海軍側からの要望には、もう一つ「男爵」がつけ加えてあったが、それは却下されたということである。

こえて五月二十三日、木更津沖の「武蔵」では、早暁から艦内大掃除のあと、艦内の告別式が行われ、山本の遺骨は、十一時三十分、迎えに来た駆逐艦「夕雲」に移されて、随伴の「秋雲」と共に横須賀へ向った。聯合艦隊旗艦「武蔵」は、総員登舷礼式《とうげんれいしき》でこれを見送った。骨箱は、渡辺安次が捧《ささ》げ持った。

逸見《へみ》の桟橋には、嗣子義正、堀悌吉らが待っていて、横須賀駅から遺骨と一緒に特別列車に乗りこんだ。

堀は列車の中で副官代理の機関参謀磯部太郎大佐から紙包みを一つ渡された。あけてみると、遺髪といっしょに、四月三日に山本がしたためた

「大君の御楯とちかふま心は
ととめおかまし命死ぬとも」

という歌箋《かせん》が出て来た。

横須賀線の沿道には、特別列車の通過を伝え聞いた人々の姿がたくさん見えていた。それで沿線の人目のある間は、渡辺が窓へ骨箱を持していなくてはならなかったが、列車がトンネルへ入ると、堀が、待ちかねたように、

「おい、ちょっと、こっちへ貸せ」

と言い、骨は、順々に堀と義正の胸に抱かれた。

列車は、午後二時四十三分、勅使城《じょう》英一郎侍従武官、各宮家の使、礼子未亡人ら遺族、政府、軍関係者たち二百人ばかりが待つ、東京駅四番フォーム七番線に入った。歩廊には東条も嶋田も永野も立っていた。近衛文麿もいた。遺族の列の中の次女正子は、父の遺骨の箱が列車から下りて来るのを見て、ハンカチで顔をおおった。一旦供奉員室《ぐぶいんしつ》に安置され、人々の礼拝を終ってから、遺骨は海軍省先任副官柳沢大佐の先導で自動車の序列をととのえ、桜田門、海軍省前を通って芝の水交社へ運ばれた。祭壇は、山本にとって思い出の深い別館日本間にしつらえてあった。

四

佐世保の「東郷」の女将《おかみ》鶴島正子は、この年、二月から三月、四月と、大病を患《わずら》ってずっと床についていて、人生今は六十年というが、もし人間の継ぎ木が出来るものなら、弱い自分のあと二十年を山本に継ぎ木して、自分は死んで山本を八十まで生かしてあげたいなどと、そんなことを病床で考えていた。しかし五月に入ると、病気は少し快くなって、二十一日の日、久しぶりに

山本に手紙を書き、それをポストに入れて帰って来てから間もなく、ラジオで大本営発表を聞いたという人が、彼の戦死を知らせて来た。

彼女は、すぐ上京の決心をした。

東京に着いた二十三日の晩、正子は天沼《あまぬま》の片山登の家を訪《たず》ねて、夕食の馳走《ちそう》になった。

片山は、前にも書いたが山本の級友で、退役の少将で、山本がいつもからかっては面白がっていた古い友人である。片山の家には、山本が旗艦のデッキで、双眼鏡を胸に下げて立っている大きな写真が飾ってあった。

片山は写真に向って、

「オイ、佐世保から来たんだよ」

と、正子が商売柄都合をつけて持って来た、もう一般ではなかなか手に入りにくくなっていた菓子の折を供え、

「ほら、山本が笑ってますよ」

そう言って、彼女を慰めた。

正子は、山本とは、千代子よりも古く、礼子夫人よりも古い仲であったが、一番日蔭の人で、水交社へも青山の家へも、忍んで詣《まい》りに行かなくてはならなかった。

水交社の祭壇には、多くの供物《くもつ》にまじって、立派な葉巻の箱が一箱置いてあった。それは昔、山本がロンドンで一緒に働いた当時の駐英大使、この時の宮内大臣松平恒雄《つねお》の供えたものであった。

松平はかつて、日華事変の始まったころ、それを山本に贈ろうとして、

「事変が片づくまで禁煙していますから、しばらく預かっておいて下さい」

と言われ、何年かのちに、

「そろそろカビくさくなって来たが」

と言ってやると、また、

「もうしばらく」

と言われ、それで封を切らずに残していた葉巻であった。山本が「ケツから煙《けむ》が出るほど」煙草を「喫《の》んでやる」時は、とうとう来ないで終った。

佐世保の宝家《や》の娘で、松野重雄と結婚した杵屋《きねや》和千代のおはるは、このころ青山南町の、山本の家からすぐのところに住んでおり、礼子夫人が、遺骨の着いた日から水交社へ詰めっきりなので、姉の瀬尾とみと一緒に、泊りこみで留守宅の手伝いをしていた。

ある日、ちょうど堀悌吉が青山へ打合せに来ている時、陸軍の参謀総長の使いが、供物を持ってやって来た。おはるがそれを霊前に供えようとすると、堀が、

「そんなもの、上げるな。山本喜んでないぞ。絶対上げるな」

と言ったという。

鶴島正子は、とみやはるの妹分にあたり、それを頼りに青山へも詣りに出かけたが、郷里の長岡から出て来たらしい男の人に、

「もしもし、あんたは誰ですか？　故人とどんな関係の方ですか？」

と、大きな声で咎《とが》めるように聞かれ、

「いいえ、わたし、何も関係ありまッせんけど、姉がこちらで御留守番をしているもんですから、ちょっとだけ」

そう答えて、逃げるようにして帰って来た。

正子は、持っている山本の手紙をまとめて東京へ送るようにと堀に言われたが、生返事をして、佐世保へ帰るとスーツケースに鍵《かぎ》をかけて隠してしまい、それを海軍側に渡さなかった。しかしその一山の手紙は、それから二年後にアメリカのB29が全部焼いてしまった。

国葬は、戦死の発表から十五日後に予定されていた。

その前に、水交社で山本の骨分けが行われた。

骨箱を開けると、底に敷いたパパイヤの葉が、未だ緑色をしていた。そして、初夏の陽気のせいか、骨が暖かいように感じられたという。

遺骨は、多磨墓地に納める分と、長岡へ持ち帰る分と、二つに分けられた。梅龍の千代子は自分も分骨を欲しいと思っていたが、これればかりはどうにもならなかった。遺髪と、蒲団《ふとん》、枕《まくら》、財布、彼女が自分の普段着の残り布で作って届けた針刺し、これだけが神谷町へ遺品として還って来た。

五月二十四日、一般の焼香が許されると、彼女はすぐ水交社へ詣りに行った。山本と個人的には何の関係も無さそうな男の人たちが、次々に焼香をしながらみんな泣いていた。

その夜、渡辺安次中佐が神谷町の彼女の家へ弔問に来た。渡辺は、

「自分一人生きて帰って来て申訳ありません。この家の敷居が何十丈にも感じられます」

と、顔も上げ得ぬ様子で、千代子はかえって彼を気の毒に思ったという。

千代子のところには、山本の恩賜の時計が置いてあったが、これは堀が、

「これだけは片づけさせてもらうよ」

と言って持って行った。

それから山本の手紙類も正子のと同様、海軍省の言いつけだからと、六月一日に堀が来て、四月二日付トラックの「武藏」からの絶筆まで全部持ち去った。

これらの手紙は海軍省の金庫に暫《しばら》くしまってあったらしいが、のちに返却されて現在は千代子の手もとにあるわけである。

国葬の前に神谷町では、古川敏子や佐野直吉や「山口」の女将の白井くにや、主に新橋関係のしたしかった連中が集まって、

「魂はこっちだ、こっちだ」

と言いながら、内輪の告別式をした。

山本は手の切れるようなきれいな札が好きであった。遺品の中の新しい百円札を、堀悌吉が一枚ずつ紙に包んで、

「山本代理　堀」

と書き、

「これは、形見と言いたいが、山本のアラの口留め料ですよ」

と言って、縁のあった女たちに渡した。

千代子のもとには、その後東条首相の使いの某中佐が、幾度かそれとなく自決を迫りに来たという。

彼女は夜になると、鴨居《かもい》の紐《ひも》を吊《つる》すのによさそうなところを恐る恐る眺めたり、呉へ行く時附添ってくれた医者の大井静一に薬をほしいと頼んでみたりしたが、結局死ぬことは出来なかった。もっとも大井の話では、薬を求められたのは事実だが、自決を迫られているというようなことは一度も耳にしなかったそうである。

「私は病気を治すのが商売で、それだけは諾《き》けない。お断わりします。これはあなたの心の問題だから、心の方で解決しなさい」

と言って、大井静一は千代子をなだめた。

国葬までの十数日間、水交社の方へは、未亡人の礼子をはじめ、子供たちや縁故者たちが、交わる交わる詰めていた。

山本の四人の遺児は、父親が骨になって帰って来るまで、こんなに長く、そのそばに一緒に暮したことは無かった。この時、長男の義正は成蹊《せいけい》高等学校の理科の二年生で、長女の澄子は山脇《やまわき》高女へ、次女の正子は女子科学塾へ通っていた。末っ児の忠夫は、青南国民学校の五年生であった。

義正は、父親の部下や部下の夫人らに、

「僕たちは、父のことをあんまり知らないんです。どうか色んなことを話して聞かせて下さい」

と言ったという。

山本の死は、海軍の軍人たちにも、多くの一般国民にも、深い悲しみと、戦争の前途に対する不安とを与えた。

岡麓《ふもと》、斎藤茂吉、土屋文明、川田順、佐佐木信綱、会津八一《やいち》ら、大勢の歌人が悲しみの歌を詠《よ》み、高村光太郎、佐藤春夫、室生犀星《むろうさいせい》、大木惇夫《あつお》、西条八十《やそ》ら、多くの詩人が彼を悼《いた》む詩を作った。これらの詩歌の中ではしかし、山本と長岡中学同窓の御歌所寄人《よりゅうど》外山且正が詠んだ、

「その人を語るは外にありぬべし
　老いたる友はよろぼひて泣く」

というのが、最も思いのこもったもののように、私には思える。

米内光政は、海軍省から「山本長官の戦死を確認せざるを得ない」という知らせを受けた時、のちに小磯《こいそ》米内内閣の海軍政務次官をつとめた政友会の綾部《あやべ》健太郎と話をしているところであったが、

「山本の気持としては、死場所を得たつもりで、それで満足だったかも知れない。しかし、日本としても海軍としても、死なせたくない人物を殺した」

と綾部に言って、眼を閉じると、涙があふれ出して来るのを拭《ぬぐ》わなかったという。

山本が戦死して、これは日本はもう駄目《だめ》なのではないかと思ったということは、彼が次官当時の副官たちをはじめ多くの海軍関係者がそう言っている。高木惣吉はこの時舞鶴鎮守府参謀長の職に在ったが、京都帝国大学の学者たちに会う用があって舞鶴から京都へ出て来、市内を走って

いる自動車の中で山本戦死のニュースを聞いた。非常なショックで、咄嗟《とっさ》に、

「これでもう、いくさなどとても出来るものではない」

と思い、

「山本さんのあと聯合艦隊の指揮のとれる人は、山口（多聞）さんか小沢（治三郎）さんしかいないが、山口さんは先にミッドウェーで亡くなったし、海軍の機構は今もって年功序列の金しばりで、これはもうおしまいだ」

と、はっきり思ったそうである。

田結穣は支那方面艦隊の参謀長で上海《シャンハイ》にいた。

古賀峯一のあとに、病気のなおった吉田善吾が支那方面艦隊司令長官に来ていたが、吉田は、

「おい、参謀長。山本はどうやらもう死ぬつもりらしいぞ。この間の手紙に妙なことを書いて来ている。どうも死ぬつもりでいるらしいよ」

と言った。それから間もなく、吉田と田結の二人は山本遭難の報を耳にした。

山本が先の見通しの早いことをよく知っていた松永敬介は、山本の死を聞いて、

「自殺ではないにしても、これは自ら死期を定められたな」

と感じたという。

近藤泰一郎は、

「死ぬ気で、――少なくとも死んでもいいという気持で出て行かれたと思いますね。陸軍で言えば敵の歩兵の鉄砲玉がポンポン飛んで来るようなところへ、わざと出て行ったんですから」

と言っている。

藤田元成《もとしげ》は航空隊司令として千葉県の館山《たてやま》にいた。彼は山本という敬愛する人物を喪《うしな》ったこと、聯合艦隊の司令長官ともあろう者が戦死したという事実、この二つにがっくりとなり、誰にも言えないままこの時から日本はもう駄目だと思い始めた。

「おいもさん」の深沢素彦は、海外占領地向け放送のプロデューサーとして大相撲夏場所の取材に両国へ行っていたが、其処《そこ》で山本戦死の臨時ニュースを聞き、何とも言いようのない驚きと悲しみとを覚えた。

太平洋石油の松元堅太郎は、山本国葬の日、一晩中泣いていた。

アメリカ側からすれば、山本機撃墜の効果は、日本の国民、殊《こと》に日本海軍の軍人に与えた心理的ショック、ディスカレッジメントであったと言えるであろう。

財界人の中にはこの戦争の収束を山本にやってもらおうとひそかに考えていた人も幾人かあったらしいが、それもすべて空しくなった。国葬が終ってのちの話であるが、松本賛吉が東洋経済新報に石橋湛山《たんざん》を訪ねた時、石橋は、

「惜しい人だったねえ、山本さんは」

と言い、

「会ったことはなかったが、実は僕らとしては、あの人に戦後の時局収拾をしてもらってはどうかと思っていたんだ。つまり、あれだけの大戦果を挙《あ》げた山本さんが時局の収拾にあたれば、たとい国民の間に不平不満の声があっても、『これは山本五十六大将がやることだから』というの

で怺《こら》えてもらうことが出来るのじゃないか、そういう考えだった。山本さんは、戦前英米派などと言われた人だけに、戦後の世論をおさめて行くというような時には却《かえ》ってよかったのではないかと思ったんだが」

と、しみじみした口調で語ったという。

五

山本の国葬は、昭和十八年の六月五日、九年前に東郷平八郎の葬儀が行われたのと同じ日を選んで、日比谷公園内の斎場で執り行われた。

葬儀委員長は米内光政、司祭長は塩沢幸一で、司祭長と喪主の義正は、冠をかぶった神式の服装をし、未亡人の礼子も袿袴《けいこ》の姿であった。

この朝八時五十分、山本の柩《ひつぎ》は、白布に覆《おお》われて、「武蔵」乗組の水兵たちの手で、水交社正寝の間から、玄関前の黒い砲車に移された。

内藤清五の指揮する海軍軍楽隊が、ショパンの「葬送」を奏しながら先頭に立ち、葬列は水交社の坂を下りて右折し、神谷町の千代子の家のすぐ前から、虎《とら》の門《もん》、内幸町《うちさいわいちょう》へと、ゆっくり進んで行った。沿道の特別縁故者の席に、千代子が出ているのを、新聞社の写真班が勘づいていて、カメラにおさめようとするので、周囲の者は困ったということである。

列は、海軍大臣官邸の角を折れて、日比谷の斎場へ、九時五十分に到着した。

元帥刀は、渡辺安次が持っていた。大勲位の勲章は、三和義勇が持っていた。三和は、ラバウ

ルにいたころからのデング熱のため、東京で入院中で、痩《や》せ細っていたが、

「俺《おれ》、出るぞ」

と言って、山本の国葬に加わり、捧げた勲章の箱を祭壇に置き了《お》えるなり、わきへ退いて倒れてしまった。

斎場は、黒白の鯨幕《くじらまく》と白木の、簡素なしつらえであったが、斎殿に供えられた、イタリヤのムッソリーニ首相からの薔薇《ばら》の花束が色を添えていた。

諸兵指揮官は土肥原賢二《どひはらけんじ》陸軍大将で、約千五百人の参列者の中には、東条総理大臣はじめ、山本があまり「喜んでない」かも知れぬ人々が、大勢まじっていた。

勅使徳大寺侍従、皇后宮御使小出事務官、皇太后宮御使西邑事務官の拝礼につづいて、各皇族の自拝、代拝があり、そのあと、眼鏡をかけた二十二歳の喪主が、藁靴《わらぐつ》をはいて玉串《たまぐし》を捧げる時、軍楽隊が海軍儀礼曲「命を捨てて」の最初の八小節を早く奏し、弔銃三発の一斉射が行われた。

午後から、数万の一般市民が参拝した。それが終って、山本の骨は、車で小金井の多磨墓地へ送られ、東郷平八郎の墓に隣接した墓所に納められた。

分骨は、こえて六月七日、郷里の長岡へ帰った。

姉の高橋嘉寿子は、もう七十八歳で、腰が少し曲っていた。彼女は、近親の人に助けられて、国葬の四日前の六月一日、風呂敷二つに、甘党で大食いであった弟が好物の、手製の粽《ちまき》や、長岡名物の水饅頭《みずまんじゅう》、衣がやなどをいっぱい包んで東京へ出て来ていたが、公の行事がすみ、一週間ぶりに礼子や甥姪《おいめい》たちと一緒にくにへ帰って来ると、ほっとしたように、弟の骨を抱いて、

「五十サよ、これからはわたしが、いつまでもあんたの守りをして上げるからさァね」

と言った。

長岡の山本五十六の墓は、長興寺という禅寺の境内にある。橋本禅巌がつけた、

「大義院殿誠忠長陵大居士」

という戒名と、

「昭和十八癸未年四月　戦死於南太平洋」

という文字とが刻んである。

墓は、方二間ほどの玉垣《たまがき》の中に、養祖父山本帯刀《たてわき》や山本家代々の墓と一緒で、帯刀の墓は、明治戊辰《ぼしん》の役《えき》のあと、長岡藩が朝敵とされていた時代に建てられた質素なものであったから、五十六の分も、それと同じに、そして、米内らの主唱で、それより一寸《いっすん》低く、五分狭く作られた。その費用は当時の金で七十円で、戦死した日本の陸海軍将官の墓石としては、最も粗末なものであろうと言われている。

これより前、六月三日の朝、東京丸の内の日本倶楽部《クラブ》では、元法相の小原直《おはらなおし》、新潟県知事の土居章平、長岡市長松田耕平、長岡互尊社の理事長だった反町栄一らが集まって、山本元帥顕彰の記念事業をおこすことを協議していた。

その一つに「長岡市に山本神社を建立すること」というのがあり、国葬がすんだあと関係者は中央各方面と折衝打合せを始めた。

乃木神社東郷神社の例もあることであり、当時の空気としては、「山本神社」の出来るのに別

段不思議はなかったが、米内光政と堀悌吉の二人がこの計画に強く反対した。

井上成美は、

「どんな偉功を樹《た》てた軍人といえども、これを神格化するなどは以ての外のこと」

と言っているが、米内と堀とは山本が同じ考えの持主であったことを誰よりもよく知っていたのであろう。

「山本は、そんなことは大嫌いです。神様なんかにされたら、一番困るのは山本自身です」

と言って、米内はこの件では絶対にゆずろうとしなかった。

それで話は沙汰《さた》やみになり、神社の建つはずだった長岡玉蔵院の山本の生家址《あと》は、今、子供たちや市民のための、記念の小公園になっている。

資料談話提供者（アイウエオ順・敬称略）

愛甲文雄　秋岡純　浅川正治　浅沼信一郎　網野菊
飯沢匡　五十嵐竹雄　池島信平　石川信吾　石黒光三
伊藤春樹　井上成美　岩村静栄　薄井恭一　宇野博
英国海軍省　英国首相官邸　榎本重治　近江兵治郎　大井静一
岡崎宏陽　小熊信一郎　小田切政徳　鹿江隆　草鹿任一
草鹿龍之介　Claridges(London)　Grosvenor House(London)　桑原虎雄
Alvin D. Coox　河本広中　小金沢克誠　後藤千代子　小柳信子
近藤泰一郎　近藤為次郎　在ブイン濠州政庁支所　坂野常善
笹川良一　里見弴　実松譲　志賀直哉　品川主計
白川二三男　新川正美　杉本健　反町栄一　高木惣吉
高野務　高橋義雄　武井大助　竹田正夫　館野守男
田淵義三郎　田結穣　團伊玖磨　千早正隆　角田求士
角田順　角田秀雄　鶴島正子　寺田甚吉　遠山運平
富永謙吾　富岡定俊　内藤清五　中村止　梛野巌
丹羽みち　在ロンドン日本国大使館（1967）　野上素一　橋本禅巌
橋本亘　秦郁彦　浜砂盈栄　林浩　原田千里
Joseph Pita 及びブイン、ココポ部落青年団一同　深沢素彦　福井静夫
福原公明　藤田士郎　藤田元成　藤平卓　淵田美津雄

古川敏子　法華津孝太　堀内敬三　本多伊吉　Francis Paubake
松永敬介　松野重雄　松野はる　松村緑　松元堅太郎
松本賛吉　松山茂雄　三国一朗　水城肇　溝田主一
三和永枝　目賀田綱美　森村勇　安岡正篤　山口孝子
山本親雄　横川晃　吉井道教　吉岡忠一　吉田清
吉田俊雄　Walter Lord　渡辺勝　渡辺安次
ほかに氏名を公表しない約束のもとに資料談話の提供を受けた方数氏

参考引用文献（アイウエオ順）

朝日新聞縮刷版（自昭和十二年至十八年）
愛甲文雄著「魚雷と陶器」
市来崎慶一編「噫山本元帥」
今村均著「戦い終る」
伊藤正徳著「連合艦隊の最後」「連合艦隊の栄光」
岩田豊雄著「海軍」
井上成美私稿「思い出の記」
宇垣纏著「戦藻録」
Roberta Wohlstetter 'Pearl Harbor: Warning and Decision'
大前敏一著「十二月七日の米秘密情報」（中央公論社版「実録太平洋戦争」第七巻）
緒方竹虎著「一軍人の生涯」

小沢提督伝刊行会編「提督小沢治三郎伝」
岡田大将記録編纂会編「岡田啓介」
酣燈社版「日本軍用機の全貌」
David Karn "The Codebreakers"
同日本語版秦郁彦・関野英夫共訳「暗号戦争」
梶山季之著「甘い廃坑」
海軍兵学校編「故山本元帥国葬ニ際シ校長講話」
木戸幸一著「木戸幸一日記」
木場浩介編「野村吉三郎」
来栖三郎著「日米外交秘話」（「実録太平洋戦争」第七巻）
草鹿龍之介著「聯合艦隊」
Col. C. V. Glines "Doolittle Raid"
源田実著「海軍航空隊始末記」「開戦秘話」「真珠湾奇襲までの㊙十カ月」
小泉信三著「海軍主計大尉小泉信吉」「必然と偶然」
酒巻和男著「特殊潜航艇発進す」（「実録太平洋戦争」第一巻）
相良辰雄著「山本長官戦死」（「実録太平洋戦争」第二巻）
里見弴著「いろをとこ」
実松譲著「米内光政」「その日のワシントン」
実松譲編「現代史資料・太平洋戦争」
参謀本部編「杉山メモ」（原書房版「明治百年史叢書」）
坂野常善著「第二特務艦隊遠征記」

ロバート・A・シオボールド著中野五郎訳「真珠湾の審判」
塩田広重著「執刀六十年」
志賀直哉著「鈴木貫太郎」
「週刊朝日」昭和二十九年四月十八日号
須藤朔著「戦艦レパルスの最期」（「実録太平洋戦争」第一巻）
反町栄一著「人間山本五十六」
田中常治著「ジャワ海の決戦」（「実録太平洋戦争」第一巻）
田山花袋著「日露戦争実記」
武井大助著「山本元帥遺詠解説」
高城肇著「六機の護衛戦闘機」
高木惣吉著「太平洋海戦史」「聯合艦隊始末記」「山本五十六と米内光政」「私観太平洋戦争」
谷村豊太郎著「山本五十六閑話」
千早正隆著「呪われた阿波丸」
辻政信著「ガダルカナル」
角田順著「日本海軍三代の歴史」
富岡定俊著「大海令」（「実録太平洋戦争」第一巻）「開戦と終戦」
戸川幸夫著「悲しき太平洋」
富永謙吾著「大本営発表・海軍編」
夏目漱石著「野分」
中村菊男編「昭和海軍秘史」
中山正男著「花をたむけてねんごろに」

永井荷風著「断腸亭日乗」
日本国際政治学会編「太平洋戦争への道」
C・W・ニミッツ・E・B・ポッター共著実松譲・富永謙吾共訳「ニミッツの太平洋海戦史」
丹羽文雄著「海戦」
野沢正編「日本航空機総集」第一巻三菱篇
原田熊雄述「西園寺公と政局」
林健太郎著「二つの大戦の谷間」（文藝春秋社版「大世界史」第二十二巻）
秦郁彦著「ミッドウェーの索敵機」
広瀬彦太編「堀悌吉君追悼録」「山本元帥前線よりの書簡」
淵田美津雄著「真珠湾上空六時間」（「実録太平洋戦争」第一巻）
淵田美津雄・奥宮正武共著「ミッドウェー」
福留繁著「開戦前夜の海軍作戦室」（「実録太平洋戦争」第七巻）「海軍の反省」
福井静夫著「日本の軍艦」
「文藝春秋」昭和九年十月号「一頁人物評論」
ゴードン・W・プランゲ著「トラトラトラ」
堀悌吉編「五峯録」
本庄繁著「天皇と二・二六事件」（集英社版「昭和戦争文学全集」別巻）
Lt. Col. Besby F. Holmes “Who Really Shot Down Yamamoto?”
防衛庁防衛研修所戦史室著「戦史叢書・ハワイ作戦」
法華津孝太著「山本五十六の想い出」
本多伊吉私稿「山本元帥と私」

増田正吾著「機動艦隊針路九十七度」(「実録太平洋戦争」第一巻)
松島慶三著「太平洋の巨鷲　山本五十六」
松平恒雄氏追憶会編「松平恒雄追想録」
松本鳴弦楼私稿「山本五十六夜話」
三代一就著「MI作戦論争」(「実録太平洋戦争」第二巻)
三和義勇著「山本元帥の想ひ出」
武者小路公共著「スフィンクス」
森拾三著「真珠湾雷撃行」(「実録太平洋戦争」第一巻)
サミュエル・E・モリソン著中野五郎訳「太平洋戦争アメリカ海軍作戦史」
ハーバート・オー・ヤードリ著大阪毎日新聞社訳「ブラック・チェンバ」
山本義正著「父・山本五十六への訣別」
吉田俊雄著「実録太平洋戦争解説」「連合艦隊」
吉川猛夫著「真珠湾の日本間諜」(「実録太平洋戦争」第七巻)
吉村昭著「戦艦武蔵」
吉田嘉七著「ガダルカナル戦詩集」
吉松吉彦著「『い』号作戦と山本連合艦隊司令長官の戦死」
トーマス・ランフィヤー二世著「私は山本五十六を撃墜した」
歴史学研究会編「太平洋戦争史」
Walter Load "Incredible Victory"
同　日本語版実松譲訳「逆転」
渡辺幾治郎著「史伝山本元帥」

解説

戦争という巨大な劇は、その栄光と悲惨とのなかからさまざまな英雄《ヒーロー》を生み出す。第二次世界大戦も、参戦国の双方に数々の英雄《ヒーロー》を生んだ。しかし日本についていえば、山本五十六ほどその名にふさわしい存在は、ほかになかったのではないか。

イギリスのBBCテレビが「大戦略《グランド・ストラテジー》」と題して、第二次世界大戦の実録を軍人や政治学者の解説つきで連続放映したことがある。評判の高かった番組で、ぼくはそのいくつかをたまたま見たのだが、そのなかに山本五十六の戦死と国葬の場面が出て来た。白い第二種軍装の山本五十六が、次々に飛び立って行く零戦《ゼロせん》に帽子を振る例のおなじみの画面があらわれ、それから国葬の葬列である。

「真珠湾攻撃の立案者《アーキテクト》であるこの提督の死に、日本の国民は悲嘆に沈んだ」

解説にあたった大学教授がそういっていたが、このことばに誇張はないであろう。日本人がうけた衝撃は、じっさい大きかった。

ぼくの手許《てもと》に、当時改造社から出ていた雑誌『文芸』がある。昭和十八年の雑誌は物資窮乏のために六十四ページ程度の薄っぺらなものだが、その七月号が、「山本元帥の英霊に捧《ささ》ぐ」特集号である。高村光太郎、野口米次郎《よねじろう》、瀧井孝作、土屋文明《ぶんめい》が詩と歌とを寄せ、藤田徳太郎、丹羽文雄、火野葦平《あしへい》が追悼《ついとう》の文を書いている。

彼は独《ひと》り艦首に立つて、
天上の虹《にじ》を眺《なが》めた。
ああ、大洋の茫漠《ぼうばく》を呼吸し、
波濤《はとう》の起伏に心を清めた人、
彼は人生の律動に無限を読んだ。

彼は今白木の箱となつて帰つた……
整歩の儀仗兵《ぎじようへい》、
『命を捨てて』の軍楽、
頭を垂《た》れた眷族《けんぞく》友人、
粛々として彼を祭舎に送つた。
ああ、この時私は一羽の霊鳥、
天空高く南へ翔《か》けるのを見た、
…………

（野口米次郎、『国葬頌《こくそうしよう》』）

いっしょに掲載されている高村光太郎の詩も、『われらの死生』という題で、かなり調子の高いものである。こういう詩にあらわれている当時の雰囲気《ふんいき》は、若い世代の読者にはもう想像がしにくくなっているのかもしれない。筆者はそのころ中学生だったが、野口米次郎の詩にいう「命を捨ててますらをの……」の国葬の奏楽は、いまも生々しく耳に残っている。

山本五十六は日独同盟に反対し日米開戦に反対し、そのためにいつの時代にもいる気ちがいのような連中につけ狙《ねら》われ、ひとたび戦争がはじまってからは義務に殉じて死んだ。その進退の鮮《あざ》やかさがいまも惜しまれ、海外にも多くのファンをもつゆえんだろう。しかしそういうことは、当時海外ではもちろん日本でも殆《ほとん》ど知られていなかった。

それでも山本元帥戦死の報がもたらした衝撃は、軍がときおり宣伝用につくり上げた「軍神」たちの場合とは、まったく異質だったように思う。一軍の総指揮官が戦場で命を落すということは、明治いらいなかったことである。

国民はこの提督の死に、自分たちの運命の予兆をひそかに感じていたのかもしれない。アッツ島守備隊の玉砕が報じられたのは、そのわずか一週間まえだった。

阿川弘之の『山本五十六』は、その提督の姿をえがいた名作であり、伝記文学として一級の作品である。

日本には、良質の伝記文学が少ない（功成り名遂《と》げた政治家や実業家が、側近に書かせた何々伝の類はしばしば目に触れるけれど、そういうのは論外だろう)。イギリスでは「伝記叢書《そうしよ》」といったものが出ていて、各種のすぐれた伝記を蒐《あつ》めている。その伝統が、日本にはないといっていいのである。世俗のことにかかわりたくないという隠者的身がまえが、日本の文学者には古くからあり、そのことがこの領域を貧困にして来た一因かと思われる。

阿川弘之の『山本五十六』は、はじめ朝日新聞社刊行の月刊誌『文芸朝日』に、昭和三十九年の秋から一年間連載された。それに手を加えて昭和四十年十一月に、本書のオリジナルである旧版の『山本五十六』が、新潮社から出ている。

執筆に当って、小説を書くという意識はまったくなかったと、著者が述懐するのをきいたことがある。つまりノン・フィクション、伝記、ということになるわけだが、しかしこの作品はいわゆる意味での軍人の伝記とは、その視点をまったく異《こと》にしているだろう。

戦争という叙事詩の英雄《ヒーロー》をえがくのに、著者はおよそ英雄《ヒーロー》らしからぬ側面に目を注ぐ。この伝記作品から浮んでくるのは、何よりもまず、「海軍やめたら、モナコへ行ってばくち打ちになるんだ」といったり、連合艦隊旗艦の司令長官室で芸者に恋文を書いたりする、おそろしく人間的な士官の姿である。

時代の新兵器を戦略にいちはやく採りいれ、これを機敏に活用した人びとが、史上名将といわれてきた人物だった。アレクサンダー大王のむかしから、ナポレオン、グーデリアンまで、例外はたぶんない。山本五十六も、航空母艦中心の機動戦略を最初に立案、実行したひととして、その系列にはいる。

しかし阿川氏が本書のなかで触れているように、海軍のなかにも山本五十六に批判的な人びとは少なくなかったし、いまもいないわけではない。ハワイ空襲の南雲《なぐも》機動部隊の参謀長で、本書にもしばしば登場する草鹿龍之介《くさかりゅうのすけ》氏は、生前おだやかな口調でだが山本型戦略への懐疑を表明していた。砲術の権威で「大和《やまと》」の初代砲術長を務めた黛《まゆずみ》治夫氏は、近著『海軍砲戦史談』のなかで、大艦巨砲主義の立場から山本元帥を批判している。

こういう戦略的争点を中心に、ないしは政治的視野から、ひとりの武将の像を組みあげてゆくみちも、むろん伝記作者としてはあり得たはずである。阿川氏の本書にも、その面が書かれていないわけではない。だがそれが一編の主軸とはいえないのであって、印象に鮮やかに残るのはむしろ芸者をおぶって駆け出したり、佐世保《させぼ》の町をチャップリンの真似《まね》をして歩いたりする茶目っ気の多い人間像の方である。

英雄《ヒーロー》をえがくのに、反英雄《アンチ・ヒーロー》的な叙述方法をもってしたことになる。そのことは「聖将」の人間像を明らかにふくらみのある、豊かなものにしたが、一方で関係者から不満の声の出ることは避けられなかった。ことに元帥の遺族からは抗議が出て、訴訟問題にまで発展した。

元帥の長子山本義正氏が、『山本五十六』（旧編）の出たあと『父・山本五十六』を刊行した背景には、元帥の像を修正したいという意図があったのだろうし、さらに忖度《そんたく》を逞《たくま》しくすれば、阿川・山本像の刺激が働いていたと思われる。ついでながら山本義正氏の『父・山本五十六』は、子息の目から見た記録として立派な文章である。

遺族からの抗議やそのほかの事情から、著者は旧編を絶版とし、新資料による約三百枚の補筆を加えて、昭和四十四年に『新版・山本五十六』を上梓《じょうし》した。それが本書である。三百枚は近ごろの出版界の常識では、ほぼ一冊の単行本の量にあたる。

この補筆によって、山本五十六の像は疑いもなく精密度と重量感を加えた。しかし一面で遺族への配慮などから、旧編の輪郭の鮮やかさがやや薄れたように感じられるのだが、これはどうだろうか。

巻末の表によると、資料談話提供者は、百人をこえている。百人以上の関係者に会ってはなしをきいた、ということである。参考引用文献は、百点以上にのぼる。

氏はまたこの間に、山本五十六の遭難機の残骸《ざんがい》をさがして、ブーゲンビル島の密林の奥深くまで行っているのである。山本五十六の搭乗機《とうじょうき》を見たのは、戦後では阿川弘之が日本人として最初だろう。

山本五十六の死にさいして、多数の詩人、歌人が哀悼《あいとう》のうたをつくった。「これらの詩歌《しいか》の中ではしかし、山本と長岡中学同窓の御歌所寄人《よりゅうど》外山且正が詠《よ》んだ、

『その人を語るは外にありぬべし
　老いたる友はよろぼひて泣く』

というのが、最も思いのこもったもののように、私には思える」

著者は本書のおわりの方で、抑制のきいた文章でそう書いているが、この一文のもつ意味は重

要である。元帥を声高に語ってきた人びとは多く、これからもそうだろう。しかし自分は、人間的な目をしか信じない。氏はこの歌に託して、そういっているように見える。

どのような英雄も、私生活の奥まで立ちいって見れば、所詮《しょせん》はただの男にすぎない。人間山本五十六をみつめようとする氏の方法は、すでに述べてきたように本来なら英雄像破壊の方に向いている。その反英雄《アンチ・ヒーロー》的な方法をもって、氏は英雄《ヒーロー》の像をえがいた。逆説的作業を可能にしたのは、全編をつらぬく深い愛情である。

阿川の『山本五十六』は、あれは阿川五十六だよと、三島由紀夫が冗談半分にいっていたのが思い出される。「あいつ、自分のことを書いているんだ……」自由主義者で泥臭いことが嫌《きら》いで、博奕《ばくち》がむやみに好きな提督像に、著者自身の姿の投影を見出だすことは、たしかに容易である。そしてまさにそのことが、この作品を単なる伝記以上のものにしている。

阿川弘之は、戦争で死んだ人びとへの多くの鎮魂歌を書いてきた。長編『雲の墓標』は特攻隊員の手記の形をとった物語で、その末尾に著者は「展墓」と題する次のような詩を付している。

われ　この日
真南風《まはえ》吹くこの岬山《さきやま》に上り来れり
あわれ　はや
かえることなき
汝《なんじ》の墓に　額《ぬか》づくべく

……（中略）……

嗚呼《ああ》　そのいしぶみ
そのいしぶみによみがえる
かなしき日々はへなりたる哉《かな》
その日々の盃《さかずき》あげて語りたる
よきこと　また崇《とうと》きこと

真南風吹き
海より吹き
わがたつ下に草はみだれ
その草の上に心みだれ
すべもなく　汝《な》が名は呼びつ　海に向いて

この詩には、作者の全文学のモティーフが示されているように思う。戦争中の阿川弘之は、予備学生出身の海軍士官だった。氏の最初の長編『春の城』も、近作『暗い波濤《はとう》』も、その青春の歌であると同時に、「いしぶみ」に刻んだ鎮魂歌である。そして『山本五十六』もまた、「いしぶみ」によみがえる日々と、「よきこと、また崇きこと」を、海に向って語った書であろう。

開戦に最後まで反対だったこの提督への鎮魂の歌を通じて、作者は自分の青春の情熱の原型とでもいうべきものを、語ろうとしているのである。過ぎ去って二度とはかえらない一つの時代への哀悼を、「いしぶみ」は切々と訴えかけている。

昭和四十七年十二月

村松　剛

文字づかいについて

新潮文庫の日本文学の文字表記については、なるべく原文を尊重するという見地に立ち、次のように方針を定めた。

一、口語文の作品は、旧仮名づかいで書かれているものは現代仮名づかいに改める。
二、文語文の作品は旧仮名づかいのままとする。
三、一般には当用漢字以外の漢字も使用し、音訓表以外の音訓も使用する。
四、難読と思われる漢字には振仮名をつける。
五、送り仮名はなるべく原文を重んじて、みだりに送らない。
六、極端な宛《あ》て字と思われるもの及び代名詞、副詞、接続詞等のうち、仮名にしても原文を損《そこな》うおそれが少ないと思われるものを仮名に改める。

安岡章太郎著　海辺の光景　芸術選奨・野間文芸賞受賞

海辺の精神病院で死んでゆく母と、それを看取る父と子……戦後の窮乏した生活の中で訪れた母の死を虚無的な心象風景に捉える名作。

安岡章太郎著　質屋の女房　芥川賞受賞

質屋の女房にかわいがられた男をコミカルに描く表題作、授業をさぼって玉の井に〝旅行〟する悪童たちの「悪い仲間」など、全10編収録。

安岡章太郎著　犬をえらば

犬は飼い主に似る？　紀州犬コンタを飼う著者が、遠藤周作、江藤淳など作家との交遊とその素顔を、それぞれの愛犬に託して綴る。

北　杜　夫　著　夜と霧の隅で　芥川賞受賞

ナチスの指令に抵抗して、患者を救うために苦悩する精神科医たちを描き、極限状況下の人間の不安を捉えた表題作など初期作品5編。

北　杜　夫　著　黄いろい船

親たちの精神状態は子供の心にどのような影を落すだろうか……反抗期と問題児、初恋と性の目覚めなどをとらえたユニークな作品集。

北　杜　夫　著　白きたおやかな峰

ヒマラヤ山脈の処女峰ディランに挑む日本の遠征隊にドクターとして参加した著者が、大自然の魅惑と愛すべき山男たちの素顔を描く。